JN068067

'24−'25年版

ひとりで学べる

調剤報酬 事務&レセプト作例集

青山美智子 著

ナツメ社

はじめに

　本書は、調剤報酬の勉強を始めたばかりの方が感じる「これ、どういうこと？」「なぜこうなるの？」という疑問や気づきを大切にし、それに応える一冊に仕上げました。

　本書の特徴は、タイトルどおり、初心者でも手順に従って進めば、誰でも簡単に調剤レセプトが作成できるしくみになっていることです。まさに「ひとりで学べる調剤報酬事務」です。実務経験のない方でもイメージがわき、理解しやすいように随所にイラストが盛り込まれており、いわば「調剤報酬事務のマニュアル」です。

　これまで、なんとなく調剤報酬を理解して実務を行っている方にも、また、"今さら人には聞けない"と思っている方にも、絶好の1冊となるでしょう。

　この本には、みなさんが調剤報酬事務を行う上で知っておかなければならない、**医療保険制度のしくみ**や、**薬の基礎知識**、**処方箋の読み方**、**薬剤の計算方法**など、はじめの一歩から丁寧に解説しています。**患者受付から窓口会計（窓口徴収）、調剤報酬請求（レセプト）のしかた**まで、しっかり学べるように作成しました。この1冊で学びながら、ぜひ調剤報酬の楽しさを感じてください。

　あなたがこの1冊を終えたとき、調剤報酬請求事務の各検定試験に挑戦できるように、学科問題および実技問題（レセプト作成）の両方にも対応させた書籍です。

　検定試験の制限時間内に、素早く正確に学科問題とレセプト作成ができるように、付録として「**調剤報酬早見表**」や「**保険薬局で扱う主な公費負担医療制度**」などの"おたすけ資料"を付けました。また、巻末にはすばやく引ける索引も付けました。

　本書は、実務を行っている方にも、「なぜこれが必要なのか」に応える法的根拠が明らかにされているので、今後の業務にも大いに役立つことでしょう。

　本書をみなさまのお役に立てていただければ幸いです。

2024年8月

青山　美智子

本書の特長と使い方

　本書は、調剤報酬請求事務の資格試験に合格するため、必要な知識を効率的に学習できるようにつくられています。次の３ステップを参考にしながら学習を進めてみてください。

Step 1

まずは「基礎知識」の学習から始める

第１～５章で調剤報酬請求事務に必要な知識を身につけます。ここで学習した内容がレセプト作成にかかわるので、しっかりチェックしましょう。

Step 2

要点チェックで学習内容の整理する

各章の終わりに「要点チェックテスト」と「ステップアップ」を設けています。各章で学習した内容が身についているか、ここで確認をしましょう。

Step 3

実際にレセプトを作成して実力をつける

第６章でレセプトの作成について詳しく解説しています。ここを読んでから、別冊レセプト作成の問題を解いてみましょう。試験合格の力が身につきます。

学習のポイント
項目ごとに、覚えておきたいポイントや気をつけたい箇所をピックアップしています。本文を読み始める前に確認しておきましょう。

ココを押さえる！
試験に出やすい箇所、間違えやすい箇所を解説しています。

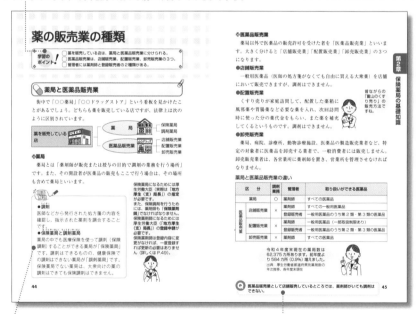

用語解説　重要用語を取り上げて解説しています。押さえておきましょう。

本文の中で重要な部分は文字が赤くなっています。

Q & A
学習した内容が理解できているか確認できるように、一問一答を設けています。答えは○か×。挑戦してみましょう。

●要点チェックテスト

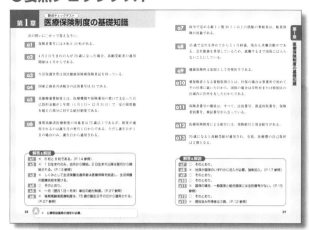

各章で学習した内容がしっかり理解できているか、一問一答問題に取り組んでください。ここで間違えた問題があったら、前のページに戻って確認をして、頭の整理をしましょう。

●ステップアップ

過去に出題された問題を参考にして作成した問題を掲載しています。要点チェックテストで知識の整理ができたら、挑戦してみましょう。

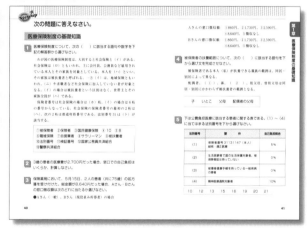

〈別冊〉
ケースで学ぶレセプト作成

別冊はレセプト作成の問題集になっています。処方箋を見ながらレセプトを作成する練習を繰り返し行いましょう。別冊 P.83 に調剤報酬明細書を掲載しているので、コピーをして使用してください。

目次

第1章　医療保険制度の基礎知識

第2章　保険薬局の基礎知識

第3章　薬の基礎知識

第4章　処方箋の基礎知識

第5章　調剤報酬の算定のしかた

第6章　調剤報酬明細書作成のしかた

＜別冊＞ ケースで学ぶレセプト作成

別冊ではレセプト作成の練習です。
Let's try!!

第1章

医療保険制度の
基礎知識

この章では、日本の医療保険制度について学習します。保険証の見方や保険の種類を始め、後期高齢者医療制度や高額療養費制度など、さまざまな保険制度がどのようなしくみになっているのかを解説しています。

医療保険制度のしくみと種類

**学習の
ポイント！**
- ○ 窓口で患者からいくらもらうかは、医療保険制度に基づいている。
- ○ 調剤報酬の請求は審査支払機関に提出する。
- ○ 保険の種類によって、保険料、資格、負担金が異なる。

医療保険制度のしくみ

　日本の医療保険制度では、私たちが病気やケガをした場合、「いつでも、どこでも、誰でも」保険医療機関に受診ができ、受診の際に保険証（正式には「被保険者証（ひ ほ けんしゃしょう）」）を提示することにより、かかった医療費の一部金額だけを窓口に支払えばよいしくみになっています。

　生活保護法の適用者を除いたすべての国民がいずれかの医療保険に加入して保険料を支払い、その保険料や国庫負担等を財源にして、国民に対し医療保障が行われるもので、このしくみは「**国民皆保険制度（こくみんかい ほ けんせい ど）**」といい、1961（昭和 36）年 4 月から実施されました。

医療保険の流れを理解しよう

　被保険者と保険者の関係について見てみましょう。

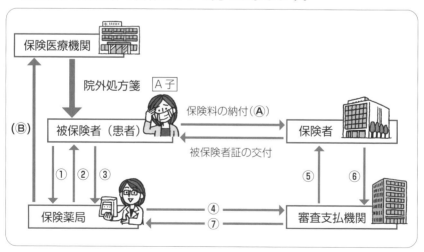

　保険料を納付している A 子さんを「被保険者」といい、保険料の納入先を「保険者」といいます。保険者は、A 子さんに対し保険証（被保険者証）を交付して、A 子さんに医療の必要があった場合、A 子さんは一部自己負担金を支払い、残りの金額は保険者が給付します（Ⓐ）。

　病院や診療所を「保険医療機関」といい、受診する際はその被保険者証を提示します。

　医薬分業（P.47 参照）の医療機関では、薬の代わりに「院外処方箋」が渡されます。

① A 子さんは保険薬局（どこでもよい）に「院外処方箋」と「被保険者証」を提示します。

②保険薬局では薬を調剤し、A 子さんに渡します（調剤する際、確認したいことがあれば、処方箋を発行したドクターに問い合わせをすることもあります（Ⓑ）。

③ A 子さんは、調剤に要した金額の一部負担金分を支払います。

④保険薬局では残りの金額を A 子さんの保険者から入金（給付金）してもらうために「審査支払機関」にレセプト（正式には「調剤報酬明細書」という）を提出します。

⑤審査支払機関はレセプトのチェック機関でもあり、妥当なレセプト

●**被保険者（被扶養者）**
病気やケガに対し、医療保険が給付される者（個人）をいいます。
●**被扶養者**
被保険者の生計によって扶養されている者（個人）をいいます。
●**保険者**
保険料を徴収し、保険事業を運営するもの（団体）をいいます。
●**審査支払機関**
医療機関から提出されたレセプト〔診療（調剤）報酬明細書〕を審査し、審査済みのレセプトを各保険者へ送付します。保険者からは支払金を預かり、各医療機関に入金する支払代行も行う第三者機関です。社会保険（社保）は「社会保険診療報酬支払基金（支払基金）」、国民健康保険（国保）は「国民健康保険団体連合会（国保連）」が第三者機関です。

Q わが国の医療保険制度は、加入または未加入の選択ができる。　**11**

は「保険者」に送られます。

⑥保険者ではAさんのレセプトを再チェックし、問題なければ保険薬局に給付金を支払いますが、直接ではなく、審査支払機関に送ります（審査支払機関は支払いの代行機関でもあります）。

⑦審査支払機関は、保険調剤薬局に保険者からの給付金を送ります。

【被扶養者の範囲
（三親等の親族図）】

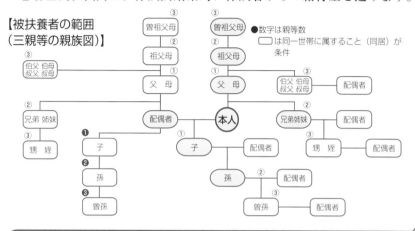

窓口ではいくら支払ってもらったらいい？

　患者が窓口で支払う自己負担割合は、原則、年齢によって決められていますが、公費負担医療制度などの適用によっても支払金額が異なります。ここでは医療保険制度がどんな役割をしているのか、またその他の主な制度の役割についても見てみましょう。

年齢別の自己負担割合を覚えよう

　一部負担割合は被保険者（本人）、被扶養者（家族）ともに、**3割**になります。ただし、義務教育就学前（6歳に達する日以降の最初の3月31日までの期間）までは**2割**負担です。

　また、70～74歳までを高齢受給者^{（※）}といい、一部負担割合は**2割**ですが、現役並み所得者は**3割**負担になります。75歳以上を後期高齢者といい、一部負担金は1割ですが、一定以上の所得者は2割、現役並み所得者は3割負担です。

 ×　国民皆保険制度として、生活保護法の適用者以外は強制加入である。
（P.10参照）

※「現役並み所得者」とは、①標準報酬月額28万円以上の者、②課税所得145万円以上の者等をいう。

※後期高齢者で「一定以上の所得者」とは、①課税所得28万円以上で、かつ、②「年金収入＋その他の合計所得金額」が単身世帯で200万円以上、複数世帯で320万円以上の者をいう。

【年齢別の自己負担割合】

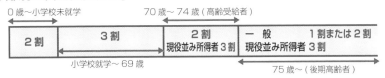

※高齢受給者の適用開始は、70歳の誕生日の属する月の翌月からになる。ただし1日生まれの場合はその月から該当する。

　　　　例）6月2日生まれ　→　7月から適用
　　　　　　6月1日生まれ　→　6月から適用

75歳となった**その日**から**後期高齢者医療制度**の適用を受けます。また、65歳以上の寝たきり等の人もこれに該当します（障害認定日から該当）。

■窓口徴収の事例

　5月1日、3人の患者（75歳）の処方箋を受け付けました。総金額が7,840円だった場合、窓口徴収額はいくらになるか算定してみましょう。

※健康保険法第75条により、一部負担金は10円未満の端数があるときは四捨五入します。

　●Aさん（現役並み所得者）、Bさん（一定以上の所得）、Cさん（一般）の比較

　Aさんの窓口徴収金額（3割）：7,840円×30％＝2,352円→2,350円

　Bさんの窓口徴収金額（2割）：7,840円×20％＝1,568円→1,570円

　Cさんの窓口徴収額（1割）：7,840円×10％＝784円→780円

・保険薬局の窓口では、高齢者の生年月日を十分に確認しましょう。

・現役並み所得者は、75歳以降も3割徴収します。

 あなたの保険証を確認してみよう

　保険料を保険者に納付すると、保険者からは保険証（正式名称「被保険者証」）が交付されます。これによって私たちはさまざまな給付（現物給付や現金給付）が受けられます。

　では、その保険証には何が書かれているのか見ていきましょう。

 審査支払機関ではレセプトの審査や保険者からの支払いの代行なども行っている。

保険者番号のしくみを見てみよう

●保険者番号とは

　保険者番号とは、保険証を交付した保険者名を数字で表わしたものです。すべての「被保険者証」には必ず交付元である保険者とその番号が記載されています。被保険者証は、紙タイプからカードタイプになりました（一部紙タイプあり）。

【被保険者証見本】

```
健康保険      本人（被保険者）
被保険者証   ❶                        令和○○年○月○日交付
             記号 6            ❷>番号279      ❸>（枝番）○○
氏名          日本　太郎
                ニホン　タロウ
生年月日      平成4年1月10日              性別　男
資格取得年月日  令和1年4月1日

事業所所在地   川口市×××1-2-3
事業名称      ABC株式会社
保険者番号   ❹>01110014
保険者名称     全国健康保険協会　埼玉支部      印
保険者所在地   埼玉県さいたま市大宮区錦町682-2　大宮情報文化センター(JACK大宮)16階
```

❶**記号**：被保険者を雇用している事業所の記号。事業所ごとに設定されている。

❷**番号**：被保険者に与えられた個人番号。家族である被扶養者も同じ番号を使用する。

❸**（枝番）番号の後の2ケタ**：個人を識別する番号。

❹**保険者番号**：保険者ごとに割り当てられた固有の番号。

> 見本の01110014は8桁なので社保ですね。

　社保（P.17参照）の保険者番号は8桁・国保（P.24参照）は6桁の数字で表わされています。数字には意味があり、最初の2桁が法別番号、次の2桁が都道府県番号、続く3桁が保険者別番号、

  ○　そのとおり。

最後の1桁が検証番号で構成されています。

　国保の場合は法別番号がないので6桁の数字で表わされ、都道府県番号（2桁）＋保険者別番号（3桁）＋検証番号（1桁）で構成されています。

　表にすると次のようになります。

■保険者番号の構成

区　　分	法別番号	都道府県番号	保険者別番号	検証番号	保険者番号の桁数
	2桁	2桁	3桁	1桁	
社　　　　保	●●	●●	●●●	●	8桁
国保　一般国保	なし	●●	●●●	●	6桁
組合国保	なし	●●	●●●	●	

※表の●には数字が入る。

●**法別番号**（P.16 参照）
医療保険のそれぞれの制度を2桁の番号で表わしたものが法別番号。
●**都道府県番号**
保険者の所在地の都道府県を示すもので、北海道01〜沖縄47までそれぞれ都道府県番号表に定められています。設定可能な実施機関番号がなくなり次第、51〜97を設定します。
●**保険者別番号**
各都道府県別に、保険者の設立順に保険者を3桁の数字で表わしたもの。
●**検証番号**
保険者番号に誤りがないことが検証できる番号。

■都道府県番号表（コード51〜97の設定は2016年10月31日から適用）

都道府県	コード	都道府県	コード	都道府県	コード	都道府県	コード	都道府県	コード
北海道	01又は51	埼玉	11又は61	岐阜	21又は71	鳥取	31又は81	佐賀	41又は91
青森	02又は52	千葉	12又は62	静岡	22又は72	島根	32又は82	長崎	42又は92
岩手	03又は53	東京	13又は63	愛知	23又は73	岡山	33又は83	熊本	43又は93
宮城	04又は54	神奈川	14又は64	三重	24又は74	広島	34又は84	大分	44又は94
秋田	05又は55	新潟	15又は65	滋賀	25又は75	山口	35又は85	宮崎	45又は95
山形	06又は56	富山	16又は66	京都	26又は76	徳島	36又は86	鹿児島	46又は96
福島	07又は57	石川	17又は67	大阪	27又は77	香川	37又は87	沖縄	47又は97
茨城	08又は58	福井	18又は68	兵庫	28又は78	愛媛	38又は88		
栃木	09又は59	山梨	19又は69	奈良	29又は79	高知	39又は89		
群馬	10又は60	長野	20又は70	和歌山	30又は80	福岡	40又は90		

Q 保険者とは、保険料を支払っている人のことである。

医療保険の種類を見てみよう

医療保険は「**社保**（職域保険）」と「**国保**（地域保険）」の２つに大別されます。

一覧表をもとに、それぞれの内容について説明していきましょう。

■医療保険の一覧

保険の種類	法別番号	患者負担
全国健康保険協会管掌健康保険 ＊主に中小企業に勤める人	01	3 割
日雇特例被保険者の保険 ＊日々雇い入れられる労働者	03、04	3 割
組合管掌健康保険 ＊主に大企業に勤める人	06	3 割
船員保険	02	本人 3割　家族 3割
＊船員・下船後 3 ヵ月以内		0 割　－
自衛官等　＊自衛官等	07	3 割
国家公務員共済組合 ＊国家公務員、自衛官等の被扶養者	31	3 割
地方公務員等共済組合　＊地方公務員	32	3 割
警察共済組合　＊警察勤務者	33	3 割
公立学校共済組合、日本私立学校振興・共済事業団	34	3 割
特例退職　特定健康保険組合	63	3 割
特定共済組合	72～75	3 割
国民健康保険 ＊一般農林漁業、自営業の人、休職中の人等	なし	3 割
国民健康保険組合 ＊同業種の集まりの人(保険者により異なる)	なし	3 割

社保（職域保険）

国保（地域保険）

医療保険

主にサラリーマン（本人）とその家族が対象

主に自営業者とその家族（社保加入者は除く）が対象

医療保険・高齢受給者（70～74 歳）	なし	2 割
後期高齢者医療制度（75 歳以上）	39	1割または2割

現役並み所得者は 3 割（65 歳以上の一定の障害のある者を含む）

 16　×　保険料を支払う人は被保険者という。保険料を徴収するのが保険者。（P.11 参照）

❖ 社保（職域保険）

　他人に雇われている人を対象にしている保険で、「被用者保険」「職域保険」ともいいます。会社や官公庁、学校などに勤める人とその家族が加入する保険です。保険証の保険者番号は **8 桁** で構成されています。

■健康保険料は原則として労使^{※1}折半

　健康保険料は毎月給料から引かれていますが、原則、労使折半のため、被用者の保険料の 1/2 を事業主が負担することになっています（健康保険法第 161 条）。社保の場合、被用者一人分の保険料で本人とその扶養者（家族）全員、人数に関係なく保険の適用が受けられます。

■被保険者の資格取得日

　資格取得日は、**適用事業所で初めてその仕事に就いた日**（健康保険法第 35 条）です。

■被保険者の資格喪失日

　資格喪失日は、被保険者が死亡した場合や退職した場合などにより **事業所に使用されなくなった翌日** です（健康保険法第 36 条）。

■退職した場合

　退職した場合、退職した翌日から社保の資格がなくなりますが、必ず何かしらの保険に入らなければなりません。その選択肢は以下のとおりです。

❶任意継続をする（最長 2 年間）^{※2}
❷家族の健康保険などの被扶養者となる（ただし所得制限あり）
❸国民健康保険の被保険者となる

※1 労働者と使用者のことを労使という。
※2 任意継続被保険者については健康保険法第 37 条、第 38 条を参照。

　職場を退職すると、その翌日に健保（社保）の被保険者の資格を失い、国保の被保険者になります（健康保険法第 36 条、国民健康保険法第 7 条）が、申請により退職しても元の勤務先の健康保険に最長 2 年間、継続して被保険者となることができます。

 医療保険を 2 つに大別すると、社保（職域保険）と国保（地域保険）がある。

●条件……①被保険者資格を喪失する前日までに、継続して2ヵ月以上
　　　　　被保険者であったこと。
　　　　②資格を喪失した日（退職の翌日）から20日以内に申請す
　　　　　ること（勤務先で可能）。
●留意点…①任意継続被保険者の資格を取得した日から起算して、2年
　　　　　を経過したときにその資格を喪失すること（その後は国保
　　　　　に加入する）。
　　　　②保険料は全額自己負担になり（退職前の健康保険料は事業
　　　　　主が半分負担）、納付が遅れると資格を喪失する場合もあ
　　　　　ること。

① 全国健康保険協会管掌健康保険（法別番号 01）

　通称「**協会けんぽ**」といわれており、民間の中小事業所に勤務してい
る従業員を対象とした保険です。株式会社、有限会社、財団法人などの「法
人事業所」と「適用事業所」（法人以外で常時従業員が5人以上の事業所
で、組合管掌健康保険に加入していない事業所）は**全国健康保険協会管
掌健康保険**の加入が義務づけられています。このように法律で健康保険
への加入が義務づけられている事業所を「**強制適用事業所**」といいます。

> ○**保険者**：全国健康保険協会「協会けんぽ」（本部と47都道府県支
> 　　　　　　部で構成）
> ○**対象者**：民間の事業所に従事する事業主、従業員とその家族
> ○**保険料**：毎月給料から引き落とし（保険料は労使折半）
> ○**資格取得日**：事業所で初めてその仕事に就いた日から
> ○**資格喪失日**：事業所に使用されなくなった翌日から
> ○**一部負担金**：3割（義務教育就学前の者は2割）
> ○**給付期間**：治るまで。資格喪失後に日雇特例被保険者（被扶養者）
> 　　　　　　　になったときは資格喪失後6ヵ月以内（特別療養給付）

② 日雇特例被保険者（法別番号 03、04）

　「日雇特例被保険者」は、臨時に短期で使用される者等が健康保険を
適用している事業所に雇われる場合に加入できる制度です。**臨時的で短**

 ○　そのとおり。

期のため、健康保険の加入対象者ではありません。したがって、保険料の支払いや被保険者の資格取得など、一般の社保の扱いとは異なります。日雇労働者とは、①臨時に日々雇用される人で期間が1ヵ月を超えない者、②臨時に2ヵ月以内の期間を定めて使用されその期間を超えない者、③季節的業務に4ヵ月を超えない期間使用される予定の者、④臨時的事業の事業所に6ヵ月を超えない期間使用される予定の者をいいます。

○保険者：全国健康保険協会「協会けんぽ」（本部と47都道府県支部で構成）
○対象者：日雇労働者とその家族
○保険料の支払い方：月額ではなく日額で、働いた日ごとに保険料（印紙）を納付※
※事業主が日雇特例被保険者手帳に健康保険印紙を貼り、消印することで保険料の納付となる（健康保険法第169条）
○資格取得：保険診療・保険調剤を**受ける日の属する月の前2ヵ月間に通算して26日分以上**の保険料を納付しているか、または**その受ける日の属する月の前6ヵ月間に通算して78日分以上**の保険料を納付している者

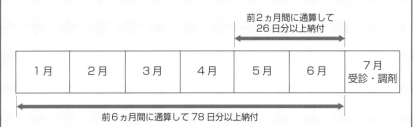

では、この条件に当てはまらない期間に、日雇特例被保険者およびその被扶養者が治療を受けようとする場合はどうしたらよいのでしょうか。全額自己負担になってしまうのでしょうか。

それをカバーするのが『**特別療養費（04）**』です。初めて日雇特例被保険者となった者は、保険料納付要件を満たすことができないので、療養の給付等を受けることができないため、保険料納付要

Q 日雇特例被保険者になって10日目に病気で受診した場合、保険料の納付期間が短いので、全額自己負担することになる。

件を満たすまでの間、特別療養費によって保険診療を受けることができる制度です。特別療養費は、日雇特例被保険者のみの給付です。

○一部負担金：被保険者（本人）、被扶養者（家族）ともに**3割負担**。ただし義務教育就学前（6歳に達する日以降の最初の3月31日までの期間）は、**2割負担**

○給付期間：一般療養（03）……給付を受けはじめてから1年（結核性疾病は5年）以内

特別療養費（04）…被保険者手帳交付日の属する月の初日から3ヵ月（交付日が月の初日の場合は2ヵ月）

③ 組合管掌健康保険（法別番号06）

健康保険組合が**管掌**（かんしょう）する保険をいいます。**単独**で従業員を常時**700人以上**使用する**事業所**（単一組合）は、その従業員の**1/2以上の同意**を得たうえで、厚生労働大臣の認可を受けて健康保険組合を設立し、独自に運営することができます。

また、単独で従業員が700人に満たなくても、**同業種**の**複数の事業主**が共同して健康保険組合を設立することができます。この場合、被保険者の数が**3,000人以上**でなければなりません（総合組合）。このようにして設立された健康保険組合が管掌する保険を「組合管掌健康保険」といいます。

ココを押さえる！

特別療養費受給
日雇特例健康保険の申請から、受給資格者票の交付を受けるまでの間などのように、資格取得の要件を満たさないうちに病気やケガをしたら、「特別療養費受給票」が発行されます。これを保険医療機関や調剤薬局に提出すれば保険診療や保険調剤が受けられます。

○保険者：各健康保険組合
○対象者：民間の主に大企業に従事する事業主、従業員とその家族
○保険料、資格取得・喪失：P.17 社保のとおり
○一部負担金：P.12 のとおり

× 本来の受給資格を満たしていない場合、特別療養費でカバーされる。

○給付期間：治るまで。資格喪失後に日雇特例被保険者（被扶養者）になったときは資格喪失後6ヵ月以内（特別療養給付）

④ 船員保険（法別番号02）

　船員を対象とした保険です。船員とは次の**1～4**の船舶に乗り組む①～③の人をいいます（船員法第1条に規定する船員）。

　対象となる船舶は以下の4つです。

1 日本国民、日本法人、日本官公署の所有する船舶

2 日本船舶以外の船舶で、日本国民、日本法人、日本官公署が借り入れ、または国内の港から外国の港まで回航を請け負った船舶

3 日本政府が乗組員の配乗を行っている船舶

4 国内各港のみを航海する船舶

①船長および海員※

　※海員とは、機関長、機関士、航海士、船舶通信士、甲板員など、船長以外の乗組員のこと。

②予備船員※

　※予備船員とは、船舶に乗り組むために雇用されている人で、船内で使用されていない人のこと。

③商船学校の生徒、商船大学の学生

●**船員保険の対象外**

・総トン数が**5トン未満**の船舶

・**湖、川**または**港**のみを航行する船舶

・政令の定める総トン数が**30トン未満**の漁船

・船舶職員及び小型船舶操縦者法に規定する小型船舶であって、スポーツまたはレジャー用のヨット、モーターボートなど目的、運行体制等から船員労働の特殊性が認められないとして国土交通省で定める船舶

※海上保安官は国家公務員共済組合員。

Q 　海上保安庁の巡視船艇の乗組員は船員保険に加入している。

○保険者：全国健康保険協会「協会けんぽ」。ここに設置された船員保険部で運営
○対象者：前出 1 〜 4 に乗り組む①〜③の船員とその家族
○保険料、資格取得・喪失：P.17 社保のとおり
○一部負担金：被保険者（本人）、被扶養者（家族）ともに**3割**負担。ただし義務教育就学前（6歳に達する日以降の最初の 3 月 31 日までの期間）は、**2割**負担。本人の場合、下船後**3ヵ月以内**の業務外（雇用契約存続中に職務外の事由により傷病を負った場合）における傷病に限り、自己負担は**0割**。これは船舶所有者の療養補償として給付されるもの。
○給付期間：業務上の場合は、治るまで。業務外の場合は、被保険者である間

⑤ 自衛官等（の療養の給付）（法別番号 07）

　自衛官等は、本来国家公務員ですが共済組合からの給付は行われません。この自衛官等の療養の給付は、被保険者（本人）だけを対象にしています。自衛官等の「家族」は国家公務員共済組合（31）の対象になります。自衛官の中でも「制服組（陸海空の三自衛隊において命令に服して隊務を行う自衛官）」が 07 の対象で、事務職の勤務者は 31 の国家公務員共済組合員になります。

○保険者：各駐屯部隊
○対象者：自衛官、訓練招集中の予備自衛官、各駐屯部隊の隊員、防衛大学校の学生などが対象。家族は対象ではない
○保険料、被保険者の資格取得・喪失：P.17 社保のとおり
○一部負担金：被保険者（本人）は**3割**負担
○給付期間：治るまで

  ×　海保職員は国家公務員のため、共済組合員に入っている。（P.21 参照）

● 自衛官診療証

　自衛官には、「**自衛官診療証**」が発行されます。自衛官の場合、まず駐屯地・基地の衛生隊（医務室）で医官（自衛官の医師）や近傍病院の委託医師による治療を受けます。そして、ここで治療が困難な場合や専門医の診察が必要な場合に、自衛隊病院や一般の病院で診療を受けます。

　自衛官が駐屯地・基地の衛生隊や自衛隊病院で診療を受けると、薬まで含めて無料です。

　一般の病院を受診するときは「自衛官診療証」を提示し、一部負担をしますが、残りは共済組合ではなく国が支払うしくみです。そのため、本人は「自衛官診療証」、家族は国家公務員共済の「組合員証」に分かれているのです。

⑥ 各種共済組合（法別番号31〜34）

　国家公務員、地方公務員、警察勤務者、公立・私立学校教職員などは、それぞれの共済組合法に基づいて共済組合を作り、そこが保険事業を運営しています。

○保険者：国家公務員共済組合（31）、地方公務員等共済組合（32）、警察共済組合（33）、公立学校共済組合、日本私立学校振興・共済事業団（34）
○対象者：国家公務員、地方公務員、警察勤務者、学校の教職員とその家族
○保険料、資格取得・喪失：P.17 社保のとおり
○一部負担金：P.12 のとおり
○給付期間：治るまで

⑦ 特例退職者（法別番号63、72〜75）

　健康保険組合の被保険者は、定年退職後に国保の退職被保険者にならずに、それまで所属していた健康保険組合に申請して、その健康保険組

Q 自衛官に扶養されている家族が持っている被保険者証の法別番号は07である。

23

合の退職被保険者になることができます。

　この取り扱いのできる健康保険組合を「**特定健康保険組合**」といい、厚生労働大臣の許可を受けなければなりません。この場合の退職被保険者を「**特例退職被保険者**」といいます。

	特定健康保険組合の種類	法別番号
社 保	特定健康保険組合	63
	国家公務員特定共済組合	72
	地方公務員等特定共済組合	73
	警察特定共済組合	74
	公立学校特定共済組合 日本私立学校振興・共済事業団	75

❖国保（地域保険）

　地域住民を対象にしている保険で、「地域保険」ともいいます。社保に加入している者、生活保護世帯、一時的な滞在者を除いては、すべて国保に加入します。主に農業や商店などを営んでいる自営業者や求職中の人などが加入対象で、世帯員全員が被保険者となります。

　国保の場合、被保険者は世帯主とその家族全員を指し、被扶養者という区別はありません。国保の保険者番号には法別番号がなく、都道府県番号から始まる**6桁**で構成されています。

　国保には市区町村が保険者となる「**一般国保**」と、同業者が集まって保険者となり立ち上げ運営する「**組合国保**」があります。組合国保の保険者別番号は 300 番台になっているのが特徴です。

① 国民健康保険（一般国保）

　社保に加入していない地域住民を対象とすることから「地域保険」ともいわれます。個々の市区町村が運営する「**一般国保**」の保険料は、世帯ごとに収入や世帯人数等により算出されますが、算出割合は各市区町村が個々に定めるので、住んでいる市区町村によって保険料が異なります。

Ⓐ　× 家族は 31 である。（P.22 参照）

○保険者：市町村および特別区

○対象者：社保に加入していないその地域の住民で、農林業・自営業・自由業・求職者など

○保険料（税）：各市区町村で、加入世帯ごとに前年度の所得割、世帯別平等割、資産割などを組み合わせて計算された保険料の納入通知書の金額を、世帯主が保険者に、期限までに納入。

○資格取得日：市町村または特別区の区域内に**住所を有した日**から（国民健康保険法第5条）。**会社退職の場合は退職日の翌日から（生活保護法適用者は除く）**

○資格喪失日：被保険者が死亡した場合やその区域内に**住所を有しなくなった翌日**から喪失（転出の翌日）。社保に**変更した場合は、加入日の翌日から（生活保護法適用者は除く）**

※なお、資格の取得・喪失の届出を、その日から14日以内に世帯主が市町村に提出しなければならない（国民健康保険法第76条）

○一部負担金：P.12のとおり

○給付期間：治るまで

② 国民健康保険組合（組合国保）

　市区町村が運営する一般国保の他に、「**組合国保（国保組合）**」があります。これは個人で開業している医師や理容師などの同業者たちの300人以上の同意によって、同業者の国民健康保険組合が設立できるものです。設立の際は、15人以上の発起人が規約を作り、組合員となる300人以上の同意を得て、都道府県知事の許可を得なければなりません。

ココを押さえる！

組合国保の種類
組合国保には、医師国保組合、理容国保組合、食品販売国保組合、浴場国保組合、芸能人国保組合などがあります。

○保険者：組合国保
○対象者：社保、一般国保に加入していない組合員とその被扶養者
○保険料（税）：組合により異なる。組合員および家族被保険者1
　　　　　　　人あたりの定額（月額）で定めている場合が多く
　　　　　　　見られる（国民健康保険法第76条）
○資格取得日：社保または国保を脱退し、組合国保に加入した日か
　　　　　　　ら。P.25 一般国保に準ずる
○資格喪失日：組合国保の場合は組合員でなくなった日の翌日から
　　　　　　　喪失（社保に変更も含む）。組合員の死亡の場合、
　　　　　　　その翌日から家族の資格が喪失。P.25 一般国保に準
　　　　　　　ずる
○一部負担金：P.12 のとおり
○給付期間：治るまで

後期高齢者医療制度とは

後期高齢者医療制度（法別番号 39）

　75歳以上（65歳以上で一定以上の障害がある者を含む）の高齢者の医療に対して、これまでの「社保」や「国保」の医療保険から切り離し独立させて運営されているもので、2008（平成20）年4月に導入された制度です。**後期高齢者医療広域連合**が運営の主体となります。

　75歳以上を**後期高齢者**といいますが、後期高齢者一人一人が被保険者となって、特別地方公共団体である後期高齢者医療広域連合から一人ずつに被保険者証が交付されます（**生活保護受給者**を除く）。したがってその保険料も、後期高齢者が「**自分で**」納めることになります。

　世帯単位で保険料が計算される国民健康保険とは異なり、後期高齢者医療制度では**個人単位**で保険料が計算されることになります。年金支給分から年金の支払期ごとに、原則として該当分の保険料が自動天引き（**特別徴収**）されて、**年金の手取額が減る**ことになります。

  ×　特定健康保険組合に限り、退職後も引き続き、それまで所属していた健康保険組合の退職被保険者になることができる。(P.23 参照)

●後期高齢者医療広域連合の業務

　各都道府県に1団体、全国に47カ所あり、区域内のすべての市区町村が加入する団体です。市区町村と連携して「**被保険者証の交付**」「**保険料の決定**」「**保険給付**」等を行います。

●市区町村の業務

　後期高齢者医療広域連合が決定した「**保険料の徴収**」「**申請や届出の受付**」「**被保険者証の受け渡し**」を行います。年額18万円以上の年金受給者に関しては、保険料を年金から天引き（特別徴収）し、特別徴収の対象とならない場合は、口座振替などの方法で市区町村に納付してもらう普通徴収になります。

●対象者

　75歳以上（65歳以上で一定以上の障害がある者を含む）の高齢者。75歳の誕生日から被保険者になります（手続きは不要）。

●財源

　後期高齢者医療制度の財源は、「**公費**（国4：都道府県1：市区町村1）」「**国保・社保からの支援金**」「**後期高齢者からの保険料**」です。

●患者負担割合

　一般は1割負担、一定所得以上は2割、現役並み所得者は3割負担です。医療保険と同様に、処方箋受付1回ごとに負担金を算出します。

高額療養費制度を覚えよう

　高額療養費制度とは、医療が高額になることで十分な治療が受けられないことがないように、保険医療機関や保険薬局で支払った金額が一月の中で一定の限度額を超えた場合、本人の申請により、差額分が「高額療養費」として支給される制度です。

●70歳未満の場合

所得区分	自己負担限度額(月額)	多数該当(4回目から)(注2)
①区分ア：年収約 1,160 万円以上 （健保：標準報酬月額 83 万円以上の者） （国保：年間所得 901 万円超の者）	252,600 円＋（総医療費－842,000 円）×1%	140,100 円
②区分イ：年収約 770 万円～1,160 万円 （健保：標準報酬月額 53 万円～79 万円の者） （国保：年間所得 600 万円～901 万円の者）	167,400 円＋（総医療費－558,000 円）×1%	93,000 円
③区分ウ：年収約 370 万円～770 万円 （健保：標準報酬月額 28 万円～50 万円の者） （国保：年間所得 210 万円～600 万円の者）	80,100 円＋（総医療費－267,000 円）×1%	44,400 円
④区分エ：年収約 370 万円以下 （健保：標準報酬月額 26 万円以下の者） （国保：年間所得 210 万円以下の者）	57,600 円	44,400 円
⑤区分オ（低所得者） （被保険者が市区町村民税の非課税者等）	35,400 円	24,600 円

高額長期疾病患者の自己負担限度額（月額）：1 万円。
ただし、人工透析を要する上位所得者（標準報酬月額 53 万円以上）については 2 万円。
※「高額長期疾病患者」とは、①人工透析が必要な慢性腎不全、②血液製剤に起因する HIV、
　③血友病の患者

注1）同月に複数の医療機関を受診の場合、自己負担額(69歳以下の場合21,000円以上)を合算可能。
注2）過去12ヵ月以内に3回以上上限額に達した場合は、4回目から多数該当となり、上限額が下がる。

●70歳以上75歳未満の場合

適 用 区 分		外来（個人ごと）	ひと月の上限額（世帯ごと）
現役並み	現役並みⅢ：年収約 1,160 万円～ 標報 83 万円以上／課税所得 690 万円以上	252,600 円＋（総医療費－842,000 円）×1% （多数該当：140,100 円）	
	現役並みⅡ：年収約 770 万円～約 1,160 万円 標報 53 万円以上／課税所得 380 万円以上	167,400 円＋（総医療費－558,000 円）×1% （多数該当：93,000 円）	
	現役並みⅠ：年収約 370 万円～約 770 万円 標報 28 万円以上／課税所得 145 万円以上	80,100 円＋（総医療費－267,000 円）×1% （多数該当：44,400 円）	
一般	年収約 156 万円～約 370 万円 標報 26 万円以下 課税所得 145 万円未満等	18,000 円 年間上限 144,000 円	57,600 円 （多数該当：44,400 円）
非住民税課税等	低所得者Ⅱ：住民税非課税世帯	8,000 円	24,600 円
	低所得者Ⅰ：住民税非課税世帯 （年金収入 80 万円以下など）		15,000 円

注）同月に複数の医療機関を受診の場合、自己負担額を合算可能。

A ×　法別番号 32 は地方公務員等共済組合のもののため市役所職員は正しいが、都道府県番号 34 は広島県なので誤りである。（P.15、16 参照）

●**75歳以上**（現役並みおよび低所得者Ⅱ・Ⅰは70歳以上75歳未満の場合と同じ）

適　用　区　分		外来（個人ごと）	ひと月の上限額（世帯ごと）
一般Ⅱ（窓口負担2割）	自己負担3割以外 課税所得28万円以上で次のいずれかに当てはまる方 ※被保険者が一人世帯の場合：年金収入＋その他合計所得200万円以上 ※被保険者2人以上世帯の場合：年金収入＋その他合計所得が320万円以上	6,000円+（総医療費−30,000円）×10%または18,000円のいずれか低い方（年間上限144,000円）	57,600円（多数該当：44,400円）
一般Ⅰ（窓口負担1割）	現役並み、一般Ⅱ、低所得者Ⅰ・Ⅱに該当しない方	18,000円 年間上限 144,000円	57,600円（多数該当：44,400円）

高額療養費の払い戻金の計算方法

　例題

　Aさん（45歳）年収450万円　医療費が100万円の場合の高額療養費の払い戻し金額。

> **計算式 =80,100円＋（医療費− 267,000円）× 1%**

■**手順①**

　医療費100万円に対し、Aさんは窓口で自己負担分（3割）を支払いました。100万円の3割を計算します。

　【計算方法】100万円× 30%=30万円

■**手順②**

　本来Aさんが支払うべき医療費の上限額を上記の式で求めます。

　【計算方法】80,100円＋（100万円− 267,000円）× 1%
= 87,430円

■**手順③**

　Aさんはすでに30万円を支払っているので、87,430円を超えた分が高額療養費として払い戻してもらえます。

　【計算方法】30万円− 87,430円 =212,570円

Q 78歳の外来患者（一般Ⅱ）の場合、自己負担は2割だが、自己負担額の上限が決められており、患者個人ごとには月12,000円までしか徴収できない。

薬局における在宅薬学管理および医療情報活用の推進

　令和6年度の診療報酬改正では、在宅患者調剤加算が廃止され、新たに**在宅薬学総合体制加算**が新設されました。従来の在宅対応のほか、麻薬の備蓄や無菌製剤処理の体制、小児在宅対応等の在宅訪問体制整備や実績が評価されます。また、**在宅移行初期管理料230点**が新たに新設されました。在宅療養予定の患者が、定期的在宅訪問が始まる前の段階で**服薬状況**や今後の**服薬管理指導**を行った場合に算定できます。

　地域支援体制加算の見直しも行われました。よりいっそう地域医療に貢献するための医療供給拠点として、**在宅訪問管理実績**の必須化や、**かかりつけ薬剤師**の活用、**一般医薬品の販売品目数変更**など、算定要件として求められる項目が増えています。

　そして、医療情報の活用を進めていくための基盤として、**オンライン資格確認等システム**の導入が令和5年4月より義務化されました。さらに令和6年の改正により新たに**医療DX推進体制整備加算**が新設され、医療機関および薬局間での情報共有を強化していくため、電子処方箋の導入などの体制整備が求められています。

核家族化が進み、ひとり暮らしの高齢者が増え、服薬の支援が必要となってくる方も増えてきました。服薬の自己管理が困難な方には、薬の飲み忘れや飲み違いなどがないように薬剤師さんが訪問して患者さんが服薬しやすいように工夫したり、指導管理したりすることが必要になってきます。薬局の薬剤師さんの役割がますます重要になってきますね。

  ×　75歳以上の自己負担限度額（月額）の表の一般Ⅱの外来（個人ごと）の欄を確認しましょう。

その他の主な制度

**学習の
ポイント！**
- 在宅薬学管理料と介護保険の関連性を理解する。
- 業務中の病気やケガは労災保険が適用される。
- 自動車事故では、保険会社が保険料を支払うときにレセプトが必要。

介護保険

介護保険は市町村および特別区（東京 23 区）が保険者となって事業を運営し、要介護（要支援）認定を受けた人に対し、必要なサービスを提供しています。

介護保険の被保険者は、①第1号被保険者（**65 歳以上の全国民**）と②第2号被保険者（**満 40 歳以上 65 歳未満の医療保険の加入者**）です。その中で要介護（要支援）認定を受けた人がサービス提供の対象になります。

認定審査により、受給の区分は**要支援**（要支援1・2）と**要介護**（要介護1～5）の**7段階**に区分されます。あるいは**自立**と認定されます。自立とは、要支援や要介護には該当しないと判定された場合をいいます。高齢でも介護の必要なし（自立）と判定された人は介護サービスを利用できません。受給の区分を軽度➡重度に向かって並べると、以下のようになります。要支援1が最も軽度で、要介護5が最も重度です。

【要支援1・2・要介護1・2・3・4・5】

要介護状態に応じて7段階の区分支給限度基準額があるため、1月に提供されるサービスの種類や回数など、ケアプラン作成時に利用者本人や家族の意向を反映させて利用する介護サービスの内容を決めることができます。

介護保険のサービス提供者は、サービスにかかった費用の**1割～3割**（所得による）を利用者から支払ってもらい、残りの**9割～7割**は一月分をまとめて介護給付費明細書（以下「介護レセプト」）に記載し、サービスを提供した月の翌月 10 日までに**国民健康保険団体連合会**（国保連）

50 歳の所得区分ウの医療費が 75,000 円だった場合、高額療養費制度は適用されない。

へ請求します。

❧介護サービス事業を行うためには

　介護保険が適用される介護サービス事業を行うには、介護保険法に定める介護保険事業者としてこの指定を受ける必要がありますが、病院・診療所や薬局は、健康保険法に基づく保険医療機関および保険薬局の指定を受けたことで介護サービスを行う指定事業者であるものとみなされます。これを「**みなし指定**」といいます（介護保険法第71条および第115条）。

　保険薬局はどんなサービスを行うことができるのでしょうか。

❧介護保険と調剤報酬

　保険薬局が介護サービスにかかわる内容として「**居宅療養管理指導**」があります。そして保険薬局は「**指定居宅サービス事業者**」の指定をされたものとみなされています。

●居宅療養管理指導と介護予防居宅療養管理指導

　居宅療養管理指導とは、保険薬局の**薬剤師**が、通院の困難な患者の**居宅**（家）を訪問して、医師の処方箋の指示に基づき、安全な薬の飲み方や副作用、アレルギー、重複投薬の確認などの薬歴管理や薬剤の保管状況などについて管理指導を目的に行うものです。介護予防居宅療養管理指導は、**介護予防を目的**として、通院できない**要支援１**または**要支援２**の高齢者を対象とした、同様のサービスをいいます。

　算定する回数は患者１人につき、一月に上限４回まで。月２回以上算定する場合は、算定する日の間隔は６日以上が必要です。

　ただし、がん末期患者、注射による麻薬投与が必要な患者、中心静脈栄養を受けている患者に対しては、１週間に２回、かつ一月に８回を限度として算定できます。この場合は、算定日の間隔の規定はありません。

　情報通信機器を用いた服薬指導を行った場合は、月４回まで（訪問指導含む）46単位を算定できます。この場合、各加算は算定することができません。

　特別な薬剤（麻薬）に対し必要な指導を行った場合は、麻薬管理指導加算を算定できます。

32　　○　そのとおり。自己負担額を超えなければ適用されない。

● 居宅療養管理指導費が算定できない場合について

現に他の保険医療機関または保険薬局の薬剤師が居宅療養管理指導を行っている場合は算定できません。

を押さえる！

・医療保険の在宅区分にある「在宅患者訪問薬剤管理指導」と介護保険の「居宅療養管理指導」は、管理指導の内容は同じです。
・指導を受ける方が要介護者（要支援者）であったときは、介護保険の**居宅療養管理指導費**で算定します（介護保険の給付が優先）。
・レセプトの摘要欄には訪問日を記入します。
・介護保険の「居宅療養管理指導費」を算定した際、それに含まれない薬剤を出した場合は、居宅療養管理指導費は**介護レセプト**で、薬剤料の費用は**調剤レセプト**で請求します。

労災保険（労働者災害補償保険）を適用する場合

労災保険に加入している事業所で働くすべての労働者（パート・アルバイト等を含む）が、業務上や通勤途上で病気やケガを負い医療を受けようとする場合は、労災扱いとなります。障害・死亡の場合も適用します。業務（通勤）災害に該当するかの認定は労働基準監督署が行います。保険薬局が労災保険を扱うためには、各都道府県の労働局長から「労災保険指定薬局」の指定を受ける必要があります。

請求先は、指定薬局の所在地を管轄する労働局長です（窓口は労働基準監督署）。

❖労災保険指定薬局の窓口業務

●業務災害の場合

保険薬局の受付に、患者から「処方箋」と「療養補償給付たる療養の給付請求書」（様式第5号）が提出されます。**窓口での患者の自己負担はありません。**

●通勤災害の場合

保険薬局の受付に、患者から「処方箋」と「療養給付たる療養の給付請求書」（様式第16号の3）が提出されます。**窓口での患者の自己負担**

職場で業務中にケガをした場合は労災保険が適用されるので、患者からは自己負担額として1割だけ徴収すればよい。

● 居宅療養管理指導費が算定できない場合について

現に他の保険医療機関または保険薬局の薬剤師が居宅療養管理指導を行っている場合は算定できません。

を押さえる！

・医療保険の在宅区分にある「在宅患者訪問薬剤管理指導」と介護保険の「居宅療養管理指導」は、管理指導の内容は同じです。
・指導を受ける方が要介護者（要支援者）であったときは、介護保険の**居宅療養管理指導費**で算定します（介護保険の給付が優先）。
・レセプトの摘要欄には訪問日を記入します。
・介護保険の「居宅療養管理指導費」を算定した際、それに含まれない薬剤を出した場合は、居宅療養管理指導費は**介護レセプト**で、薬剤料の費用は**調剤レセプト**で請求します。

労災保険（労働者災害補償保険）を適用する場合

労災保険に加入している事業所で働くすべての労働者（パート・アルバイト等を含む）が、業務上や通勤途上で病気やケガを負い医療を受けようとする場合は、労災扱いとなります。障害・死亡の場合も適用します。業務（通勤）災害に該当するかの認定は労働基準監督署が行います。保険薬局が労災保険を扱うためには、各都道府県の労働局長から「労災保険指定薬局」の指定を受ける必要があります。

請求先は、指定薬局の所在地を管轄する労働局長です（窓口は労働基準監督署）。

❖労災保険指定薬局の窓口業務

●業務災害の場合

保険薬局の受付に、患者から「処方箋」と「療養補償給付たる療養の給付請求書」（様式第5号）が提出されます。**窓口での患者の自己負担はありません。**

●通勤災害の場合

保険薬局の受付に、患者から「処方箋」と「療養給付たる療養の給付請求書」（様式第16号の3）が提出されます。**窓口での患者の自己負担**

職場で業務中にケガをした場合は労災保険が適用されるので、患者からは自己負担額として1割だけ徴収すればよい。

職場で業務中にケガをした場合は労災保険が適用されるので、患者からは自己負担額として1割だけ徴収すればよい。

はありません。

❖労災保険指定薬局以外の窓口業務

　窓口では患者から「処方箋」と「療養補償給付たる療養の給付請求書」（様式第 7 号 (2)：業務用）か（様式第 16 号の 5：通勤用）が提出されます。「薬剤師の証明」欄に必要事項を記入して患者に交付します。患者は労働基準監督署に直接請求します。窓口では通常の医療保険で算定した調剤報酬の全額を患者から徴収し、領収証を発行します。

自賠責について

　通常、調剤レセプトは、社保分は支払基金に、国保分は国保連に提出しますが、自賠責の場合は医療保険とは異なるため、注意が必要です。

❖自賠責（自動車損害賠償責任保険）とは

　自賠責とは、自動車・原動機付自転車の所有者と運転者が、必ず加入しなければならない強制保険です。この保険は**対人賠償に限られています**。つまり、被害者の救済が目的のため、相手側の運転者とその同乗者、あるいは歩行者など、被害者のケガや死亡だけに賠償金が支払われ、加害者のケガや自動車の破損に賠償金が支払われることはありません。

❖自賠責を適用する場合

　自賠責の場合、**自由診療**（公的医療保険制度の枠外の診療）となります。交通事故では、最終的に誰が負担するかによって処理のしかたが変わってきます。負担は、①患者本人、②事故の相手、③自動車損害保険会社のいずれかです。

●患者本人の場合

　全額患者本人が支払いますので、その他の請求はありません。

●事故の相手の場合

　基本は患者本人から一旦支払ってもらい領収証を発行して、本人が相手に領収証を見せてお金をもらうので、特に請求書は作成しません。

●自動車損害保険会社の場合

　調剤報酬明細書をつけて保険会社に請求します。

 ×　労災保険が適用されている場合は、患者の自己負担はありません。（P.33 参照）

公費負担医療制度

　公費負担医療制度は、国が主体となって、公衆衛生上の観点や経済的弱者を保護する目的から、①社会福祉的医療、②賠償的医療、③社会防衛的医療、④難病などの治療研究事業に分類し、対象者の医療費の自己負担分について、全部または一部を公費（税金）で負担する制度です。

　実際は都道府県が窓口になって行いますが、地方自治体によっては条例により独自の公費負担制度を設けているところもあります。

✤公費負担医療の患者負担割合

　公費負担医療の費用負担のしかたは、主に次の3つに分けられます。

①全額公費負担の場合

　患者負担はありません。

全額公費 100%

　【例】・原爆被爆者援護法（認定疾病）

　　　　・戦傷病者特別援護法（公務上の障害）

　　　　・公害健康被害の補償等に関する法律（認定疾病）

②医療費は全額公費だが医療保険が優先される場合（患者負担分が公費）

　患者負担はありません。

医療保険 70%	公費 30%

　【例】

　・感染症法

　・精神保健福祉法（措置入院）

　・生活保護法　など

③医療費の95%が公費負担だが医療保険が優先される場合

　（5%が患者負担）

　【例】

医療保険 70%	公費 25%	

感染症法（結核患者の適正医療）

患者の自己負担 5%

✤公費負担者番号

　公費負担者番号は、保険者番号と同じように支払機関ごとに決められています。審査支払事務の円滑化を図るために、公費負担者番号および公費負担医療の受給者番号が、国または都道府県により統一的に設定さ

介護保険は40歳以上の者が強制加入と支払いが義務づけられている公的保険である。

れているものです。

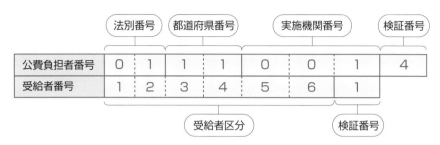

次の公費を取り扱う場合は、機関指定制のため、**公費取扱薬局**の**指定**を受けなければなりません。

> **知得メモ**
>
> **公費？　それともお金を徴収する？**
>
> 　公費負担が適用されるのは、本来は公費手帳に書かれた疾患のみが対象ですが、風邪薬や睡眠導入剤など、これも OK ？と思うものがあります。
>
> 　一部負担金を徴収してよいのか迷う場合は、まずは医療機関に問い合わせてみるのがよいでしょう。「その病気」に起因している場合などで、投薬されていることが多くあります。

Ａ　○　65歳以上は第1号被保険者、40～64歳は第2号被保険者（医療保険加入者）という。

機関指定制の公費医療と患者自己負担　一覧表

法別番号	根拠法	医療給付	取扱薬局	取扱窓口	取扱薬局の指定者	患者の一部負担金
10	感染症法	適正医療	結核指定薬局	保健所	都道府県知事	適正医療の5%が患者負担、70〜90%保険給付、25〜5%公費負担
12	生活保護法	医療扶助	生活保護法指定薬局	福祉事務所	厚生労働大臣、都道府県知事、市長	患者負担なし 社保→医療保険給付の残額を公費負担
13	戦傷病者特別援護法	療養の給付	戦傷病者特別援護法指定薬局	都道府県	厚生労働大臣	患者負担なし 戦傷病・併発症→全額公費 その他疾病→保険給付
14		更生医療		福祉事務所		患者負担なし 全額公費
15	障害者総合支援法	更生医療	障害者総合支援法指定薬局	市町村	都道府県知事	70〜90%保険給付、医療の10%が患者負担（月額負担の上限有り）
16		育成医療				
21		精神通院医療				
18	原爆被爆者援護法	認定疾病医療	原爆被爆者援護法第12条指定薬局	福祉事務所	厚生労働大臣	患者負担なし 全額公費
19		一般疾病医療	原爆被爆者援護法第19条指定薬局	都道府県、長崎市、広島市	都道府県知事	患者負担なし 保険給付の残額を公費負担
23	母子保健法	養育医療	母子保健法指定薬局	保健所	厚生労働大臣、都道府県知事	患者負担なし 保険給付の残額を公費負担

●算定のしかた

調剤に要した費用は、医療保険と同様に通常の調剤報酬点数表で算定します。

●請求先

患者ごとに公費負担のレセプトを作成し、請求書を下記に提出します。

- ●公費単独の場合、社保と公費の併用の場合　⇒　支払基金へ提出
- ●国保と公費の併用の場合　⇒　国保連へ提出
- ●後期高齢者医療と公費の併用の場合　⇒　広域連合が委託している国保連または支払基金へ提出

Ⓠ すべての保険医療機関や保険薬局では公費を取り扱えることになっている。

次の問いに○か×で答えなさい。

Q1 保険者番号には8桁と10桁がある。

Q2 4月2日生まれの人が70歳になった場合、高齢受給者の適用開始は4月からである。

Q3 生活保護世帯は国民健康保険被保険者証を持っている。

Q4 国家公務員共済組合の法別番号は31である。

Q5 高額療養費制度とは、医療機関や保険薬局の窓口で支払った自己負担金額が1年間（1月1日〜12月31日）で一定の限度額を超えた部分に対する給付制度である。

Q6 後期高齢者医療制度の対象者は75歳以上であるが、制度が適用されるのは誕生月の翌月1日からである。ただし誕生日が1日の場合のみ、誕生日から適用される。

解答&解説

A1 ×　6桁と8桁である。（P.14参照）

A2 ×　1日生まれのみ、当月から開始。2日生まれ以降は翌月から開始される。（P.13参照）

A3 ×　しくみとして生活保護法適用者は医療保険を脱退し、生活保護の医療扶助を受ける。

A4 ○　そのとおり。

A5 ×　一月（歴月1日〜月末）単位の給付制度。（P.27参照）

A6 ×　後期高齢者医療制度は、75歳の誕生日その日から適用される。（P.27参照）

Ⓐ ×　公費取扱薬局の指定が必要。

Q7 政令で定める総トン数 30 トン以上の漁船の乗組員は、船員保険の対象である。

Q8 45 歳で会社を辞めてから 5 ヵ月経過、現在も求職活動中である。会社勤務を希望しているため、就職するまで国保には入らないことにしている。

Q9 健康保険料は原則として労使折半である。

Q10 被保険者となる資格取得日とは、社保の場合は事業所で初めてその仕事に就いた日から、国保の場合は市町村または特別区の区域内に住所を有した日からである。

Q11 保険者番号の構成は、すべて、法別番号、都道府県番号、保険者別番号、検証番号からなっている。

Q12 医療保険制度による給付には、現物給付と現金給付がある。

Q13 70 歳になると高齢受給が適用され、全員、医療費の自己負担は 2 割となる。

解答&解説

A7 ○ そのとおり。
A8 × 社保か国保のいずれかに加入が必要。強制加入。（P.17 参照）
A9 ○ そのとおり。
A10 ○ そのとおり。
A11 × 国保の場合、一般国保と組合国保には法別番号がない。（P.15 参照）
A12 ○ そのとおり。
A13 × 現役並み所得者は3割。（P.12 参照）

次の問題に答えなさい。

医療保険制度の基礎知識

1 医療保険制度について、次の（　）に該当する語句や数字を下記の解答群から選びなさい。

　　わが国の医療保険制度は、大別すると社会保険と（イ）がある。社会保険は（ロ）ともいわれ、主に会社員、公務員など雇用されている本人とその家族を対象としている。本人を（ハ）といい、その家族は被扶養者と呼ばれる。一方（イ）は、地域保険ともいわれ、（ニ）や求職者など社会保険に加入していない者が対象となる。（イ）の場合は被扶養者という区別はなく、世帯主とその家族全員が（ハ）である。

　　保険者番号は社会保険の場合は（ホ）桁、（イ）の場合は6桁の番号からなっている。社会保険の保険者番号の最初の2桁は（ヘ）、次の2桁は都道府県番号である。法別番号31は（ト）が該当する。

---

①被保険者　②保険者　③国民健康保険　④10　⑤8
⑥職域保険　⑦自営業者　⑧サラリーマン　⑨被扶養者
⑩法別番号　⑪検証番号　⑫国家公務員共済組合
⑬警察共済組合

---

2 3歳の患者の医療費が2,700円だった場合、窓口での自己負担はいくらか、計算しなさい。

3 保険薬局において、5月15日、2人の患者（共に75歳）の処方箋を受け付けた。総金額が8,640円だった場合、Aさん・Bさんの窓口徴収額は次のどれに当たるか選びなさい。

●Aさん（一般）、Bさん（現役並み所得者）の場合

Aさんの窓口徴収額：　①860円、②1,730円、③2,590円、
　　　　　　　　　　　④8,640円、⑤徴収なし

Bさんの窓口徴収額：　①860円、②1,730円、③2,590円、
　　　　　　　　　　　④8,640円、⑤徴収なし

4 被保険者の扶養範囲について、次の（　　）に該当する語句を下から選び文を完成させなさい。

被保険者である本人（私）が扶養できる親族の範囲は、同居・別居によって異なる。

配偶者、（　①　）、孫、（　②　）、祖父母、曽祖父母は同居・別居にかかわらず被扶養者の範囲となる。

> 子　　いとこ　　父母　　配偶者の父母

5 下は公費負担医療に該当する患者に関する表である。（1）～（4）に当てはまる法別番号を下から選びなさい。

法別番号	要　　件	自己負担割合
（1）	保険者番号 31131147（本人） 結核・適正医療	5%
（2）	生活困窮者で国の生活保護対象者。被保険者証は持っていない	0%
（3）	被爆者健康手帳を持っている一般疾病の患者	0%
（4）	精神医療通院対象者	10%

> 10　　12　　13　　15　　16　　19　　20　　21

6 次の文は自賠責（自動車損害賠償責任保険）についての記述です。①～⑤に該当する語句をイまたはロから選び文を完成させなさい。

　　　自賠責は　①【イ.強制加入　ロ.任意加入】であり、②【イ.対人賠償　ロ.対物賠償】に限られている。賠償金が支払われる対象は、③【イ.当方側　ロ.相手側】である。

　　　したがって、④【イ.加害者　ロ.被害者】の　⑤【イ.ケガや死亡　ロ.破損や修理】に対して賠償金が支払われることになる。

7 次の一文は〇か×か答えなさい。

　　保険者番号07130107は、東京都内の駐屯地に勤務する自衛官の被扶養者のものである。

解答&解説

1 イ③　ロ⑥　ハ①　ニ⑦　ホ⑤　ヘ⑩　ト⑫
（P.11・14・15・16参照）

2 540円
（P.12参照）
6歳未満の自己負担割合は2割。2,700円×20%=540円

3 Aさん①　　Bさん③
（P.13参照、自己負担割合の図、窓口徴収の事例を参照）

4 ①子　②父母　（①②は逆でも可）
（P.12の被扶養者の範囲の図を参照）

5 ⑴10　　⑵12　　⑶19　　⑷21
（P.37参照）

6 ①イ　　②イ　　③ロ　　④ロ　　⑤イ

7 ×
自衛官の被扶養者の法別番号は07ではなく31
（P.16の表、P.22参照）

第2章

保険薬局の基礎知識

薬の販売店には薬局と医薬品販売業という2つの
種類があります。それぞれ、どのように違うので
しょうか。この章では、薬局の役割と保険調剤事
務の仕事の流れを学習します。

薬の販売業の種類

学習の
ポイント！

◯ 薬を販売している店は、薬局と医薬品販売業に分けられる。
◯ 医薬品販売業は、店舗販売業、配置販売業、卸売販売業の３つ。
◯ 管理者には薬剤師と登録販売者の２種類がある。

薬局と医薬品販売業

　街中で「○○薬局」「○○ドラッグストア」という看板を見かけたことがあるでしょう。どちらも薬を販売している店ですが、法律上は次のように区別されています。

薬を販売している店 ─ 薬　　局 ─ 保険薬局／調剤薬局
　　　　　　　　　　─ 医薬品販売業 ─ 店舗販売業／配置販売業／卸売販売業

❖薬局

　薬局とは「薬剤師が販売または授与の目的で調剤の業務を行う場所」です。また、その開設者が医薬品の販売もここで行う場合は、その場所も含めて薬局といいます。

● 調剤（ちょうざい）

医師などから発行された処方箋の内容を確認し、指示された薬剤を調合することです。

● 保険薬局と調剤薬局（ほけんやっきょく　ちょうざいやっきょく）

薬局の中でも医療保険を使って調剤（保険調剤）することができる薬局が「保険薬局」です。調剤はできるものの、健康保険での調剤はできない薬局が「調剤薬局」です。保険薬局でない薬局は、大衆向けの薬の調剤はできても保険調剤はできません。

保険薬局になるためには厚生労働大臣（実際は「地方厚生（支）局長」）の指定が必要です。
また、保険調剤を行うためには、薬剤師も「保険薬剤師」でなければなりません。保険薬剤師になるためには厚生労働大臣（「地方厚生（支）局長」）の登録申請が必要です。
保険薬剤師は登録内容に変更がなければ、一度登録すれば更新の必要はありません（詳しくはP.49）。

❖医薬品販売業

薬局以外で医薬品の販売許可を受けた者を「医薬品販売業」といいます。大きく分けると「店舗販売業」「配置販売業」「卸売販売業」の3つになります。

●店舗販売業

一般用医薬品（医師の処方箋がなくても自由に買える大衆薬）を店舗において販売できますが、調剤はできません。

●配置販売業

昔ながらの「富山のくすり売り」の販売方法ですね。

くすり売りが家庭訪問して、配置した薬箱に風邪薬や胃腸薬など必要な薬を入れ、次回訪問時に使った分の薬代金をもらい、また薬を補充してくるというものです。調剤はできません。

●卸売販売業

薬局、病院、診療所、動物診療施設、医薬品の製造販売業者など、特定の対象者に医薬品を卸売する業者で、一般消費者には販売しません。卸売販売業者は、各営業所に薬剤師を置き、営業所を管理させなければなりません。

薬局と医薬品販売業の違い

区　　分		調剤業務	管理者	取り扱いができる医薬品
薬局		○	薬剤師	すべての医薬品
医薬品販売業	店舗販売業	×	薬剤師	すべての一般用医薬品
			登録販売者	一般用医薬品のうち第2類・第3類の医薬品
	配置販売業	×	薬剤師	一般用医薬品（一部取扱制限あり）
			登録販売者	一般用医薬品のうち第2類・第3類の医薬品
	卸売販売業	×	薬剤師	すべての医薬品

令和4年度末現在の薬局数は62,375カ所あります。前年度より584カ所（0.9%）増えました。
出典：厚生労働省都道府県別薬局数の年次推移、各年度末現在

 医薬品販売業として店舗販売しているところでは、薬剤師がいても調剤はできない。

「薬剤師」と「登録販売者」の違い

❖薬剤師

　薬剤師法第 1 条には、「薬剤師は、調剤、医薬品の供給その他薬事衛生をつかさどることによって、公衆衛生の向上及び増進に寄与し、もって国民の健康な生活を確保するものとする」とあります。薬剤師になるためには大学薬学部で 6 年間学び、薬剤師国家試験を受け、合格する必要があります。薬剤師はすべての医薬品を取り扱うことができ、医薬品の販売、調剤だけでなく、研究開発にも取り組むことができます。

❖登録販売者

　登録販売者の受験資格は不問です。ただし試験合格後、都道府県に販売従事登録申請を行い、薬剤師または店舗管理者、管理代行者の要件を満たした登録販売者の管理指導のもとで 2 年間の実務経験が必要です。

　登録販売者が販売できる医薬品は一般用医薬品のうち、第 2 類医薬品と第 3 類医薬品です。一般用医薬品の約 5 ％が薬剤師のみ扱える第 1 類医薬品、残り約 95 ％は第 2 類・第 3 類で登録販売者が扱えるもので、頭痛薬、風邪薬、胃腸薬、整腸剤などがあります。

薬剤師と登録販売者の比較一覧

項　　目		薬剤師	登録販売者
勤務先	病院薬局	●	×
	保険薬局	●	▲※
	ドラッグストア・コンビニ	●	●
調剤業務の可否		●	×
取扱薬	第 1 類医薬品	●	×
	第 2 類医薬品	●	●
	第 3 類医薬品	●	●
資格取得の要件		薬学部で 6 年間学んだ後、国家試験に合格	学歴・実務経験不問。合格者は要件者の下で 2 年間の実務経験要

※ OTC 医薬品（第 2 類・第 3 類）を取り扱う保険薬局

  ○　そのとおり。

保険薬局の役割

学習のポイント！
- [ ] 保険薬局では、それぞれの医療機関から処方された薬の飲み合わせや重複投薬などのチェックもしている。
- [ ] 処方には「院内処方」と「院外処方」の2種類がある。

医薬分業とかかりつけ薬局

　保険薬局は「**医薬分業**」の観点だけではなく、超高齢社会を支える役割として、処方箋の調剤はもとより、在宅患者への訪問薬剤管理指導や要介護者（要支援者）への居宅療養管理指導を始め、地域住民の健康管理や軽疾患の初期対応など、いわば地域住民の身近にあって何でも相談できる「**かかりつけ薬局**」として医療チームの一員への期待が高まっています。1人の患者に対して複数の医療機関からどんな薬が出されているか、それらの相互作用（飲み合わせ）や重複投薬による危険性の回避など、患者の薬歴管理をしています。

❖医薬分業とは（保険医療機関と保険薬局の連携）

　保険医（医師）は患者の診察や治療などの医療行為に専念し、保険薬剤師は処方箋に基づいて調剤や病歴管理、服薬指導などの調剤行為を行うというように連携して業務を分担させるしくみが医薬分業です。

❖薬局および保険薬局の届出

① 開設

　薬局を開設する場合は、保健所等に開設許可の申請を行い、その所在地の都道府県知事または特別区の市区長の許可を得て、開設許可証を受け取ります。**保険薬局**として健康保険の調剤業務を行うには、開設者は厚生労働大臣（実際には「**地方厚生（支）局長**」）の**指定**を受けます。許可の有効期間は**6年間**です（引き続き営業の場合は有効期間の満了日前に更新）。開設者は成年被後見人や過去に薬物犯罪等（医薬品、医療機器等の品質、有効性及び安全性の確保等に関する法律第5条第3号）がなければ誰でもなれますが、管理薬剤師等がいなければなりません。

 保険医療機関と保険薬局がそれぞれ独立したものであるため、連携をとる必要はない。

■保険薬局の指定申請手続きの流れ

①指定の申請 定められた「申請様式」に基づき、厚生事務所等（薬局が所在する都道府県内の厚生局事務所または厚生局指導監査課）に申請する。
②指定通知書の交付 申請された内容を確認した後、「指定通知書」が交付される。

指定申請手続

③必要書類の提出 通知到達後、保険薬局等の監督に必要な書類を、送付の依頼があった厚生局事務所等に提出する。

④新規個別指導 厚生局事務所等で開催される「新規個別指導に関する研修会」等に出席する。

指定後の書類提出手続

② 薬局の廃止・休止・再開

　薬局を廃止・休止・再開する場合は、事項発生から 30 日以内にその薬局の所在地の都道府県知事に届出書を提出しなければなりません（医薬品、医療機器等の品質、有効性及び安全性の確保等に関する法律第 10 条）。保険薬局の場合は厚生労働大臣（地方厚生（支）局長経由）に提出。廃止届には「許可証（原本）」を添付します。

■保険薬局の廃止・休止・再開の届出手続きの流れ

①廃止・休止・再開の届出 定められた「届出様式」に基づき、厚生局事務所等（保険薬局が所在する都道府県内の厚生局事務所または厚生局指導監査課）に届け出る。	②場合により、届出内容について、厚生局事務所等が確認を行う場合がある
保険薬局　　地方厚生局	保険薬局　　地方厚生局

  ×　処方内容に疑義が生じたときは処方箋交付を行った医師に確認してから調剤しなければならないなど、医療機関と連携している。

保険薬局と保険薬剤師の二重指定制度

❖保険薬局の指定と保険薬剤師の登録

薬局が医療機関から出された処方箋の調剤を行うためには、厚生労働大臣（実際の窓口は「地方厚生局長」）の**指定**を受けなければなりません。指定の有効期間は**6年間**で、その都度更新する必要があります。

保険薬局に勤務する薬剤師も**保険薬剤師**としての登録が必要です。この登録がないと医療保険の調剤業務はできません。薬剤師は、厚生労働大臣（地方厚生局長）に「**保険薬剤師登録申請書**」を提出します。

一度保険薬剤師の登録を行えば、特段の変更がなければ更新等の手続きは必要ありません。勤務地が変わっても、管轄厚生支局内であれば、変更手続きは不要です。ただし、保険薬剤師本人の住所や氏名が変わった場合などは異動届が必要となります。

院内処方（保険医療機関内）と院外処方（保険薬局）

「**院内処方**」は、保険医療機関を受診し、その医療機関内で薬を受け取って帰宅できる方式をいいます。一方「**院外処方**」は、外来で受診した患者に「処方箋」を渡して、院外の保険薬局で薬を受け取ってもらう方式です。

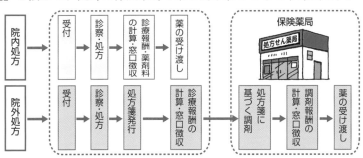

第2章

保険薬局の基礎知識

> **Q** 保険調剤は、薬局が保険薬局として指定を受けていることに加え、勤務薬剤師が保険薬剤師としての登録をしていなければ行ってはならない。

保険調剤事務の実際

保険調剤事務の仕事の流れは、主に次のようになっています。

【受付から調剤請求までの簡単な流れ】

患　者 →	保険薬剤師 →	調剤事務者 →	保険薬剤師 →

受付

医療機関の「処方箋」と「保険証」を提示

> 有効期限は交付の日を含めて4日以内

> ＊おくすり手帳を持参の場合は提出

患者の意向の確認

処方箋受付時に「後発医薬品（ジェネリック）」の情報提供と使用に関する患者の意向を確認する

確認

保険証またはマイナ保険証で患者確認をして登録作業をする

確認

新患の場合
「薬歴簿（薬剤服用歴）」の作成

再来の場合
薬歴簿の確認

> 患者ごとの処方の内容や調剤、指導事項など薬剤の服用歴を記録したもの。カルテに該当する

＊おくすり手帳の確認（他に服用している薬のチェックなどをする）

照会

処方箋中の**疑義問い合わせ**、**調剤薬剤監査**

薬袋の作成・確認

> 調剤した薬がすべてそろったら処方箋どおりか確認する

> 処方箋の中に疑わしい点がある場合は、交付した医師に確認後、調剤する（薬剤師法第24条）

Ⓐ ○　そのとおり。

超高齢化社会のわが国では、在宅医療や在宅介護に注力しており、それに伴って多職種連携がスタートしています。ますます保険薬局や薬剤師の活躍が求められています。

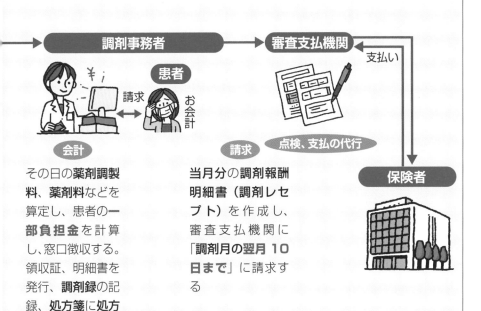

調剤事務者

患者

請求　お会計

審査支払機関

支払い

会計

その日の**薬剤調製料、薬剤料**などを算定し、患者の**一部負担金**を計算し、窓口徴収する。領収証、明細書を発行、**調剤録**の記録、**処方箋に処方済みと記載**

請求

当月分の**調剤報酬明細書（調剤レセプト）**を作成し、審査支払機関に**「調剤月の翌月10日まで」**に請求する

点検、支払の代行

保険者

調剤したときはその処方箋に調剤済みの旨、記載事項を記入し、かつ記名押印する（薬剤師法第26条）

算定点数の内訳、患者の負担金額を記録（薬剤師法第28条）

 患者から処方箋を受け取ったら、保険薬剤師はすぐに調剤を行わなければならない。

受付から調剤請求までの流れ

1 受付・確認

　患者が提示した処方箋と保険情報の確認をします。特に処方箋の有効期限は**交付の日を含めて4日以内**なので注意しましょう。おくすり手帳を持っている場合は提出してもらいます。

※「処方箋の確認」（保険薬局及び保険薬剤師療養担当規則第3条）。

2 保険調剤（照会）

　保険薬剤師が薬を調剤します。処方箋中に疑問点があれば、その処方箋を交付した医師に問い合わせをしてから処方します（処方箋の照会）。

※「処方箋の中の疑義」（薬剤師法第24条）。

3 会計

　調剤に要した費用の一部を窓口で患者から徴収します。

　保険薬局は正当な理由がない限り、医療費のわかる領収証と個別の診療報酬の算定項目のわかる明細書を無償で交付しなければならないことになっています。

※「領収証等の交付」（保険薬局及び保険薬剤師療養担当規則第4条）。

4 調剤報酬の請求

　保険薬局は患者が窓口で支払った一部負担金を差し引いた金額（保険給付分）を保険者から入金してもらうため、患者ごとに調剤報酬明細書（以下「調剤レセプト」という）を作成し保険請求を行います。

　作成した調剤レセプトは、原則、保険者に直接提出するのではなく、**調剤した月の翌月10日まで**に審査支払機関に提出します。これが調剤報酬請求事務になります。

　社保分は**支払基金**に、国保分は**国保連**に提出します。

❖審査、レセプト送付

　審査支払機関は、保険薬局から提出された調剤レセプトの内容を審査し、妥当な調剤レセプトは各保険者に送付します。不適当な調剤レセプトは保険薬局に差し戻します。これを**返戻**といいます。

  ×　処方箋受付時に、服薬状況、残薬状況、ジェネリックの使用意向を確認しなければならない。

❖保険給付分の支払い

保険者は審査支払機関から送付された調剤レセプトを再確認した後、審査支払機関へ支払いを行います。

❖調剤報酬の支払い

保険者から支払いを受けた審査支払機関は、請求元の保険薬局へ調剤報酬の支払いを行います。

※審査支払機関は調剤レセプトの①**点検**、②**審査**、③**送付**、④**支払い**の代行を行っている。

❖法令による保存書類と保存期間について

保険調剤事務では、法令により、保存する書類の種類と保存期間が決められています。

●調剤録（薬剤師法第28条）

①薬局開設者は薬局に**調剤録**を備えなければならない。

②薬剤師は、薬局で調剤したときは、調剤録に厚生労働省令で定める事項を記入しなければならない。ただし、その調剤により当該処方箋が調剤済みとなったときは、この限りではない。

③薬局開設者は、①の**調剤録**を、**最終の記入の日から3年間**（公費の一部は5年間）、保存しなければならない。

●処方箋の保存（薬剤師法第27条）

薬局開設者は、当該薬局で**調剤済みとなった処方箋**を、**調剤済みとなった日から3年間**、保存しなければならない。

用語解説

●おくすり手帳

1人の患者がそれぞれの医療機関で処方された薬をすべて把握することは大変です。その情報をおくすり手帳に記録することで、どんな薬を服用しているのか、薬の飲み合わせに問題はないのか等、服用歴の管理をします。また、保険薬局でおくすり手帳に情報を書き込むと、「服薬管理指導料」として算定できます。詳しくはP.134の薬学管理料のページで確認しましょう。

Q 調剤録および調剤済み処方箋の保存期間は1年間である。

受付業務の心構え

　患者と直に接し、あるいは身体にかかわる情報に接する仕事を行う者は、医療人としての自覚を持って仕事に当たらなければなりません。特に「**守秘義務**」や「接遇マナー」に対する心構えが必要です。

❖守秘義務

　刑法第134条第1項（秘密漏示罪）で、「医師、薬剤師、医薬品販売業者、助産師、弁護士、弁護人、公証人又はこれらの職にあった者が、正当な理由がないのに、その業務上取り扱ったことについて知り得た人の秘密を漏らしたときは、6月以下の懲役又は10万円以下の罰金に処する」と守秘義務の重要性が謳われています。

　また、個人情報保護法により、これまで以上に個人の秘密の保護を目的とした情報の安全管理が義務づけられています。患者の秘密が漏洩されるおそれがあれば、患者は安心して情報提供ができなくなり、結果的に有効・適切な医療にも影響を与えます。医療従事者が守秘義務を遵守することは患者からの信頼の確保にもつながります。

　厚生労働省通知の「診療情報の提供等に関する指針」の医療従事者の守秘義務の項目には、「医療従事者は、患者の同意を得ずに、患者以外の者に対して診療情報の提供を行うことは、医療従事者の守秘義務に反し、法律上の規定がある場合を除き認められないことに留意しなければならない」としています。したがって、薬局内においても、業務上知り得た秘密を他に漏らしてはならないのです。

　処方箋や書類を出しっぱなしにしていないか、内容によっては、周囲に他の患者がいないかの配慮も必要になります。受付や調剤事務スタッフには細心の注意や心配りができる人が求められています。

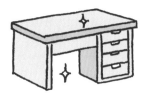

 　×　保存期間は、調剤録が最終記入日から3年間、調剤済み処方箋が調剤済みとなった日から3年間である。（P.53参照）

❖接遇マナー

　最近ホスピタリティという言葉をよく耳にします。日本では「おもてなし」「おもいやり」などと訳されています。

　あなたの言動や対応姿勢などでそれを感じていただけるようにすることが大切です。医療従事者としての接遇マナーを身につけ、相手に信頼されリラックスさせることのできる「心のもてなし」ができるスタッフを目指しましょう。

　フロリダ州立大学の心理学者ジョン・マナーの研究チームによると、他人を魅力的に感じたり、その人との関係性を判断するのは、たったの0.5秒しかかからないという研究結果が発表されています。また、アメリカの心理学者アルバート・メラビアンが行った、好意や反感の伝わり方に関する実験では、「好意の総計」は、言葉による好意表現（7％）、声による好意表現（38％）、顔による好意表現（55％）によって決まるという結果が出ています。

　このように、第一印象の重要性は学術的にも研究報告されており、相手に良い印象を与えられるスタッフは、その後の良好な人間関係や良い薬局のイメージを与えるばかりでなく、ひいては間接的に患者の治療への手助けにも結び付きます。あなた「個人」の印象が「薬局そのもの」の評価になることを理解しましょう。

❖苦情対応の基本姿勢

　苦情に対する向き合い方は、その後に大きく影響します。見方を変えれば、苦情は接遇改善の大切な情報源です。

　苦情に対する基本姿勢とは、次の4つです。

①最初の対応が最も大切

　まずは相手に不愉快な思いをさせたことに対してお詫びをすることが肝心です。

②相手の話は最後まで聞く

　途中で話をさえぎったり、言い訳したりしてはいけません。なぜ相手が苦情を言っているのか、その背景をしっかり理解しましょう。

 受付担当は、来院した患者に親しみや興味を持ってもらうため、他の患者の情報を話してもよい。

③誠意をもって対応する

こちらのミスはもちろんのこと、相手の誤解だとしても、お詫びを言ってから丁寧に事情を説明します。「共感」と「援助」の姿勢で対応しましょう。

④＋α「人間句」

「人間句」とは、相手を思いやる「プラスαの一言」のことです。解決したなら必ず「また何かお気づきの点がございましたらお聞かせください」など、次回への関係性と相手への配慮を忘れないようにしましょう。

スタッフは患者から、「外見→態度→話し方→話の内容」の順番で評価されます。

ココを押さえる！

1. **身だしなみ**……清潔感があり機能性に優れ、仕事をする上で安全性が保たれていますか？
2. **動作・態度**……迅速で手際の良い動作と落ち着いて真心がこもった態度で、患者に接することができていますか？
3. **あいさつ**……いつでも・どこでも・誰にでも、明るく爽やかに、こちらから先に気持ちの良いあいさつをしていますか？
4. **笑顔・表情**……自然でやわらかな笑顔で、親しみやすさや誠意を感じていただけるよう気配りができていますか？
5. **言葉遣い**……患者に対し丁寧でわかりやすい話し方を心掛け、相手が理解しにくい専門用語などは使わないようにしていますか？

 ×　守秘義務の遵守は、刑法第134条第1項（秘密漏示罪）で定められています。(P.54参照)

患者対応のチェックシート

　患者に対応するときには、次のようなチェックシートを用いて、自分の行動を確認してみると良いでしょう。

	心掛けチェックシート	チェック欄
態　度	患者に大切にされていると思っていただける接し方	
	患者に対して傾聴し、共感的に接する	
動　作	患者にはゆったりと余裕を見せながら、業務は迅速に行う	
	せかせかと忙しそうな動きをしない	
表　情	穏やかでやわらかい表情	
	柔和な笑顔を絶やさない	
話し方	声の大きさ、トーン、抑揚に気をつける	
	相手が聞き取りやすいスピードで話す	
	簡潔にわかりやすく、相手の理解に合わせて話す	
環　境	室温、湿度、照明に気を配り、清潔感ある空間	
	リラックスできるイスや机の配置など	
+α	「お気軽にお声掛けください」	
	「お大事になさってください」	
	「お気をつけて」	

第2章 保険薬局の基礎知識

次の問いに○か×で答えなさい。

Q1 薬局では調剤はできるが、医薬品販売業では調剤はできない。

Q2 薬局には保険薬局と調剤薬局があるが、名称が違うだけで同じものである。

Q3 一般用医薬品は、第1類、第2類、第3類に区分されているが、第1類医薬品は薬剤師のみが取り扱うことができる。

Q4 登録販売者の受験資格として、5年間の実務経験が必要である。

Q5 薬剤師でなくても薬局を開業することができる。

Q6 保険薬局に勤務し調剤を行う薬剤師は保険薬剤師としての登録が必要である。

Q7 長期間同じ薬剤を服用している患者には、処方箋がなくても調剤してかまわない。

解答&解説

A1 ○ そのとおり。

A2 × 保険調剤ができるのが保険薬局。調剤薬局では調剤はできるが保険調剤はできない。(P.44 参照)

A3 ○ そのとおり。薬剤師はすべての医薬品が取り扱える。

A4 × 平成27年4月1日より登録販売者の受験資格要件は不問となった。(P.46 参照)

A5 ○ そのとおり。(P.47 参照)

A6 ○ そのとおり。保険薬局と保険薬剤師の二重指定制度による。

A7 × 医師の処方箋に基づいてのみ調剤する。(P.44 参照)

A × 厚生労働省通知「診療情報の提供等に関する指針」では、医療従事者すべてが含まれる。

Q8 おくすり手帳を持っていない患者に調剤してはならない。

Q9 保険薬局の指定の有効は6年間であるため、有効期間の満了日前に更新しなければならない。

Q10 6月10日交付の処方箋を6月14日に受付しても差し支えない。

Q11 薬局開設者は、調剤済みとなった処方箋を調剤済みとなった日から3年間保存しなければならない。

Q12 来局した患者に親近感を持たせる意味で、近所の患者も来局した話などをしている。

Q13 忙しいときは迅速に業務を行うためにも、なるべく患者とは目を合わさないように心掛けている。

Q14 患者が誤解して苦情を訴えてきた場合は、今後のためにも本人に謝ってもらうことが大切だ。

解答&解説

A8 × おくすり手帳は必ず持つよう義務化されていない。(P.53 参照)
A9 ○ そのとおり。(P.49 参照)
A10 × 処方箋の有効期限は交付の日を含めて4日間(この場合、6/10〜6/13)である。(P.52 参照)
A11 ○ そのとおり。(P.53 参照)
A12 × 守秘義務があるので、話してはいけない。
A13 × ホスピタリティの気持ちで対応しましょう。(P.55 参照)
A14 × 相手の誤解だとしても、誤解を与えたことへのお詫びを言ってから説明する、共感と援助の姿勢で対処することが大切。(P.56 参照)

次の問題に答えなさい。

保険薬局の基礎知識

1 保険薬局における受付から調剤請求までの流れについて（　）に該当する語句や数字を下記の解答群から選びなさい。

　新患の患者には窓口で処方箋と（イ）を提示してもらい、患者の受給資格の確認を行う。新患の場合、（ロ）を作成し、患者ごとに処方内容や調剤、指導事項などを記載する。またおくすり手帳も確認し、他に服用している薬などのチェックを行う。受け付けた処方箋の中に疑わしい点がある場合には、その処方箋を交付した（ハ）に問い合わせ、回答を得た上で調剤を行わなければならない。なお、調剤を行った場合は、その内容を（ニ）に記録し、処方箋には「調剤済み」を記載する。薬剤師法により、（ホ）は保存書類として薬局に（ニ）を整え、最終の記入の日から（ヘ）年間保存しなければならない。患者の一部負担金を計算し、窓口で徴収した場合は、（ト）と明細書を発行しなければならない。残りの金額は診療月の翌月（チ）日までに（リ）を作成し、審査支払機関に提出しなければならない。

> ①調剤録　②被保険者証　③医師　④薬局開設者　⑤薬歴簿
> ⑥領収証　⑦３　⑧７　⑨10　⑩調剤レセプト　⑪診察券

2 下表の（イ）〜（ハ）に当てはまる語句を答えなさい。

薬の販売	薬局	（　ロ　）
		調剤薬局
	（　イ　）	（　ハ　）
		配置販売業
		卸売販売業

3 患者にとって気持ちの良い薬局づくりについて、次の（　　）に該当する語句を下から選び、文を完成させなさい。

1．身だしなみ…（　①　）があり、機能的に優れ、仕事をする上で（　②　）が保たれている。

2．動作・態度…（　③　）でテキパキした動作と、落ち着いて（　④　）がこもった態度で患者に接している。

3．あいさつ…いつでも、どこでも、（　⑤　）、明るく、爽やかに、こちらから（　⑥　）に、気持ちの良いあいさつをしている。

4．笑顔・表情…自然で（　⑦　）な笑顔で、親しみやすさや（　⑧　）を感じていただけるよう、気配りを心掛けている。

5．言葉遣い…丁寧で（　⑨　）話し方を心掛け、相手に理解しにくい（　⑩　）などは使わないように心掛けている。

イ　安全性	ロ　迅速	ハ　誰にでも	ニ　1人だけに
ホ　清潔感	ヘ　専門用語	ト　やわらか	チ　わかりやすい
リ　真心	ヌ　誠意	ル　先	ヲ　後

4 以下は、保険薬局と保険薬剤師に関する記述です。①〜⑤に該当する語句をイまたはロから選び、文を完成させなさい。

　医薬品、医療機器等の品質、有効性及び安全性の確保等に関する法律では、薬局を開設するには、その所在地の　①【イ．都道府県知事　ロ．保健所長】の許可を受けなければなりません。また薬局が保険調剤を行うためには、薬局の　②【イ．管理者　ロ．開設者】は、厚生労働大臣から　③【イ．指定　ロ．諮問】を受ける必要があります。保険薬局の有効期間は　④【イ．3年間　ロ．6年間】であり、引き続き営業するためには、更新をしなければなりません。

　保険調剤を行う者は　⑤【イ．医薬品登録販売者　ロ．保険薬剤師】として登録しなければなりません。登録は、一度すれば、特段の変更がない限り更新等の手続きの必要はありません。

5 医療従事者として、医師・薬剤師と同様に受付や調剤事務スタッフにも守らなければならない事項があります。「診療情報の提供等に関する指針」に定められている事項を下から１つ選びなさい。

A. 患者から得られた情報は局内ではすべて共有しなければならない。

B. 調剤補助をするために、事務スタッフも常に調剤のしかたを把握しておかなければならない。

C. 業務上知り得た患者および調剤等の秘密を他に漏らしてはならない。

D. 患者から薬の投与日数の増減希望があった場合は、薬剤師は希望どおりに調剤しなければならない。

6 審査支払機関について、（　　）に当てはまる語句を解答群から選び、文を完成させなさい。

　　審査支払機関は、保険薬局から提出された調剤レセプトを点検、（　ア　）、送付、（　イ　）を行っている。妥当なレセプトは（　ウ　）に送付され、不適当なレセプトは保険薬局に差し戻す。これを（　エ　）という。レセプトの提出先は、社保分は支払基金に、国保分は（　オ　）に提出する。

---

①国保連　②支払いの代行　③返戻　④保険者　⑤審査

解答&解説

1 イ②　ロ⑤　ハ③　ニ①　ホ④　ヘ⑦　ト⑥　チ⑨　リ⑩
（P.52・53 参照）

2 イ 医薬品販売業　ロ 保険薬局　ハ 店舗販売業　（P.44 参照）

3 ①ホ　　②イ　　③ロ　　④リ　　⑤ハ　　⑥ル
⑦ト　　⑧ヌ　　⑨チ　　⑩ヘ（P.56 参照）

4 ①イ　　②ロ　　③イ　　④ロ　　⑤ロ　（P.47〜49 参照）

5 C

6 ア⑤　　イ②　　ウ④　　エ③　　オ①　（P.52〜53 参照）

第 3 章

薬の基礎知識

「薬」と一言でいっても、「医薬品、医療機器等の
品質、有効性及び安全性の確保等に関する法律」
では細かく分類されています。この章では、薬の
種類と表示方法、薬の形状について詳しく解説し
ていきます。また、体内に入ったときの作用につ
いても学習しましょう。

※平成 26 年 11 月 25 日、薬事法の改正法が施行され、これまで使用さ
　れてきた「薬事法」から「医薬品、医療機器等の品質、有効性及び安
　全性の確保等に関する法律」の法名に変更されました。第 3 章ではこ
　の法律を「薬機法」と表記しています。
　また、令和 2 年厚生労働省令第 15 号により、「覚せい剤取締法施行規則」
　（昭和 26 年厚生省令第 30 号）が、一部改正されました（令和 2 年 4
　月 1 日施行）。

薬とは何か？

学習の ポイント！

☐ 医薬品の分類や薬の誕生までの流れを見ていく。
☐ 実は薬の多くは化学物質なので体にとっては「異物」。直接体内に影響する薬を自由に製造販売することはできない。

薬の分類

薬といわれるためには何かのきまりがあるのでしょうか？

「医薬品、医療機器等の品質、有効性及び安全性の確保等に関する法律」（以下「薬機法」という）では、①医薬品、②医薬部外品、③化粧品、④医療機器の4つに対して、有効性と安全性の両面から規制をかけています。よく「医薬品」「医薬部外品」と耳にしますが、一体何が違うのでしょうか？

❖ 医薬品と医薬部外品

● 医薬品

その物質を人に投与した結果、人体に何らかの変化が起こり、症状や病気を改善する結果につながり、具体的に効果・効能を表示でき、客観的な情報や服用方法が提示され計画的な有効性を評価できるものが**医薬品**です。

● 医薬部外品

効果が認められている成分は含まれていますが、治療目的ではなく予防効果を目的としているため、作用は緩やかなもので人によってその効果もまちまちです。そのため、**医薬部外品**は薬剤師や登録販売者がいなくても取り扱うことができます（医薬部外品製造販売業許可は必要）。

「薬機法」の対象

医薬品	医薬部外品	化粧品	医療機器

「薬機法」上による医薬品の分類

「薬機法」では医薬品は次のように定義されています。

- ●日本薬局方に収められているもの
- ●人又は動物の疾病の診断、治療又は予防に使用されることが目的であって機械器具等（機械器具、歯科材料、医療用品、衛生用品）でないもの（医薬部外品を除く）
- ●人又は動物の身体の構造又は機能に影響を及ぼすことが目的とされているものであって機械器具等でないもの（医薬部外品及び化粧品を除く）

　医薬品は、主に病院や開業医などが扱う「**医療用医薬品**」と、主に薬局・薬店・インターネットで扱う「**一般用医薬品**」に分けることができます。また、医療用から一般用に移行してまもなく、一般用としてのリスクが確定していないスイッチ直後品目・劇薬は、他の一般用医薬品とは性質が異なるため、「要指導医薬品」に指定され、薬剤師が対面で情報提供と指導を行うことになりました。原則3年で一般用医薬品へ移行させ、ネット販売も可能になりました（平成26年6月12日〜）。

■医療用医薬品と一般用医薬品の分類　一覧表

医　薬　品		分　類	承認機関	そ　の　他
医療用 医薬品	薬価基準収載 医薬品	新医薬品	厚生労働大臣が 承認	病院や診療所などで医師の 処方箋に基づいて投与され る薬。保険扱いができる薬
		後発医薬品 （ジェネリック）		
一般用 医薬品	一般用医薬品	承認基準 該当品目	都道府県知事が 承認	主にドラッグストアなど薬 店・薬局で販売されている 薬。一般に売られている大 衆薬のこと
		その他	厚生労働大臣が 承認	

 ## 医療用医薬品の誕生

新しい薬が1つ誕生するまでは、研究開発から9〜17年ほどかかり、

 医薬部外品には治療効果が認められる成分は含まれていないから、販売するための許可は必要ない。

その間の研究開発費は 100 〜 200 億円、中には 500 億円にものぼるといわれています。

　新しい薬の実用化には、安全性や有効性などが十分立証されないと厚生労働大臣の承認はもらえないのです。また、承認後も原則として承認日から **6 年**（種類によって 4 〜 10 年）を経過したときに、製造販売後の追跡調査や臨床試験の結果をもとに再審査を受けることになっています。

薬ができるまでの流れ（各所要期間については中央社会保険医療協議会薬価専門部会（2010 年 6 月 23 日資料）による）

基礎研究	将来「薬」の可能性となる物質を見つける研究	2 〜 3 年

前臨床試験	動物などを使って試験する ・有害な作用はないのか ・体の中でどのような動きをするか ・体の中のどの部分に影響するのか ・投与量によってどのように反応が現れるのか ・発がん性はないのか ・胎児への影響はないのか　など	3 〜 5 年

厚生労働省へ届ける

臨床試験	人間を対象として試験する **フェーズ I** 少数の健康な人を対象に投与し、何が起きるかを調べる（副作用などの安全性などを確認する） **フェーズ II** 少数の患者を対象に、どのくらいの量を使えばよいのかなどを検討する（投与量や投薬方法などの確認） **フェーズ III** 多数の患者を対象に、今までの薬と比べて良い点などを調べる（安全性、有効性を既存薬と比較）	3 〜 7 年

承認申請 審査	製薬会社が厚生労働大臣に対し、製造販売承認の申請を行い、審査を通ったものだけが承認される	1 〜 2 年

厚生労働大臣から薬として承認をもらう

製造販売後 臨床試験	**フェーズ IV**　販売後のデータ収集 多数の患者に治療薬として使ってもらいながら、開発段階で発見できなかった副作用、有効性などの情報を収集し、追跡調査や臨床試験を実施する	10 〜 12 年

  ×　医薬部外品製造販売業許可が必要。（P.64 参照）

✤先発医薬品と後発医薬品

●先発医薬品

　このように誕生した薬は新薬「先発医薬品」といわれ、誕生までに長い年月と莫大な費用がかかっています。そこで、新しい薬が誕生してから20年間はその研究費を回収する上で「**特許期間**」が設けられています。この期間内は他社はマネして同じような薬を販売することができないようになっていて、費用の回収状況によっては特許期間をさらに5年延長することが可能です。この**20〜25年間**を**特許期間**といいます。

●後発医薬品

　「後発医薬品」は**ジェネリック医薬品**ともいわれ、すでに承認されている先発医薬品と有効成分や投与経路が同一である医薬品のことをいいます。莫大な費用や年月をかけなくても、販売する薬が先発医薬品と同じ効果を証明できる「**生物学的同等性**」の試験を行い、その基準をクリアできれば厚生労働大臣から医薬品としての承認を受けることができます。

　そのため、先発医薬品に比べて価格を安くすることができます。ただし、先発医薬品が承認された日から特許期間が終了するまで、後発医薬品の販売は認められません。

特許期間は特許出願から**20年間（＋5年は可）**です。この間は後発医薬品の販売は禁止です。

● OTC

　「**OTC**（Over the Counter）」とは、薬局や薬店で薬剤師がカウンター越しに薬を買いにきた人に対し、服用上の注意などを促して販売することです。医師による処方箋がなくても購入することができます。

　OTC医薬品は、医薬品の含有する成分を、使用方法の難しさ、相互作用（飲み合わせ）、副作用等の項目で評価し、**要指導医薬品**と**一般用医薬品**に分類されています。要指導医薬品（対面販売）は、医療用医薬品から市販薬に転用されたばかりの薬のため3年間は対面販売が行われます。一般用医薬品（ネット販売可）はさらに「**第1類医薬品**」「**第2類医薬品**」「**第3類医薬品**」に分類されています。

　後発医薬品は新薬の誕生から5年以内に同じ効果の薬を製造し、多くの患者に提供しなければならない。

■ OTC 医薬品（一般用医薬品）の分類表

分　類	特　　色	取扱者	情報提供・その他
第1類 医薬品	実用実績が少ないもの、相互作用、副作用等の項目で安全性上、特に注意を要するものが含まれている薬のグループ。**スイッチOTC医薬品**[※1]や**ダイレクトOTC医薬品**[※2]がこれに該当する（H_2ブロッカー含有胃腸薬、一部の発毛剤など）	薬剤師	・義務（使用者の年齢、他の薬剤または医薬品の使用状況、その他省令で定める事項の確認） ・文書での情報提供が義務づけられている ・鍵付き棚または購入者が勝手に手に取れないように陳列する
第2類 医薬品	相互作用、副作用等の項目で注意を要するものが含まれている薬のグループ。使用者の背景などで特に注意を要するものを「指定第2類医薬品」という（主な風邪薬、解熱鎮痛薬、胃腸鎮痛鎮痙剤、漢方薬など）	薬剤師または登録販売者	・努力義務（使用者の年齢、他の薬剤または医薬品の使用状況、その他省令で定める事項の確認） ・第2類医薬品は、陳列の範囲に関する規定はない。指定第2類医薬品は、薬剤師等が情報提供するための設備（対面の情報提供カウンターなど）から7m以内の範囲に陳列し、購入者が直接手を触れられないようにするなど、薬局等構造設備規則を定めている
第3類 医薬品	相互作用、副作用等の項目で多少注意を要するもの（主な整腸剤、消化薬、ビタミンB・C剤など）		法律上の規定なし

※1　これまで医療用医薬品として医師の処方箋がなければ購入できなかった薬が、薬局でも販売できるようになった薬。一般用医薬品に転換（スイッチ）された薬をいう。
※2　医療用医薬品として承認された新規有効成分が、直接（ダイレクト）に一般用医薬品として承認されたもの。通常はある一定期間医療用として使用された後、OTC医薬品として承認されるが、医療用医薬品としての使用実績がない医薬品をそのまま一般用医薬品として販売している薬をいう。

医薬品の名称

　医薬品に付けられる名称には「化学名」「一般名」「商品名（商標名）」の3種類があります。

　また、日本薬局方に収載された医薬品には「局方名_{きょくほうめい}」があります。医薬品の名前が長い場合は、略名や慣用名が付けられているものもあります。

●化学名

薬の化学構造式をそのまま名称にしたものです。構造式ですから正確で、化学構造がわかる反面、長すぎて実際に使われることはあまりありません。

●一般名

薬の有効成分である化学物質の一般的な名称です。一般名には次の2種類があります。

①国際一般名（WHOが推奨している名称）

②日本だけでの一般名（医薬品名称調査会が定めた承認名）

●商品名（商標名）

製薬会社が販売するために付けた名称です。自由に命名することができます。

薬効が連想しやすいように「ブランド名・剤形・含有量（濃度）」の順番で名前が付けられているものが多くあります。ジェネリック薬の名前は「有効成分の一般的名称＋剤形＋含有＋会社名」とつける統一基準になっています。

●局方名

日本薬局方に収載された医薬品は、局方名として定められた名称を医薬品の容器や包装、添付の文書に記載しています。医薬品に関する品質規格書です。

例えば、

> 化学名：1,3-dihydro-7-nitro-5-phenyl-
> 　　　　2H-1,4-benzodiazepin-2-one
> 一般名：ニトラゼパム（nitrazepam）
> 商品名：ベンザリン（塩野義）・ネルボン（三共）

> 化学名：2-acetoxybenzoic acid
> 一般名：アスピリン
> 商品名：バファリン（ライオン）

となります。

 OTC医薬品とは一般用医薬品（「大衆薬」や「市販薬」）のことであるが、第3類医薬品の取扱者は薬剤師に限られる。

規制医薬品

学習の
ポイント！
- 「薬機法」（旧薬事法）によって表示方法や保管・管理に制限がある。
- 処方箋医薬品は医師による処方箋なしに販売できない。
- 主要規制医薬品分類表により区分されている。

　薬のうち、「薬機法」によって規制されているものを規制医薬品といいます。
　規制医薬品の規制区分には、「毒薬・劇薬」「麻薬」「向精神薬」「覚醒剤」「覚醒剤原料」「処方箋医薬品」「習慣性医薬品」等があります。

❖毒薬・劇薬

「薬機法」によって規制があります。
　「**毒薬**」とは毒性が強いものとして厚生労働大臣から指定されているものをいい、「**劇薬**」とは劇性が強いもの（薬理作用が激しい）として指定されているものをいいます。

【表示方法】

毒薬…容器や被包に直接【黒地に白枠、白字】で、品名と「毒」の
　　　文字が記載してあります。

劇薬…容器や被包に直接【白地に赤枠、赤字】で、品名と「劇」の
　　　文字が記載してあります。

保管規制があり、毒薬・劇薬とも他の医薬品と区別し、さらに毒薬は鍵のかかる場所が保管の条件となります（「法」第44～48条）。

【管理と保管の主な規制】

（1）毒薬は、専用の保管庫に貯蔵する

※劇薬は、他の医薬品等と区別して、貯蔵・陳列する必要があります。
　なお、劇薬は特に鍵のかかる場所に保管する必要はありません。（「薬機法」第48条）

（2）冷所保存の毒薬を鍵のかかる保冷庫に保管する

（3）取扱い品目の一覧を作成する（東京都等自治体薬務課奨励）

 ✕　取扱者が薬剤師に限られているのは第1類医薬品である。

❖麻薬

麻薬及び向精神薬取締法（以下「麻向法」という）によって規制があります。「**麻薬**」とは中枢神経に作用し、依存性があるため乱用すれば有害性の強いものが該当します。そのため麻薬の取り扱いは厳しく規制されています。麻薬は「麻薬施用者免許」を有する医師が、麻薬処方箋を用いて処方すること、医師または薬剤師の麻薬管理者が配置されていることが必要です。

【表示方法】
容器や被包に直接【 麻 】の文字が記載してあります。

> 保管規制があり、他の医薬品と区別して鍵のかかる堅固な場所が保管の条件となります。

【管理と保管の主な規制】
（1）管理（「薬機法」第7条、第8条）
　　薬局には管理薬剤師の設置が義務づけられ、麻薬小売業者では、管理薬剤師が麻薬の管理責任者となり、その薬局における麻薬の譲受、保管、交付等の管理を管理薬剤師に行わせなければならない。
（2）保管（麻向法第34条）
　ア　麻薬は、薬局内に設けた鍵をかけた堅固な麻薬専用の金属製の重量金庫（概ね50kg以上）に保管しなければならない。
　イ　薬局内の麻薬保管庫設置場所は、盗難防止を考慮し、人目につかず、関係者以外の出入がない場所を選ぶ。
　ウ　麻薬保管庫は麻薬専用とし、麻薬以外の他の医薬品、現金及び書類（麻薬帳簿等）等を一緒に入れることはできない。
　エ　麻薬保管庫の鍵は、管理薬剤師等が責任を持って人目のつかないところに保管し、また、麻薬保管庫は、出し入れのとき以外は必ず施錠し、鍵を麻薬保管庫につけたままにしない。
（3）麻薬処方箋の保存（薬剤師法第27条、保険薬局及び保険薬剤師療養担当規則第6条）
　　薬局開設者は一般の処方箋と同様、当該薬局で調剤済みとなった麻薬処方箋を調剤完了日から3年間保存しなければならない。
（4）麻薬帳簿（麻向法第38条）

Q 規制医薬品の「毒薬・劇薬」「麻薬」「向精神薬」は麻薬及び向精神薬取締法で、「覚醒剤・覚醒剤原料」は覚醒剤取締法で規制されている。

ア　帳簿の設置及び保存
　　麻薬小売業者は、麻薬業務所に帳簿を備え付けなければならない。使い終わった麻薬帳簿は、最終記載の日から2年間保存しなければならない。

❖向精神薬

麻向法によって規制があります。

「**向精神薬**」とは中枢神経に作用し、依存性があるために乱用すれば有害性がありますが、麻薬・覚醒剤よりは低いものが該当します。

【表示方法】

容器や被包に直接【 向 】の文字が記載してあります。

> 保管規制はありませんが、保管には十分な注意が必要です。

【管理と保管の主な規制】

（1）向精神薬取扱責任者（「麻向法」第50条の20、「薬機法」第7条、H2/8/22薬発第852号）
　　「薬機法」第7条に規定する薬局の管理者（管理薬剤師）は、向精神薬の譲受、譲渡、保管、廃棄、事故の届出、記録等が適切に行われるよう、薬局の従事者を監督しなければならない。

（2）保管（麻向法第50条の21、規則第40条）
　ア　向精神薬は、薬局内に保管しなければならない。
　イ　向精神薬の保管は、盗難防止の注意が十分払われている場合を除き、鍵をかけた設備内で行なわなければならない。
　ウ　向精神薬は、麻薬と区別して保管しなければならない。したがって、麻薬保管庫内に麻薬と向精神薬を混置することはできない。（麻向法第34条）
　エ　向精神薬は、毒薬・劇薬と区別して保管しなければならない。（「薬機法」第48条）

※調剤室や薬品倉庫に保管する場合
　夜間、休日で保管場所を注意する者がいない場合は、その出入口に施錠する。また、日中であっても、業務従事者が必要な注意をしている場合以外は、出入口に施錠する。

※ロッカーや引き出しに入れて保管する場合、夜間、休日で必要な注意をする者がいない場合には、ロッカーや引き出しあるいはその部屋の出入口の

 ×　毒薬・劇薬は「薬機法」によって規制されている。（P.70参照）

いずれかに施錠する。

✿覚醒剤・覚醒剤原料

　覚せい剤取締法施行規制の一部を改正する省令（令和2年2月）による、覚醒剤取締法（2020年4月〜表記変更）によって規制があります。

　「**覚醒剤**」とは、依存性があるために乱用すれば有害性が強く、幻覚などの異常な精神症状が現れ、強い覚醒作用を有するものが該当します。

　「**覚醒剤原料**」とは、覚醒剤の原料として使用される可能性のあるもので、エフェドリン、メチルエフェドリン塩酸塩を含有するものやセレギリンなどが対象となります。ただし含有量が10%以下の場合は規制の対象にはなりません（鎮咳薬である「塩酸エフェドリン散10%」「塩酸メチルエフェドリン散10%」は覚醒剤原料から除かれる）。

【表示方法】
直接の容器や被包に対する規定はありません。

> 保管規定があります。管理者は医療機関内、薬局開設者にあってはその薬局内に鍵のかかる場所に保管が必要です。

【管理と保管の主な規制】
（1）保管（「薬機法」第30条の12）
　　　覚醒剤原料は、薬局内の鍵のかかる場所に保管する。
　　　・施錠設備のある倉庫、薬品庫、ロッカー
　　　・覚醒剤原料専用金庫（重量金庫）
　　　・床にボルトなどで固定され容易に持ち運びできない保管庫
　　　・調剤室の鍵のかかる引出し
　　　麻薬保管庫、毒劇物保管庫には保管できない。
（2）事故の届出（覚醒剤取締法第30条の14）
　　　覚醒剤原料を喪失し、盗み取られ、又はその所在が不明となったときは、「覚醒剤原料事故届」により、すみやかにその覚醒剤原料の品名及び数量その他事故の状況を明らかにするため必要な事項を保健所長に届け出る。
（3）帳簿（覚醒剤取締法第30条の17）
　　　令和2年の改正により4月1日から医薬品覚醒剤原料を取り扱う場合は、医療機関や薬局においても帳簿を備え、必要事項（品名・数量・年月日）の帳簿への記載が義務化され、最終記載日から2年間保存しなければならない。

 アンプルの薬剤を1/2使用した場合、残りは廃棄することになる。

第3章　薬の基礎知識

❖処方箋医薬品

　「薬機法」によって規制があります。

　平成17年4月より「処方箋医薬品」という区分が新たに作られました。

　これまでは一般用医薬品として、薬局で販売されていた薬も、現在では処方箋がないと買えなくなったものがあります。抗菌成分である「ナリジクス酸」や「パモ酸ピランテル」などがこれに該当し、処方箋医薬品に指定されました。一般用医薬品として販売されていた頃から、「医師の処方箋・指示により使用すること」と注意書きが入っていた「要指示医薬品」はもともと医師の指示がなければ購入できない医薬品ですが、これに「処方箋医薬品」に指定された注射や麻酔製剤などが加わった形になります。処方箋が必要であるということは、医師の診察を受けなければ購入できないということになります。具体的に処方箋医薬品として、病状や体質等に応じて医師の診断により適切に選択する必要があるもの（抗生物質、ホルモン製剤、麻薬、注射薬）、重篤な副作用等のおそれがあるもの（糖尿病薬、抗悪性腫瘍薬、血液製剤）、興奮作用、依存性があるもの（精神神経用薬）などが該当します。薬局開設者は、**正当な理由なく、医師等の処方箋がない者には「処方箋医薬品」を販売することができません。**

　「薬機法」第49条の「薬局開設者又は医薬品の販売業者は、医師、歯科医師又は獣医師から処方箋の交付を受けた者以外の者に対して、正当な理由なく、厚生労働大臣の指定する医薬品を販売し、又は授与してはならない」の規定に則り、それに違反した場合には、3年以下の懲役もしくは300万円以下の罰金または両方が科せられます（「薬機法」第84条）。

【表示方法】
容器や被包に直接「**注意－医師等の処方箋・指示により使用すること**」の文字が記載してあります。

> 保管規制はありませんが、保管には十分な注意が必要です。

【管理と保管の主な規制】
（1）保管の規制なし

 　〇　そのとおり。

（2）原則、医師等からの処方箋の交付を受けた者以外に対し、正当な理由なく販売はできない（「薬機法」第49条1項）
（3）正当な理由とは
①大規模災害時等、医師等の処方箋交付が困難な場合
②地方自治体に対し、備蓄のための場合
③市町村実施の予防接種のための場合
④助産所開設者に対し、臨時応急手当等に必要な場合
⑤救急救命士が行う救急救命処置のための場合
⑥船舶備えのため、船長の発給証明書がある場合
⑦医・歯・薬・看護学生の教育研究のため

など

❖習慣性医薬品

「薬機法」によって規制があります。

「習慣性医薬品」とは、麻薬や覚醒剤以外で、習慣性の生じやすいものをいいます。使い続けることにより、習慣性のおそれがあるとして厚生労働大臣が指定した医薬品の総称のことです。反復使用が続くと徐々に量が増し、効果を欲して、その薬の使用を続けようとする精神依存を生じる薬として「薬機法」で規制しています。

催眠鎮静薬など、主に催眠薬としての効能があるものは習慣性医薬品として指定されています。その他、抗てんかん薬、モルヒネなども習慣性医薬品として指定されています。

【表示方法】
容器や被包に直接「注意－習慣性あり」の文字が記載してあります。

保管規制はありませんが、保管には十分注意が必要です。

【管理と保管の主な規制】
（1）保管の規制なし
（2）向精神薬に指定されていない習慣性医薬品も、向精神薬と同様に管理することが望ましい

Q 麻薬は「麻薬施用者免許」を有する医師が麻薬処方箋を用いて処方する。

医薬品の形状と包装形態

学習の
ポイント！

- 医薬品の種類、内容によって包装が異なる。
- 薬の効果を保つため、貯蔵温度などが決められている。
- 薬は高温・多湿・直射日光を避けて保存する。

内用薬に施される包装

内用薬とは経口投与（口から服用）される薬です。

包装形態	解　　説	見　　本
PTP(ブリスター) 包装 Press Through Package	薬を硬質のプラスチックのポケット凹に1錠ずつ入れ、その上を薄いアルミ箔などで覆って分包してあるシートのもの。表面の凸を指で押すと、アルミ箔が破れて薬が簡単に取り出せる。現在、**錠剤**や、**カプセル剤**包装の主流。携帯・保管に便利。	
SP(ストリップ) 包装 Strip Package	ポリエチレン等とセロファンまたはアルミニウムを貼り合せたラミネートフィルムで作られた、柔軟な素材の包装形態。連続した帯状のものや1回分ずつスティック状などに分包したものもある。切口部分を破り、中の薬を取り出す。**散剤**や**顆粒剤**などは主にSP包装されている。錠剤もSP包装が用いられることがある。	
ピロー (Pillow) 包装 Pillow Package	PTP包装やSP包装をし、さらにアルミ箔やポリエチレン等で二重包装したもの。枕のようにさらにカバーをかけることからPillow包装といわれ、医薬品の**防湿性を高めて**いる。	
バラ包装	個別に包装されず、散剤、錠剤、カプセル剤が一定量**バラ状態**でビンなどに保存されている。非単位包装なので、その中に保存されている錠剤やカプセル剤をバラ錠という。調剤時に分割、混合、分包をしたり、患者に合わせて一包化される。	
分包	1回ごとに飲む粉薬等を一定量に包装したり、朝昼夕など服用時が同じ薬をまとめて1つに包装する。一包化ともいう。一包ごとに袋に「名前」「日付」「服用時(朝昼夕など)」などが書かれていたり、色分けされていたりして、服用ミス（誤飲、飲み残し）を防ぐことができる。	

A ○　そのとおり。（P.71 参照）

医薬品の保存のしかた

　薬の効果を保つため、保存方法が決められているものがあります。薬の成分は、熱や湿気によって変化することがあります。そのため、高温・多湿・直射日光を避けて保存しなければなりません。保管温度について見てみましょう。

標準温度	20℃
常　　温	15～25℃
室　　温	1～30℃
微　　温	30～40℃

冷所	別に規定するもののほか 1～15℃	
注射剤	インスリン製剤	2～8℃
坐剤	インドメタシン坐剤	冷所
点眼・点耳・点鼻剤	————	冷所
軟膏	ユベラ軟膏	冷所

出典：「第16改正日本薬局方医薬品各条原案作成要領の実務ガイド」

 # 注射薬の容器

　注射薬とは注射器を使って体内に直接注入する薬剤です。

アンプル	
	先端を熱で融かして閉じたガラス管でできているのが主流。主に注射薬に用いられる。一度容器を開けてしまうと、保存はできない。

バイアル	
	生ゴムのキャップ（栓）がついたガラス等でできている。注射針をバイアル瓶のゴムの中央に直角に刺し込み、必要な薬液を吸引して使用する。キャップが生ゴムなので密閉され保存ができる。

　アンプルは開封すると保存ができず、1／2本しか使用しなくても残りは廃棄するので、1本分の金額で算定することができます。

 服用タイミングが同じ薬剤の一包化は、高齢者等の服用ミスの防止にも役立っている。

軟膏・クリームの包装

　外用薬である軟膏やクリーム、点眼剤などは皮膚の表面や粘膜に塗ったり貼ったりする薬剤です。以下の容器があります。

チューブ	軟膏壺
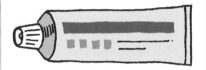	
アルミチューブは、医薬品を光（紫外線）、空気（ガス）、水（水蒸気）から完全に保護する。ノンエアバック性、携帯性、使用性に優れた包装容器。	軟膏壺はキャップがポリプロピレン、本体がポリエチレンなどでできており、グラム対応ができるように大きさも各種ある。

点眼剤・点鼻剤容器
点眼剤の容器は、１回使い切りタイプのもの（ユニットドーズ）もある。開封後は保存ができないので残量は廃棄になる。点鼻剤の容器は、直接鼻の穴に容器を入れて薬剤を鼻粘膜に噴霧するタイプ。使用後は先端をきれいにふいてからキャップをする。

医薬品は、温度や湿度、空気、光、輸送時の振動など、外的要因の影響を受けます。変質や劣化、破損から保護するため、上記のような包装がされています。

Ⓐ ○　そのとおり。

薬の体内動態

学習の
ポイント！

◯ 体内に入った薬が対外に排出されるまでを体内動態という。
◯ 薬はほとんどが胃で溶け、小腸から吸収される。
◯ 体内でさまざまな働きかけを起こすことを薬理作用という。

🔖 薬の体内での働き・作用

　口から投与された薬は、食道→胃→小腸→門脈→肝臓→（全身循環血液）→肝臓→腎臓→体外へと循環されていきます。このように薬が体内に入ってから体外に排泄されるまでのことを「**体内動態**」といい、それは主に「**吸収**」「**分布**」「**代謝**」「**排泄**」の４つの要因から成り立っています。

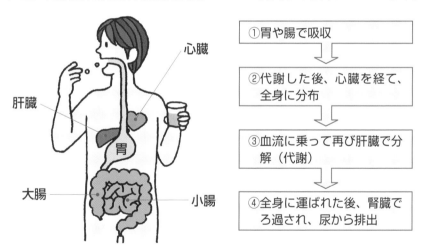

心臓

肝臓

胃

大腸

小腸

①胃や腸で吸収

②代謝した後、心臓を経て、全身に分布

③血流に乗って再び肝臓で分解（代謝）

④全身に運ばれた後、腎臓でろ過され、尿から排出

❖吸収

　口から投与された薬は、基本的に**胃**で溶け、ほとんどが**小腸**から**吸収**されます。

　胃の中は強い酸性なので酸性の薬物はいくぶん吸収されますが、アルカリ性のものは吸収されにくいのです。また、酸性の薬物もほとんどは胃より**小腸**で吸収されます。そして薬物は血管内へ吸収されます。

 口から投与された薬は、胃で溶けてほとんどが胃から吸収される。

分布

　薬物が血中に入って、血液によって体内を移動し、薬が作用組織に運ばれることを**分布**といいます。

　したがって、薬は必要とする部位にだけ分布されるのではありません。薬は主に血中アルブミンというタンパク質と結合するものがあって、アルブミンと結合してしまうと薬は組織に入り込めなくなります。組織に分布するには非結合型でなくてはなりません。この**非結合型**の割合が**多いほど、薬理作用**が**強く**なります。

代謝

　厳密には、分布の前に一部肝臓で代謝される初回通過効果が見られ、血流によって体を巡回し、再び肝臓で分解・抱合されて作用のない物質へと変化（不活性化）します。これで、水に溶け  やすく排泄しやすい化合物を作ります。水溶性が高ければそのままの形で尿などとともに排泄されますが、脂溶性のものが排泄されるためには、肝臓で水溶性のものに変える必要があるため、体内を循環した薬物が再び肝臓に移動して分解します。この変化の過程を**代謝**といいます。

　体の中に薬がある限り、薬は肝臓を通過するたびに何回もこの代謝を受けます。

排泄

　肝臓等で分解された薬物は**腎臓**でろ過され体外へ**排泄**されます。薬の排泄経路は尿中と便中ですが、一部は呼気や唾液として排泄されるものもあります。授乳中であれば母乳からも排泄されます。

🔖 薬理作用の現れ方による分類

　薬理作用とは、体内に投与された薬がさまざまな働きかけを起こすことをいいます。例えば、鎮痛・消炎剤は痛みをおさえる作用、血圧降下薬は高血圧の患者の血圧を下げる作用を期待して投与されます。このように薬を投与することによって得られる変化（作用）が薬理作用です。

  　✕　ほとんどが小腸から吸収される。(P.79 参照)

■薬理作用

興奮作用と抑制作用	薬物が、特定の細胞、組織、器官の持つ機能を促進・増強した状態が現れる作用を興奮作用といいます。興奮作用とは逆に、機能を低下・阻止させる作用を抑制作用といいます。
直接作用と間接作用	薬物が対象器官に作用して、その器官の機能を変化させる場合を直接作用または一次作用といいます。直接作用の結果として、他の器官の機能に変化が起きる作用を間接作用または二次作用ともいいます。
一般作用と選択作用	薬物の作用が、細胞、組織、器官の種類を問わず、生体のどの組織にも広範囲に現れる作用を一般作用といいます。薬物が吸収されたのち、特定の組織や器官で強く作用を発現する場合を選択作用といいます。
中枢作用と末梢作用	薬物が脳や脊髄などの中枢神経系に作用して、末梢の器官の機能に影響を与える作用を中枢作用といいます。薬物が中枢以外の末梢神経や末梢臓器に作用する場合を末梢作用といいます。
主作用と副作用	薬物によって症状を軽減するなど本来の働きを目的とする作用を主作用といいます。薬物の本来の目的以外の作用を副作用といいます。
全身作用と局所作用	薬物が適用部位から吸収されて循環器系に入り、血流により全身に運ばれ、循環しながら全身に分布して作用が現れることを全身作用といいます。薬物がほとんど吸収されず、投与部位に限定して作用が現れる場合を局所作用といいます。

 内用薬、外用薬、注射薬のうち、薬物の速効性作用が最も高いのは注射薬である。

発現時間における薬理作用の分類

薬理作用には、薬物を投与してから、その薬理作用の発現までに要する時間や、その作用の持続時間などの違いによって、いろいろな分類がされています。時間経過やその範囲からどのように分類されているのか見てみましょう。

速効性作用と遅効性作用	薬物が投与されてからその作用が早く発現することを速効性作用といいます。経口薬より注射の方が速効性が高く、投与後早いものは数分後から効果が現れます。 速効性とは逆に、作用の発現まで時間がかかる場合を遅効性作用といいます。
一過性作用と持続性作用	薬物が投与されてからその作用の持続時間が短い薬物の作用を一過性といいます。薬物の種類によっても異なりますが、投与後ただちに作用が現れ、その作用の持続時間が短い薬物の作用を一過性作用といいます。 薬物が投与されてからの作用が長時間続く場合を、持続性作用といいます。

ココを押さえる！

薬剤間の相互作用

薬剤間の相互作用とは、単剤で使用した場合はまったく問題がなくても、複数を併用したときに問題が起きることです。つまり、一方の薬剤の作用が、他の薬剤に影響を与え、併用された薬剤同士が互いに影響しあう「薬物間の相互作用」により、ある薬物の作用が弱まったり強くなったりします。これにより、薬の効果が現れにくかったり、副作用が強く出ることもあります。

Ⓐ ○ そのとおり。

要点チェックテスト

第3章　薬の基礎知識

次の問いに○か×で答えなさい。

Q1 内用薬には坐剤も含まれる。

Q2 薬価基準収載医薬品は、ドラッグストアなど薬店で販売できる。

Q3 OTC医薬品の一般用医薬品は、第1類医薬品、第2類医薬品、第3類医薬品に分類されている。

Q4 第1類医薬品は、薬剤師のみが扱える。

Q5 後発医薬品は、新薬の特許期間である10年間は販売できない。

Q6 毒薬や劇薬は直接容器に文字が記載されているが、表示方法は「薬機法」により定められている。

Q7 注射薬容器のバイアルは保存ができないので、薬剤の残量はすべて廃棄する。

解答&解説

A1 ×　内用薬とは口から服用される経口投与の薬剤をいう。（P.76参照）

A2 ×　薬価基準収載医薬品は医師の処方箋によって投与される薬。（P.65参照）

A3 ○　そのとおり。（P.67参照）

A4 ○　そのとおり。

A5 ×　特許期間は20年（状況により＋5年）で、その間は、後発医薬品の販売は認められない。（P.67参照）

A6 ○　そのとおり。

A7 ×　バイアルはキャップが生ゴムで、保存ができる。保存ができないのはアンプルである。（P.77参照）

Q8 処方箋医薬品とは、一般薬として販売できるようになった医薬品のことをいう。

Q9 経口投与された薬が体内に入ってから体外に排泄されるまでのことを「体内動態」という。

Q10 薬のほとんどは胃で吸収される。

Q11 体内動態は、主に「吸収」「分布」「代謝」の3つの要因から成り立っている。

Q12 薬の本来の働きを目的とする作用を主作用といい、目的以上の効果が出ることを副作用という。

Q13 経口薬における体内動態で、薬物の代謝を行う臓器は主に肝臓である。

Q14 薬が投与されてから早く効いてくることを速効性作用というが、その持続時間が短い薬物作用を一過性という。

解答&解説

A8 × 一般用医薬品として販売されていた薬が、処方箋がないと買えなくなった薬。(P.74 参照)

A9 ○ そのとおり。

A10 × 基本的には胃で溶け、ほとんどが小腸から吸収される。(P.79 参照)

A11 × 「吸収」「分布」「代謝」「排泄」の4つの要因である。(P.79 参照)

A12 × 薬物の本来の目的以外の作用を副作用という。(P.81 参照)

A13 ○ そのとおり。

A14 ○ そのとおり。(P.82 参照)

次の問題に答えなさい。

薬の基礎知識

1 次の文の（　　　）に該当する語句を下から選びなさい。

　薬物によって症状を軽減するなど、本来の働きを目的とする作用を（　イ　）といい、薬物本来の目的以外の作用を（　ロ　）という。また、一方の薬剤の作用が、他の薬剤に影響を与え、併用された薬剤同士が互いに影響しあう働きを薬剤間の（　ハ　）という。これにより、薬の効果が現れにくかったり、副作用が強く出たりする。

相互作用　　　主作用　　　副作用

2 次の（　　　）に該当する語句を下から選びなさい。

　医薬品を2つに大別すると、主に病院や開業医などが扱う（　イ　）、主に薬局・薬店で扱う（　ロ　）がある。（　イ　）は、医師の処方箋に基づいて投与される薬で、保険扱いが（　ハ　）。（　ロ　）は、ドラッグストアや薬店で一般に販売されている、いわゆる（　ニ　）といわれる薬で、保険扱いが（　ホ　）。

大衆薬　　　医療用医薬品　　　できる　　　一般用医薬品 できない

3 次の（　　　）に該当する語句を次から選びなさい。

　薬剤の種類には、（　イ　）と外用薬、注射薬がある。（　イ　）の薬剤の形状には（　ロ　）、カプセル剤、散剤、顆粒剤などがある。外用薬には、軟膏やクリーム、（　ハ　）、点眼剤、（　ニ　）などがある。また注射薬は、注射器を使って体内に直接注入する

薬剤であるため、経口薬に比べ、作用の（　ホ　）がある。

内用薬	錠剤	坐剤	湿布剤	速効性

4 次の説明で正しいものには〇、誤っているものには×をつけ、誤りの部分に下線を引き、訂正しなさい。

① （　　　　）口から吸収された薬は、胃で溶けほとんどが胃から吸収される。

② （　　　　）薬物が口に入って、食道から胃に移動することを分布という。

③ （　　　　）血流によって体を循環した薬が再び肝臓に移動し、脂溶性のものは肝臓で水溶性のものに変えられる。この変化の過程を代謝という。

④ （　　　　）薬の排泄経路は尿中・便中であるが、呼気から排泄されるものもある。また、授乳中は母乳からも排泄される。

解答&解説

1 イ 主作用　　ロ 副作用　　ハ 相互作用

2 イ 医療用医薬品　　ロ 一般用医薬品　　ハ できる　　ニ 大衆薬
ホ できない（P.65 参照）

3 イ 内用薬　　ロ 錠剤　　ハ 坐剤　　ニ 湿布剤　　ホ 速効性
（ハ、ニは逆でも可）

4 ①×　誤り「胃から吸収される」：基本的には胃で溶け、ほとんどが小腸から吸収される。（P.79 参照）
②×　誤り「食道から胃に移動すること」：薬物が血中に入って体内を移動し、薬が作用組織に運ばれることをいう。（P.80 参照）
③・④〇　そのとおり。

第 4 章

処方箋の基礎知識

病院で処方箋をもらったとき、詳しく見たことが
ありますか? この章では、処方箋にはどのような
ことが書かれているのかを見ていきながら、実際
に薬剤料の計算のしかたを学習していきます。

保険薬局が取り扱う処方箋

学習の ポイント！
- ☐ 処方箋と調剤録の内容を確認する。
- ☐ 処方箋には表示記号・略称が使用されている。
- ☐ 処方箋の記載内容の確認のしかたを理解する。

処方箋に関する法律

処方箋に関する法律は、主に次のようなものがあります。

処方箋の交付義務（医師法第 22 条）

医師は、患者に対し治療上薬剤を調剤して投与する必要があると認めた場合には、患者又は現にその看護に当っている者に対して処方箋を交付しなければならない。

処方箋の交付（保険医療機関及び保険医療養担当規則第 23 条）

保険医は、処方箋を交付する場合には、様式第 2 号又はこれに準ずる様式の処方箋に必要な事項を記載しなければならない。
保険医は、その交付した処方箋に関し、保険薬剤師から疑義の照会があった場合には、これに適切に対応しなければならない。

調剤の求めに応ずる義務（薬剤師法第 21 条）

調剤に従事する薬剤師は、調剤の求めがあった場合には、正当な理由がなければ、これを拒んではならない。

処方箋中の疑義（薬剤師法第 24 条）

薬剤師は、処方箋中に疑わしい点があるときは、その処方箋を交付した医師、歯科医師又は獣医師に問い合わせて、その疑わしい点を確かめた後でなければ、これによって調剤してはならない。

処方箋の交付
(保険医療機関及び保険医療養担当規則第20条の3)
イ. 処方箋の使用期間は、交付の日を含めて4日以内とする。ただし、長期の旅行等特殊の事情があると認められる場合は、この限りでない。

ロ. 前イによるほか、処方箋の交付に関しては、前号に定める投薬の例による。

※交付の日を含めて4日以内……これには、休日や祝日が含まれるので注意する。なお、長期の旅行等特殊の事情があり、医師や歯科医師が、処方箋に別途使用期間を記載した場合には、その日まで有効となる。

調剤録の記載 (保険薬局及び保険薬剤師療養担当規則第10条)
　保険薬剤師は、患者の調剤を行った場合は、遅滞なく、調剤録に当該調剤に関する必要な事項を記載しなければならない。

処方箋等の保存 (薬剤師法第27条)
　薬局開設者は当該薬局で調剤済みとなった処方箋を、調剤済みとなった日から3年間、保存しなければならない。

※完結の日＝調剤済みとなった日

調剤録 (薬剤師法第28条)
1. 薬局開設者は、薬局に調剤録を備えなければならない。
2. 薬剤師は、薬局で調剤したときは、厚生労働省令で定めるところにより、調剤録に厚生労働省令で定める事項を記入しなければならない。
3. 薬局開設者は、第1項の調剤録を、最終の記入の日から3年間、保存しなければならない。

 処方箋は、診療を行った医師が、治療上の必要性を認めた場合に交付できる。

薬局で扱う処方箋

第2号様式

処方箋
(この処方箋は、どの保険薬局でも有効です。)

| 公費負担者番号 | ① | | 保険者番号 | |
| 公費負担医療
の受給者番号 | | | 被保険者証・被保険
者手帳の記号・番号 | ・ (枝番) |

患者	氏名	②		保険医療機関の 所在地及び名称	
	生年月日	明大昭平 令 年 月 日	男・女	電話番号	
				保険医氏名	③ 印
	区分	被保険者	被扶養者	都道府県番号	点数表 番号	医療機関 コード

| 交付年月日 | ④ 令和 年 月 日 | 処方箋の
使用期間 | 令和 年 月 日 | 特に記載のある場合
を除き、交付の日を含
めて4日以内に保険薬
局に提出すること。 |

処 方	変更不可 (医療上必要)	患者希望	個々の処方薬について、医療上の必要性があるため、後発医薬品（ジェネリック医薬品） への変更に差し支えがあると判断した場合には、「変更不可」欄に「レ」又は「×」を記 載し、「保険医署名」欄に署名又は記名・押印すること。また、患者の希望を踏まえ、先 発医薬品を処方した場合には、「患者希望」欄に「レ」又は「×」を記載すること。
	⑤		
			リフィル可 □ （ 回）

備 考	保険医署名	「変更不可」欄に「レ」又は「×」を記載 した場合は、署名又は記名・押印すること。
⑥	保険薬局が調剤時に残薬を確認した場合の対応（特に指示がある場合は「レ」又は「×」を記載すること。） □保険医療機関へ疑義照会した上で調剤 □保険医療機関へ情報提供
	調剤実施回数（調剤回数に応じて、□に「レ」又は「×」を記載するとともに、調剤日及び次回調剤予定日を記載すること。） □1回目調剤日（ 年 月 日） □2回目調剤日（ 年 月 日） □3回目調剤日（ 年 月 日） 次回調剤予定日（ 年 月 日） 次回調剤予定日（ 年 月 日）

| 調剤済年月日 | 令和 年 月 日 | 公費負担者番号 | |
| 保険薬局の所在地
及 び 名 称
保険薬剤師氏名 | 印 | 公費負担医療の
受 給 者 番 号 | |

備考　1　「処方」欄には、薬名、分量、用法及び用量を記載すること。
　　　2　この用紙は、A列5番を標準とすること。
　　　3　療養の給付及び公費負担医療に関する費用の請求に関する命令（昭和51年厚生省令第36号）第1条の公費負担医療については、「保険医療機関」とある
　　　　のは「公費負担医療の担当医療機関」とあり、「保険医氏名」とあるのは「公費負担医療の担当医氏名」と読み替えるものとすること。

---

① 患者の加入している医療保険の種類や保険証に記載されている保険者番号・被保険者手帳の番号・記号などが記載されている

② 投薬を受ける患者の氏名・生年月日・性別・区分が記載されている

③ 処方箋を交付した保険医療機関の所在地・名称、処方箋を交付した保険医氏名、保険医療機関に関するコードが記載されている

④ 処方箋の交付年月日・処方箋の使用期間が記載されている

⑤ 患者に投薬される薬剤名・剤形と規格（含有）単位、服用回数・服用時点など、処方の内容が記載されている

⑥ 下記の場合に記載されている
● 麻薬を処方した場合は「患者住所と麻薬施用者免許証番号」
● 患者が未就学の場合「6歳」
● 70歳以上の場合「高一、高7」
● 後発医薬品への変更に差し支えがあるとき「変更不可に×又はレ」し保険医の署名と押印

【調剤録】

裏面

薬剤料	調剤数量	薬剤料計	薬剤調製料	調剤管理料	加算	小計	薬学管理料	調剤基本料	合計点数
							その他の特掲	患者負担金 ⑦ 円	
							技術料	請求金額 円	

⑦ この欄は**保険調剤薬局**が記入する
処方内容について調剤業務を行い、調剤報酬点数表から算出した各項目の点数・合計点数・患者負担金額などを記入する

90 Ⓐ ○ そのとおり。

処方欄の記載内容と見方（例）

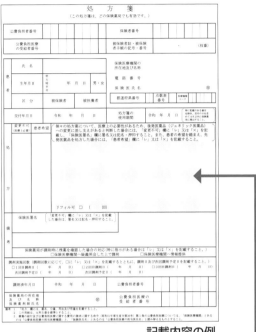

記載内容の例

Rp)　　　　　　　　　　　　　　　　1日分の量

①メジコン錠　　　　　　　15mg　3T　　C=カプセル
　セフゾンカプセル　100mg　3C　　T=錠剤
　ムコダイン錠　　　250mg　6T
　　　　　　　　　　　1日3回　毎食後　　　　5日分
　　　　　　　　　　　　飲み方　　　　　投与日数

記載内容の読み方

●Rp)…処方します
●①…処方する薬は次の3つです。
　　メジコン錠　　　　　15mg　を　3錠
　　セフゾンカプセル　100mg　を　3カプセル
　　ムコダイン錠　　　250mg　を　6錠
●飲み方は、1日3回に分けて毎食後(朝・昼・夜)に服用、です。
●投与日数は、薬を5日分出す、です。

処方箋の記載には略称を使うこともあります。

●薬品名○○mg

薬効（薬の効き目）の含有量のことで、薬
の中にその成分として含まれている量を示しています。

 処方箋の中に疑わしい点があるときは、薬剤師会に連絡する。

【処方箋に記載される主な略称】

飲み方（服用時点）の略称		薬の剤形の表示記号	
分3、3×	1日3回に分けて服用	C、Cap	カプセル
3×v.d.E	1日3回に分けて食前に服用	T、Tab、錠	タブレット（錠剤）
3×n.d.E	1日3回に分けて食後に服用	S、Syr	シロップ
3×z.d.E	1日3回に分けて食間に服用	g	散錠（顆粒・粉末）
6 st×4	6時間ごとに1日4回	ml、mL、cc	液剤
5TD	5日分	g	塗剤(軟膏、クリーム)
2P、2包	2パック（包）2回分…屯服薬	個	坐剤等

 ## 処方箋受付業務での留意事項

処方箋窓口の留意事項を確認しましょう。

1. 処方箋の有効期限をしっかり確認する

原則、処方箋は発行された当日を含めて4日間しか有効ではありません。

2. 患者が医療保険の受給資格者であることを確認する

保険調剤するためには、処方箋に患者氏名、生年月日、保険者番号、保険医療機関名・所在地、処方した医師の記名・押印または署名などの必要事項の記載が必要です。

3. 処方箋記載の内容の確認をしっかりする

処方欄には厚生労働省保険局医療課長通知内容に基づいた、医薬品名・分量・用法・用量・外用の場合の回数、使用部位の記載が必要です。

4. 服薬状況等の確認、後発医薬品使用の患者意向を確認する

服薬状況ならびに残薬状況の確認、後発医薬品の使用に関する患者の意向の確認を、調剤を行う前の処方箋受付時に行います。

 × 処方箋を交付した医師に照会し、回答を得る。（P.88参照）

薬剤料

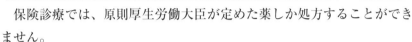

> **学習の**
> **ポイント！**
> - [ ] 調剤報酬の要である薬剤料の計算のしかたを覚える。
> - [ ] 薬価基準に収載されている薬の種類、薬剤価格には消費税が含まれている。

 薬剤料とは

　保険診療では、原則厚生労働大臣が定めた薬しか処方することができません。

　薬剤料とは、処方された薬剤の「**薬価（円）**」を計算式に当てはめて点数に換算したものをいいます。**薬価**とは、厚生労働大臣が**保険薬**（保険診療に使用できる薬）として定めた薬の価格のことです。

　薬の種類、価格は「**薬価基準**」に収載されていて、この価格は**消費税も含んだ価格**となっています。薬価は 2021 年より毎年厚生労働省にて見直され、決められています。

 薬価基準の見方

　薬価基準表は「内用薬」「注射薬」「外用薬」「歯科用薬剤」に分けて掲載されています。薬はアイウエオ順に並べられていて、「薬価基準表（抜粋）例」のように、その薬の【品名、会社名、規格・単位、薬価、備考】が表形式で記載されています。

　品名の前に 後 のマークがついているものは、後発医薬品のことです。

　また、**薬価**の前に【向・麻・毒・覚】などの文字がついているものもあります。向精神薬や麻薬など、気をつけなければならない薬（規制医薬品）に文字マークがついています。

　その他の文字マークは次ページの薬価基準表にある「薬価」の欄を参考にしてください。

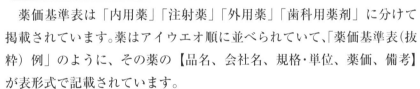

 薬価基準表の価格の前にある【向・麻・毒・覚】とは、向精神薬、麻薬、毒薬、覚醒剤原料を表している。

【薬価基準表（抜粋）例】

品　　　名	会社名	規格・単位	薬　価	備　　考
カロナール細粒 20% カロナール錠 200㎎ カロナール錠 500㎎	あゆみ製薬	20%　　　1ｇ 200㎎　1錠 500㎎　1錠	12.20 6.70 劇 11.20	解熱鎮痛剤

薬品名を示す　　会社名　　医薬品に含まれる有効成分の量を示す　　その規格の価格　1ｇあたりの価格　1錠あたりの価格　　薬効

【文字マーク】

向…向精神薬　　　　生…生物学的製剤
麻…麻薬　　　　　　劇…劇薬
毒…毒薬　　　　　　Aq…注射用水の価格を加算できるもの
覚…覚醒剤原料　　　局…日本薬局方収載品目

【薬剤の区分と所定単位】

区　　分	所定単位
内用薬 内服薬	1剤1日分×日数
内服用滴剤	1調剤分　　×調剤数
浸煎薬	1調剤分　　×調剤数
湯薬	1剤1日分×日数
屯服薬	1調剤分
外用薬	1調剤分　　×調剤数
注射薬	1調剤分

薬剤の価格を調べるとき、同じ薬剤名でも25㎎・50㎎・100㎎など規格によって、薬価が違います。また、10gあたり、1gあたりの金額が書かれているものもあるので、しっかり確認しましょう。

● 内服薬（ないふくやく）

　内服薬とは口から飲み込む薬で、飲む時（タイミング）が決められていて継続して飲みます。

　1回の服用量、1日の服用回数、飲む時（タイミング）、投与日数などが決められています。処方箋には【1日分、〇回、〇分】と記載されます。

● 内服用滴剤（ないふくようてきざい）

　内服薬の液剤です。1回の使用量が少量で、スポイトや滴瓶から1～数滴を指示にしたがい服用します。ラキソベロン内用液などが該当します。

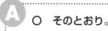
○ そのとおり。

●浸煎薬

浸煎薬とは、**1種類以上の生薬**をお湯で煮出して作る薬を、**薬局が浸煎して液剤にした薬**です。瓶などに入れて患者に渡します。

●湯薬

湯薬とは、**2種類以上の生薬を刻んで**（粗切り、中切りまたは細切り）混合調剤し、適量をティーバッグのように分包した薬です。**患者自身が浸煎して作ります。**

●屯服薬

屯服薬とは口から飲み込む薬で、発作や疼痛などその症状に応じ臨時的に飲みます。処方箋には【〇回分】【〇〇時に服用】と記載されます。〇包、〇Pと書くこともあります。

●外用薬

外用薬とは、皮膚の表面や粘膜などの身体の表面に塗ったり貼ったりして有効成分を浸透させる薬のことです。軟・硬膏、坐剤、点眼・点鼻・点耳剤、湿布剤、うがい薬、トローチなどがあります。処方箋には【〇g、〇ml、〇個、〇枚】などで記載されます。

● 注射薬

注射薬とは、注射針で皮下・筋肉内、血管などに直接薬剤を投与するもののことです。注射薬は体内組織や器官に直接投与するため、経口投与に比べ薬物の速効性と確実性が期待できます。薬局で扱うものは、在宅医療で使用する自己注射の注射薬などに限られます。

 薬剤料の計算のしかた

処方箋に書かれている薬は、国が定めている薬価基準（価格）にしたがい、薬剤使用量に応じて薬剤料の計算をします。ポイントは、薬剤料の計算だけは小数点以下を五捨五超入という計算のしかたをするというところです。

次の手順どおりに計算すれば大丈夫です。ひとつずつ見ていきましょう。

 薬剤は品名が同じであれば、価格はすべて同額に統一されている。

内服薬

処方箋内容

Rp*) メジコン錠　15mg
　　　セフゾンカプセル　100mg
　　　ムコダイン錠　250mg

3錠
3C　1日3回　毎食後　5日分
6錠

↑　　　　　↑　　　　　↑　　　　　↑
1日の量　1日3回服用　服用時点　投与日数

* Rp) とは「処方箋」の意味です。
　レシピ（Recipe）の略語

●読み方のポイント

　この3つの薬剤を1日3回、毎食後に**1剤**として同時に服用します。

　薬は5日分の処方です、と読みます。**5日分**との記載で**内服薬**と判断します。

薬価

　本来は薬価基準表で探します。

メジコン錠　15mg	1錠の価格	¥5.70
セフゾンカプセル　100mg	1Cの価格	¥59.70
ムコダイン錠　250mg	1錠の価格	¥8.50

●計算のポイント

　服用時点が同一の薬剤ですから、この3つで**1剤**となります。

●計算の手順

❶3つの薬剤の合計金額を出します。

メジコン錠　15mg　　　　　　⇒　3錠×¥5.70　=　¥17.10
セフゾンカプセル　100mg　　⇒　3C ×¥59.70 = ¥179.10
ムコダイン錠　250mg　　　　⇒　6錠×¥8.50　=　¥51.0

　　　　　　　　　　　　　　　　合計金額　**¥247.20**

❷金額を点数化します（金額÷10＝点数）。

　¥247.20 ÷ 10 = **24.72 点**

＊五捨五超入
小数点以下だけを見ます。
.50 まで…切り捨て
.50 超……切り上げ

❸小数点以下を五捨五超入＊します。

　24.72（.72なので切り上げ）⇒　**25 点**になります。

❹5日分の計算をします。

　25 点×5日分 = 125 点　薬剤料は**125 点**となります。

96　　× 薬剤名が同じでも、規格によって金額は異なる。単位（g、mg）などをしっかり確認する。（P.94 参照）

屯服薬

処方箋内容

Rp) レンドルミンD錠　0.25mg　1錠　3回分　（不眠時に 1回1錠服用）

1回の服用量　服用回数　服用時点

●読み方のポイント

この薬剤は1回1錠、不眠のときに服用します。

薬は3回分の処方です、と読みます。**3回分**との記載で**屯服薬**と判断します。

薬価

レンドルミンD錠　0.25mg　1錠の価格　¥12.50

●計算のポイント

屯服薬は1調剤分、つまり全量で計算します。「1回1錠、3回分」とあるので、全量の出し方は、「1錠×3回分＝3錠」で3錠になります。

屯服薬の1調剤分とは**3錠**のことになります。

●計算の手順

❶**全量**×薬価で計算し、金額を出します。

レンドルミンD錠　0.25mg　⇒　3錠×¥12.50＝¥37.50

❷金額を点数化します（金額÷10＝点数）。

¥37.50÷10＝ **3.75点**

❸小数点以下を五捨五超入します。

3.75（.75なので切り上げ）⇒ **4点**になります。

❹1調剤分の計算をします。

薬剤料は4点×1調剤分＝ **4点**となります。

Q 点眼剤は外用薬であるため、5mlが3本の場合、15mlの全量で計算する。

処方箋内容

Rp) ロコイド軟膏 0.1%　　5 g　3本

↑
総量は 15g

●読み方のポイント

　この軟膏は 1 本が 5 g で、3 本投与します。

　軟膏の記載で**外用薬**と判断できます。薬価は「外用薬」の区分に記載されています。

薬価

　ロコイド軟膏 0.1%　　1 g の価格　¥14.90

●計算のポイント

　外用薬は 1 調剤分、つまり全量で計算します。全量は 5 g × 3 本 = 15 g です。

●計算の手順

❶**全量**×薬価で計算し、金額を出します。

　ロコイド軟膏 0.1%　　15 g ⇒ 15 g × ¥14.90 = ¥223.50

❷金額を点数化します（金額 ÷ 10 = 点数）。

　¥223.50 ÷ 10 = 22.35 点

❸小数点以下を五捨五超入します。

　22.35（.35 なので切り捨て）⇒ **22 点**になります。

❹1 調剤分の計算をします。

　22 点 × 1 調剤分 = 22 点

　薬剤料は **22 点**となります。

Ⓐ　〇　そのとおり。

注射薬

処方箋内容

Rp）ノボラピッド注フレックスペン　300単位　1キット（3ml）

●読み方のポイント

　この薬は注射薬です。保険薬局で扱える注射薬はわずかしかありません。このノボラピッド注フレックスペンは2型糖尿病治療薬で、300単位はこの薬剤の規格単位のことです（糖尿病患者の在宅自己注射薬剤）。

薬価

　ノボラピッド注フレックスペン　300単位　1キットの価格　¥1,461

●計算のポイント

　この薬は注射薬です。注射薬は1調剤分で計算します。

●計算の手順

❶全量×薬価で計算し、金額を出します。

　ノボラピッド注フレックスペン　300単位1キット　⇒　¥1,461

❷金額を点数化します（金額÷10＝点数）。

　¥1,461 ÷ 10 = 146.1点

❸小数点以下を五捨五超入します。

　146.1（.1なので切り捨て）⇒ **146点**になります。

❹1調剤分の計算をします。

　薬剤料は146点×1調剤分 = **146点**となります。

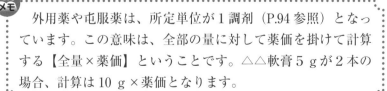

知得メモ

　外用薬や屯服薬は、所定単位が1調剤（P.94参照）となっています。この意味は、全部の量に対して薬価を掛けて計算する【全量×薬価】ということです。△△軟膏5gが2本の場合、計算は10g×薬価となります。

Q 屯服薬と外用薬の薬剤料を計算する場合は、1調剤で計算するので全量を確認する。

第4章　処方箋の基礎知識

【薬剤料の算定】

次の薬剤料を計算してみましょう。

内服薬

【問題】

(1) | Rp) アムロジン 5mg　1T
　　 1日1回　朝食後　14日分 | 1錠の価格 =￥15.20

(2) | Rp) セレコックス錠 100mg　2T
　　　　 ムコスタ錠 100mg　2T
　　 1日2回　朝夕食後　5日分 | 1錠の価格 =￥23.80
1錠の価格 =￥10.10

(3) | Rp) アスベリンシロップ 0.5%　　　　　　6ml
　　　　 小児用ムコソルバンシロップ 0.3%　3ml
　　　　 ムコダインシロップ 5%　　　　　　6ml
　　 1日3回　毎食後　7日分 | 1mlの価格 =￥1.97
1mlの価格 =￥6.70
1mlの価格 =￥6.10

屯服薬

【問題】

(4) | Rp) カロナール細粒 20%　1回0.5g
　　 発熱・疼痛時　3回分 | 1gの価格 =￥12.20

(5) | Rp) レルパックス錠 20mg　1回1錠
　　 頭痛時　5P | 1錠の価格 =￥411.60

(6) | Rp) ニトロペン舌下錠 0.3mg
　　 1回1錠　発作時　3回分 | 1錠の価格 =￥10.50

外用薬

【問題】

(7) | Rp) ロキソニンテープ 100mg　10cm×14cm
　　 28枚　1日1回1枚貼付 | 1枚の価格 =￥18.40

(8) | Rp) フルメトロン点眼液 0.02%　5ml　2本
　　 1日2回　1回1〜2滴　両眼に点眼 | 1mlの価格 =￥26.30

(9) | Rp) SPトローチ 0.25mg「明治」
　　 1日6錠　咽頭痛時　5日分 | 1錠の価格 =￥5.70

A　○　そのとおり。

【解答&解説】

内服薬

(1) | アムロジン錠 5mg　1T　1日1回　朝食後　14日分 |

●計算のポイント

「1日1回・朝食後・14日分」と服用指示がある薬剤は、内服薬です。

薬価

アムロジン錠 5mg　1錠の価格　¥15.20

●計算の手順

❶薬剤の1日量の金額を出す。1T × ¥15.20 × 1 = ¥15.20

❷金額を点数化する（金額÷10=点数）。¥15.20 ÷ 10 = 1.52

❸小数点以下を処理（五捨五超入する）。1.<u>52</u>　⇒　2点

❹14日分の計算をする。2 × 14日分 = 28点

答え：《薬剤料》28点

(2) | セレコックス錠 100mg　　　2T |
| ムコスタ錠 100mg　　　　　2T　　1日2回　朝夕食後　5日分 |

●計算のポイント

「1日2回・朝夕食後・5日分」と服用指示がある薬剤は、内服薬です。
飲むタイミングが一緒なので、2つで「1剤」と考えます。

薬価

セレコックス錠 100mg　　1錠の価格　¥23.80
ムコスタ錠 100mg　　　　1錠の価格　¥10.10

●計算の手順

❶1剤の1日量の金額を出す。
　（2T × ¥23.80）+（2T × ¥10.10）= ¥67.80

❷金額を点数化する（金額÷10 = 点数）。¥67.80 ÷ 10 = 6.78

❸小数点以下を処理（五捨五超入する）。　6.<u>78</u>　⇒　7点

❹5日分の計算をする。7 × 5日分 = 35点

答え：《薬剤料》35点

(3) | アスベリンシロップ 0.5%　　　　　6ml |
| 小児用ムコソルバンシロップ 0.3%　　3ml |

Q Rp）①、②、③のうち、②と③は錠剤で服用タイミングや投与日数が同じ **101**
だったため、2つを合わせて1剤とし計算した。

> ムコダインシロップ5%　　　　　　　6ml
> 1日3回　毎食後　7日分

●計算のポイント

「1日3回・毎食後・7日分」と服用指示がある薬剤は、内服薬です。
飲むタイミングが一緒なので、3つで**1剤**と考えます。

薬価

アスベリンシロップ0.5%	1mlの価格	¥　1.97
小児用ムコソルバンシロップ0.3%	1mlの価格	¥　6.70
ムコダインシロップ5%	1mlの価格	¥　6.10

●計算の手順

❶1剤の1日量の金額を出す。

　（6ml×¥1.97）＋（3ml×¥6.70）＋（6ml×¥6.10）＝¥68.52

❷金額を点数化する（金額÷10＝点数）。¥68.52÷10＝6.852

❸小数点以下を処理（五捨五超入する）。6.852　⇒　7点

❹7日分の計算をする。7×7日分＝49点

答え：《薬剤料》**49**点

屯服薬

(4) > カロナール細粒20%　1回0.5g（発熱・疼痛時3回分）

●計算のポイント

　3回分と記載されているので屯服薬です。屯服薬は1調剤分（全量）で
計算します。

　全量は1.5gです（0.5g、3回分のため）。

薬価

カロナール細粒20%	1gの価格	¥12.20

●計算の手順

❶全量×薬価で計算し、金額を出す。1.5g×¥12.20＝¥18.30

❷金額を点数化する（金額÷10＝点数）。　18.30÷10＝1.830

❸小数点以下を処理（五捨五超入する）。　1.830　⇒　2点

答え：《薬剤料》2点×1調剤＝**2点**

(5) > レルパックス錠20mg　1回1錠（頭痛時5P）

  ○　そのとおり。

●計算のポイント

5Pと記載されているので屯服薬です。屯服薬は1調剤分（全量）で計算します。5P＝5回分のことです。

全量は5錠です（1回1錠、5回分のため）。

薬価

レルパックス錠20mg　1錠の価格　¥411.60

●計算の手順

❶全量×薬価で計算し、金額を出す。5錠 × ¥411.60 ＝ ¥2,058.00
❷金額を点数化する（金額 ÷ 10＝ 点数）。2,058.00 ÷ 10 ＝ 205.80
❸小数点以下を処理（五捨五超入する）。　205.<u>80</u>　⇒　206 点

答え：《薬剤料》206 点×1調剤＝206 点

---

(6)　ニトロペン舌下錠0.3mg　1回1錠（発作時3回分）

●計算のポイント

3回分と記載されているので屯服薬です。屯服薬は1調剤分（全量）で計算します。

全量は3錠です（1回1錠、3回分のため）。

薬価

ニトロペン舌下錠0.3mg　1錠の価格　¥10.50

●計算の手順

❶全量×薬価で計算し、金額を出す。3錠× ¥10.50 ＝ ¥31.50
❷金額を点数化する（金額 ÷ 10＝ 点数）。31.50 ÷ 10 ＝ 3.150
❸小数点以下を処理（五捨五超入する）。3.<u>15</u>　⇒　3 点

答え：《薬剤料》 3 点×1調剤＝3 点

外用薬

(7)　ロキソニンテープ100mg（10cm× 14cm）　28 枚

●計算のポイント

テープ剤は外用薬です。外用薬は1調剤分（全量）で計算します。

全量は28 枚です。

薬価

ロキソニンテープ100mg　1枚の価格　¥18.40

Q 薬価が10mlあたり21.6円の薬剤が6ml出された場合の金額は、12.96円である。

●計算の手順

❶全量×薬価で計算し、金額を出す。28 枚×￥18.40＝￥515.20

❷金額を点数化する（金額÷10＝点数）。515.20 ÷ 10 ＝ 51.52

❸小数点以下を処理（五捨五超入）する。51.<u>52</u>　⇒　52 点

答え：《薬剤料》52 点×1調剤＝ 52 点

(8) | フルメトロン点眼液 0.02%　5ml　2本 |

●計算のポイント

点眼液は外用薬です。外用薬は 1 調剤分（全量）で計算します。

5ml が 2 本のため全量は 10ml になります。

薬価

フルメトロン点眼液 0.02%　1ml の価格　￥26.30

●計算の手順

❶全量×薬価で計算し、金額を出す。10ml ×￥26.30 ＝￥263.0

❷金額を点数化する（金額÷10＝点数）。263.0 ÷ 10 ＝ 26.30

❸小数点以下を処理（五捨五超入する）。26.<u>30</u>　⇒　26 点

答え：《薬剤料》26 点×1調剤＝ 26 点

(9) | SP トローチ 0.25mg「明治」　1日6錠　5日分 |

●計算のポイント

トローチは外用薬です。外用薬は 1 調剤分（全量）で計算します。

全量は 30 錠です（1 日 6 錠で 5 日分のため）。

薬価

SP トローチ 0.25mg「明治」　1錠の価格　￥5.70

●計算の手順

❶全量×薬価で計算し、金額を出す。30 錠×￥5.70 ＝￥171.0

❷金額を点数化する（金額÷10＝点数）。171.0 ÷ 10 ＝ 17.1

❸小数点以下を処理（五捨五超入する）。17.<u>1</u>　⇒　17 点

答え：《薬剤料》17 点×1調剤＝ 17 点

調剤報酬はすべて点数で表します。
薬剤の金額を点数にする方法は、
【金額÷ 10 ＝点数】です。小数点以
下は、五捨五超入で処理しましょう。

 ○ ①1ml あたりの金額を計算：6ml ×￥2.16 ＝ 12.96 円
②10ml あたりの金額をそのまま使用：0.6 ×￥21.6 ＝ 12.96 円

特定保険医療材料料

学習の ポイント!
- 特定保険医療材料とは何かを理解する。
- 注射器、注射針のみを処方箋で供給することはできない。
- 医療材料料（金額÷10）は、小数点以下は四捨五入する。

 ## 特定保険医療材料料とは

　保険薬局で交付できる**特定保険医療材料**には、在宅でインスリン製剤やヒト成長ホルモン剤、抗悪性腫瘍薬、グルカゴン製剤などを使用する際の器材などがあります。糖尿病患者が自己注射で使用する万年筆型注入器用注射針、腹膜透析液交換セット、在宅中心静脈栄養用輸液セット、携帯型ディスポーザブル注入ポンプセットなどが、特定保険医療材料になります。

　注射器、注射針のみを処方箋で交付することはできません。必ず注射薬とセットでなければなりません。注射針以外の特定保険医療材料は単独で処方することが可能です。

　病院、診療所で支給できる在宅医療に用いる特定保険医療材料としては「在宅寝たきり患者処置用気管切開後留置用チューブ」「在宅寝たきり患者処置用膀胱留置用ディスポーザブルカテーテル」「在宅血液透析用特定保険医療材料（回路を含む）」「皮膚欠損用創傷被覆材」「非固着性シリコンガーゼ」「水循環回路セット」などがあります。

 ## 特定保険医療材料料の算定のしかた

　特定保険医療材料料は次のように算定します。

【算定方法】

> 特定保険医療材料料＝材料価格÷10

※小数点以下は四捨五入

 特定保険医療材料価格875円を点数化する計算は、875÷10＝87.5とし、五捨五超入して87点となる。

❖特定保険医療材料料の算定例

> ヒューマログ注ミリオペン 300 単位 2 キット　1 日 1 回
> 朝 20 単位　万年筆型注入器用注射針標準型 42 本

1 筒の価格＝¥1,184.00
1 本の価格＝¥17

《計算方法》

　薬剤は 2 キット×　¥1,184.00 ＝ ¥2,368.00 ÷ 10 ＝ **237** 点

特定保険医療材料である万年筆型注入器用注射針標準型は 1 本 17 円。

42 本 × ¥17 ＝ ¥714

¥714 ÷ 10 ＝ 71.4　⇒　**71** 点　（**小数点以下は四捨五入**）

特定保険医療材料料は **71** 点になります。

ココを押さえる！

小数点以下の処理のポイント

・小数点以下を「五捨五超入」するのは薬剤料のみです（P.95参照）。
・薬剤料以外はすべて四捨五入です。

【特定保険医療材料料の算定のしかた】

注射器 1 本 17 円の場合、15 本では何点か？

手順1　まず、注射器 15 本分の金額を計算します。

15 本× 17 円＝ 255 円

手順2　次に、金額を点数にします。

金額÷ 10 ＝点数　255 円÷ 10 ＝ 25.5 点

手順3　小数点以下を四捨五入します。薬以外は、小数点以下はすべて四捨五入で計算します。つまり、25.5 は 26 点となります。

●保険薬局で供給できる特定保険医療材料と材料料（抜粋）

001	インスリン製剤等注射用ディスポーザブル注射器	17 円
003	ホルモン製剤等注射用ディスポーザブル注射器	11 円
007	万年筆型注入器用注射針標準型	17 円
008	携帯型ディスポーザブル注入ポンプ標準型	3,080 円
013	非固着性シリコンガーゼ広範囲熱傷用	1,080 円

  ✕　小数点以下を五捨五超入するのは「薬剤のみ」。その他は四捨五入。正しくは 88 点。

第4章 処方箋の基礎知識

次の問いに○か×で答えなさい。

Q1 処方箋の様式については特に規定はない。

Q2 処方箋には、保険医療機関の名称、所在地、処方箋を交付した医師名、保険医療機関コードが記載されている。

Q3 保険薬局において、処方箋の保存期間は、調剤が完結した日から1年間保管しなければならない。

Q4 薬剤の記載で、Cはカプセル、Tは錠剤のことである。

Q5 薬価基準に収載されている薬の価格には、消費税は含まれていない。

Q6 内服用滴剤とは、内服薬の液剤で、1回の使用量はコップで飲む量をいう。

Q7 処方箋に記載されている「分3 毎食後 5日分」とは「1日3回、毎食後に服用、5日分の処方」を意味している。

解答&解説

A1 ×　様式第2号またはこれに準ずる様式と定められている。（P.88 参照）

A2 ○　そのとおり。

A3 ×　保管期間は調剤が完結した日（調剤済みとなった日）から3年間。（P.89 参照）

A4 ○　そのとおり。（P.92 参照）

A5 ×　消費税を含んだ価格である。（P.93 参照）

A6 ×　1回の使用量は少量で、スポイトなどで1～数滴である。（P.94 参照）

A7 ○　そのとおり。（P.92 参照）

Q8 飲むタイミング、投与日数が同じ内服薬（固形）は、1剤として計算する。

Q9 薬剤料の計算をした結果、165円であった。点数で表すと17点になる。

Q10 SPトローチは口に入れるので、内服薬である。

Q11 パップ剤（湿布剤）1枚63円・1袋5枚入り、5袋の薬剤料を計算した結果、157点となった。

Q12 特定保険医療材料　1本525円・3本を計算した結果、158点となった。

解答&解説

A8 ○　そのとおり。

A9 ×　16点　金額を点数にした後、小数点以下の端数処理は五捨五超入で行う。165円÷10=16.5
.50までは切り捨て。（P.95参照）

A10 ×　トローチは外用薬。飲み込まずに口の中で溶かしながら咽頭などに塗りつけると考える。（P.95参照）

A11 ○　そのとおり。外用薬は1調剤分（全量）で計算する。小数点以下は、五捨五超入する。（P.98参照）
①全量を計算する（1調剤）　5枚×5袋＝25枚
②薬剤計算　25枚×63円＝1,575円
③金額を点数にする　1,575円÷10=157.5点
④小数点以下を処理（五捨五超入）　157.5→157点

A12 ○　そのとおり。薬剤以外は小数点以下を四捨五入する。
（P.106参照）
①3本分の金額を計算　525円×3本＝1,575円
②金額を点数にする　1,575円÷10=157.5点
③小数点以下を処理（四捨五入）　157.5→158点

次の問題に答えなさい。

処方箋の基礎知識

1 次の文の（　　　）に該当する語句を下から選びなさい。

　保険診療で使用する薬剤は、（　イ　）に収載された薬剤である。この薬剤の価格には（　ロ　）分が含まれている。この薬価は（　ハ　）ごとに（　ニ　）によって見直され、決定される。

消費税　　1 年　　2 年　　厚生労働省　　都道府県知事
薬価基準

---

2 次の文の（　　　）に該当する語句を下から選びなさい。

　浸煎薬とは、（　イ　）種類以上の生薬をお湯で煮出して作る薬で、（　ロ　）で液剤に煮出す。湯薬は（　ハ　）種類以上の生薬を（　ニ　）、分包し、（　ホ　）で液剤に煮出す。

患者自身　　1　　薬局　　2　　刻み

---

3 次の処方について、質問に答えなさい。

Rp)

① 　A　　3 T
　　B　　3 T　　1 日 3 回　n.d.E　14 日分

② 　C　　0.4
　　D　　4.0　　1 日 2 回　朝・夕（食後）　10 日間

③ 　E　　2 T　　分 2　朝・夕（食後）　7 日間

④　F　2T　　分2　朝食後・就寝前　5日間

⑤　G　30ml　　分3　n.d.E　14日分

⑥　H　2T　　5回分

⑦　I　軟膏10 g

（1）①～⑦を内服薬、内服薬（液剤）、屯服薬、外用薬に区分
しなさい。

（2）内服薬は何剤ありますか？

解答&解説

1　イ 薬価基準　ロ 消費税　ハ 1年　ニ 厚生労働省（P.93 参照）

2　イ 1　　ロ 薬局　　ハ 2　　ニ 刻み　　ホ 患者自身（P.95 参照）

3　（1）内服薬　①②③④／内服薬（液剤）　⑤／屯服薬　⑥／外用薬
　　　　⑦
　　（2）4剤
　　　　①→1剤／②と③→1剤（服用のタイミングが同じ）／④→1
　　　　剤／⑤→1剤（液剤は別剤として数える）

第 5 章

調剤報酬の
算定のしかた

患者が窓口で一部負担金を支払うと、領収証と明
細書が発行されます。領収証を見ると、何が、ど
のように算定されているかがわかります。この章
では、調剤をしたときにかかる料金を詳しく見て
いきます。

調剤報酬の全体の成り立ち

学習の
ポイント！
- ◯ 保険薬局が行った調剤報酬（収入）は「調剤報酬点数表」に基づいて請求している。
- ◯ 調剤報酬は何を算定することができるのか、基本を理解する。

調剤報酬の基本構成

　調剤報酬は、医師の処方箋に基づいて保険調剤を行った技術料と薬剤料（材料）で算定します。調剤報酬の全体像は次のようになります。

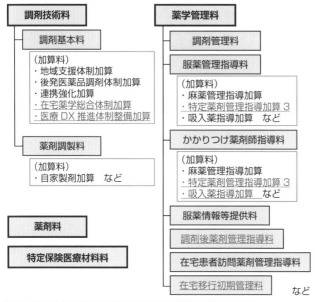

出典：「令和6年度調剤報酬改定の概要」厚生労働省保険局医療課

領収証の無償交付

　すべての保険医療機関（病院、診療所）と保険薬局には、個別の費用ごとに区分して記載した領収証を無料で発行することが義務付けられています。この領収証は「点数表の各部単位で金額の内訳のわかるもの」

とされています。また、レセプト電子請求が義務付けられている保険医療機関と保険薬局が領収書を発行する場合には、費用計算の算定基礎となる個別の診療報酬項目がわかる明細書の発行も義務付けられています。ただ、無償で発行する領収書に個別の診療報酬項目がわかる内容が記載されている場合には、別に明細書を発行する必要はありません。

領収証を見ながら調剤報酬を確認

領収証を見ながら、調剤報酬のしくみを見ていきましょう。

領収証には次のような記載があります。

❖技術料

Ⓐ調剤技術料

「調剤基本料」と「薬剤調製料」の点数が入ります。

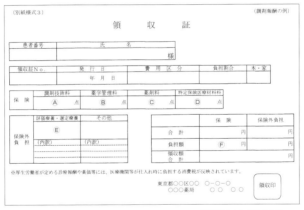

Ⓑ**薬学管理料**

「調剤管理料」など、患者に薬の飲み方や薬の情報提供などを行った場合に点数が入ります。

❖**薬剤料**

Ⓒ**薬剤料**

「薬剤料」の点数が入ります。国が定めている薬価基準（価格）にしたがい、薬剤使用量に応じて薬の計算をします。薬の金額を点数化するときは、**小数点以下を五捨五超入**します（詳しくは P. 95 参照）。

Ⓓ**特定保険医療材料料**

在宅療養で使う医療材料の金額です。例えば、インスリン製剤等注射用ディスポーザブル注射器などがこれに当たります（P. 105 参照）。

Ⓔ**評価療養・選定療養**

「評価療養」とは、今はまだ保険適用にはなっていませんが、将来的に保険適用されることを前提とした医療技術や医薬品・医療機器に係るものに対して、適正医療の視点から評価を行う療養のことをいいます。先進医療や医薬品の治験などがこれに当たります。

「選定療養」とは、保険適用を前提としない療養で、患者が希望して自ら選んだ療養のことです。快適性や利便性を求めたり、より材質の良いものを希望して患者が選定する療養のことをいいます。

保険適用のものと適用できないものを併用した場合は、すべてが自己負担になりますが、国が定めた評価療養と選定療養については、併用が認められています。通常の治療と共通する部分は一般の保険診療として認められています。令和 6 年 10 月より、後発品が市場販売開始後 5 年経過したもの、または 5 年を経過していなくても後発医薬品置換率 50％以上の長期収載品については選定療養の対象となります。ただし、医師の指示により後発品への変更不可の場合や、後発品を提供することが困難な場合は選定療養とはせず、引き続き保険給付の対象とします。

Ⓕ**負担額**

かかった医療費の合計金額のうち、患者が支払う一部負担金です。合計金額が 1,000 円なら、3 割負担の人は 300 円支払います。

  ×　窓口で一部負担金を徴収した際には、領収証は無料発行の義務がある。

調剤技術料の見方

> **学習の ポイント！**
> ☐ ①調剤基本料（＋加算）と②薬剤調製料（＋加算）を足したものが調剤技術料である。
> ☐ 時間外加算等の計算方法と算定できる項目を理解する。

調剤技術料とは、保険薬剤師が医師の交付した処方箋に基づいて薬剤を調剤したとき、その調剤の技術に対して支払われる技術料です。①調剤基本料と②薬剤調製料のそれぞれを算定します。時間外加算等は P.123・133 で解説します。

①調剤基本料

調剤基本料には、基本点数に処方箋受付回数を乗じた点数を記載します。計算式にすると、次のようになります。

調剤基本料 ＝【基本点数】＋【加算】

次の表は、調剤基本料の計算のもととなる表です。

	施設基準等			略称	点数	留意点
①調剤基本料	調剤基本料1	処方箋受付1回につき算定。調剤基本料2、調剤基本料3および特別基本料A・B以外		基A	45	23
	調剤基本料2	処方箋受付1回につき算定		基B	29	15
		①処方箋受付回数が月2,000回超	かつ集中率85%超			
		②処方箋受付回数が月4,000回超	かつ上位3医療機関合計受付回数の集中率70%超			
		③処方箋受付回数が月1,800回超	かつ集中率95%超			
		④特定の医療機関からの処方箋受付回数が月4,000回超				
	調剤基本料3－イ	処方箋受付1回につき算定		基C	24	12
		①同一グループで処方箋受付回数が月3万5千回超～4万回	かつ集中率95%超			
		②同一グループで処方箋受付回数が月4万回超～40万回	かつ集中率85%超			
		③ ①と②のほか特定の保険医療機関との間で不動産取引があるもの				
	調剤基本料3－ロ	処方箋受付1回につき算定		基D	19	10
		①同一グループで処方箋受付回数が月40万回超又は同一グループの保険調剤薬局の数が300以上	かつ集中率85%超			
		② ①のほか、特定の医療機関との間で不動産取引があるもの				
	調剤基本料3－ハ	処方箋受付1回につき算定		基E	35	18
		同一グループで処方箋受付が月40万回超又は同一グループの保険調剤薬局の数が300以上	かつ集中率85%以下			
	特別調剤基本料A	処方箋受付1回につき算定		特基A	5	
		保険医療機関と特別な関係(同一敷地内)	かつ集中率50%超			
	特別調剤基本料B	処方箋受付1回につき算定		特基B	3	
		調剤基本料に係る届出を行っていない				

 調剤基本料は処方箋の受付1回に対して算定するため、3カ所の医院の処方箋を持参しても、受付は1回となる。

施設基準等		略称	点数	留意点
分割調剤(長期投薬の場合)	1分割調剤につき/処方箋2回目以降	分		5(調剤管理料と外来服薬支援料2は算定可)
分割調剤(後発医薬品の試用)	1分割調剤につき/処方箋2回目のみ	試		5(調剤管理料、服薬管理指導料、外来服薬支援料2は算定可)
医師の指示による分割調剤	1分割調剤につき/処方箋2回目以降 2回目以降、調剤基本料およびその加算、薬剤調製料およびその加算、薬学管理料について、所定点数を分割回数で除した点数を1分割調剤につき算定	医		所定点数/分割回数

<table>
<tr><td colspan="5">《加算》</td></tr>
</table>

①調剤基本料	施設基準等		略称	点数	留意点
	地域支援体制加算 受付1回につき加算。特別調剤基本料Aを算定する薬局は10/100で算定。特別調剤基本料Bを算定する薬局は算定不可				
	地域支援体制加算1	調剤基本料1を算定している薬局。施設基準を満たした上で、かかりつけ薬剤師指導実績含む、3項目以上算定要件を満たす必要あり	地支A	32	
	地域支援体制加算2	調剤基本料1を算定している薬局。施設基準を満たした上で、さらに8項目の必要要件を満たす必要あり	地支B	40	
	地域支援体制加算3	調剤基本料1以外を算定している薬局。施設基準を満たした上で、他に3項目の算定要件を満たす必要あり	地支C	10	
	地域支援体制加算4	調剤基本料1以外を算定している薬局。施設基準を満たした上で、さらに8項目の算定要件を満たす必要あり	地支D	32	
	連携強化加算	災害・新興感染症発生時等の対応体制等を整備	連強	5	
	後発医薬品調剤体制加算 受付1回につき加算				
	後発医薬品調剤体制加算1	後発医薬品の調剤した数量割合が80%以上の場合	後A	21	
	後発医薬品調剤体制加算2	後発医薬品の調剤した数量割合が85%以上の場合	後B	28	
	後発医薬品調剤体制加算3	後発医薬品の調剤した数量割合が90%以上の場合	後C	30	
	後発医薬品減算	後発医薬品調剤割合が50%以下(受付回数月600回以下は除く)		-5	所定点数から減算
	在宅薬学総合体制加算 特別調剤基本料Aを算定する薬局は10/100で算定。特別調剤基本料Bを算定する薬局は算定不可				
	在宅薬学総合体制加算1	在宅患者訪問管理指導料等算定回数24回以上、緊急時の在宅対応、医療・衛生材料の整備	在総A	15	
	在宅薬学総合体制加算2	1の算定要件他、医療麻薬(注射含む)備蓄、無菌製剤処理体制整備、高度管理医療機器販売業許可、かかりつけ薬剤師指導料24回他	在総B	50	
	医療DX推進体制整備加算	オンライン資格確認による薬剤情報取得・活用体制、電子処方箋応需体制、マイナ保険証利用実績が必要。月1回まで。特別調剤基本料Bは算定不可	薬DX	4	

注：複数の医療機関から交付された処方箋を同時に受付けた場合、受付が2回目以降の調剤基本料は、処方箋受付1回につき所定点数の100分の80に相当する点数を算定する。同

留意点：妥結率が5割以下、妥結率を未報告、かかりつけ機能にかかる基本的な業務を1年間未実施のいずれかの場合、調剤基本料は所定点数の50%減算で算定する（処方箋受付回数が1月600回以下を除く）。妥減

調剤基本料（基本点数）

　調剤基本料は、令和6年6月1日より「調剤基本料1,2,3−イ・ロ・ハ」と「特別調剤基本料A・B」に区分されました。「調剤基本料1」〜「調剤基本料3」および「特別調剤基本料A」までは地方厚生（支）局への届出が必要です。医薬品の購入に係る妥結率の割合も施設基準になっています。妥結率が50%以下の場合、妥結率等を地方厚生局長に報告していない場合、かかりつけ機能にかかる基本的業務を1年間未実施であるなどの場合、調剤基本料

116 **A** × 医療機関が異なれば、同時に受付しても別扱いとなるため、受付は3回。（P.118参照）

は所定点数の100分の50に相当する点数で算定することになります（処方箋受付回数が月600回以下の保険薬局は除く）。処方箋の受付1回につき「調剤基本料1」は**45**点で、略称は「基A」で表されます。「調剤基本料2」は**29**点、「基B」で表されます。「調剤基本料3」はイ、ロ、ハに分かれ、イは**24**点で「基C」、ロは**19**点で「基D」、ハは**35**点で「基E」と表されます。また、「特別調剤基本料A」は保険医療機関と同一敷地内にある薬局で**5**点で「特基A」と表されます。「特別調剤基本料B」は調剤基本料に係る届出をしていない等の薬局が該当します。点数は**3**点で、「特基B」と表されます。「特別調剤基本料A」を算定する薬局は、地域支援体制加算、後発医薬品調剤体制加算、在宅薬学総合体制加算は点数を100分の10（90%減）にして算定します。「特別調剤基本料B」を算定する薬局は、調剤基本料各種加算、および薬学管理料に属する項目は算定できません。また特別調剤基本料A・Bどちらも、1処方につき7種類以上の内服薬の薬剤料は点数を100分の90（10%減）にして算定します。

ココ を押さえる！

未妥結割合の多い機関に対するペナルティ
医療機関や調剤薬局が医薬品卸売販売業者（「法」第34条）から医薬品を購入する際、取引価格を決めずに納入されることがあります。この状態を「未妥結」といいます。これは、患者の生命にかかわる医薬品をまずは納入してもらい、後から価格交渉をする、という業界独特の慣習です。しかしこの慣習は、毎年行っている医薬品の市場実勢価格を調査する上で、情報の正確性が測れないことから、妥結率の割合が50%（毎年9月末時点）以下の医療機関（許可病床数200床以上）や調剤薬局に対し、減算が決定されました（平成26年4月～）。
●妥結率＝価格交渉で妥結済み（納入価決定）薬品の総売上高÷すべての薬品の売上高× 100
※未妥結の薬品が多いと、「妥結率」は低くなります。

❖**受付回数の数え方**

　1つの保険医療機関内で同一の患者に対して複数交付した処方箋は、同一の医師が処方したか否かにかかわらず、一括して**受付1回**と数えます。ただし**医科**と**歯科**は**別の受付**となります。

後発医薬品調剤体制加算は、厚生労働大臣の定める施設基準に適合しているものとした届出の保険薬局において加算することができる。

(i) 1つの病院で、2人の医師から処方された場合（どちらも医科）

同一病院で複数科の医師の処方箋を同時に受け付けた場合は、受付1回となる。

(ii) 1つの病院で、医科と歯科から処方された場合

同一病院で医科と歯科の処方箋を同時に受け付けた場合は別受付。受付2回となる。

(iii) 3つの病院で、処方された場合

医療機関が異なれば、同時に受付しても別扱いになる。つまり、受付3回となる。
ただし1回目は所定点数を算定し、2回目以降の調剤基本料は所定点数の100分の80に相当する点数を算定する。

> 💊 **分割調剤を行った場合の調剤基本料（長期投薬と後発医薬品分割調剤）**

①分割調剤（長期投薬の場合）2回目以降の調剤時

　長期投薬（14日分を超える投薬）で、薬剤の保存に困難をきたす場合などは一度に調剤せず、数回に分けて調剤を行うことがあります。これを**分割調剤**といいます。分割調剤を同一の保険薬局で行う場合、初回（1回目）の調剤基本料はそれぞれ所定点数を算定しますが、**2回目以降の調剤**については、調剤基本料の代わりとして1分割調剤につき**5点のみ**を算定します。

　この場合、**薬学管理料**に区分されている項目のうち、**調剤管理料**と**外来服薬支援2**を除き算定できません。

　分割調剤を行う場合の処方箋には、分割の回数および何回目に相当するのかを記載します。また、保険薬局からの連絡先や薬局の所在地、名称、保険薬剤氏名、調剤年月日を記入した別紙を付けます。

  ○ そのとおり。

②分割調剤（後発医薬品の場合）2回目の調剤時

　後発医薬品の分割調剤とは、受け付けた処方箋が「**後発医薬品へ変更可能な処方箋**」の場合、先発医薬品から後発医薬品（ジェネリック）に変更するとき、患者の不安を和らげるため短期間ジェネリック医薬品を試す際（試用目的）に「後発医薬品分割調剤」が算定できます。

　初回の調剤基本料はそれぞれ所定点数を算定しますが、**2回目の調剤に限り**、調剤基本料の代わりとして1分割調剤につき**5点**のみ算定します。この場合は、**薬学管理料のうち、調剤管理料、服薬管理指導料、外来服薬支援料2**は算定できます。

③分割調剤（医師の指示による分割調剤）調剤時

　医師の指示により、患者の合意のもと、分割調剤を行った場合に算定します。調剤基本料、薬剤調製料、薬学管理料（服薬情報等提供料を除く）、および各々の加算を合算し、分割回数で除した点数を算定できます。分割の上限は3回までで、分割調剤を行う場合には、保険薬局の保険薬剤師は患者に対して、以下を実施することになります。

> ア　1回目の調剤からすべての調剤が完了するまで、同じ保険薬局に処方箋を持参するように説明。
> イ　次回も自局に処方箋を持参する意向・予定時期の確認、来局しない場合は、必要に応じ、電話等で来局を促すことの説明。
> ウ　次回は別の保険薬局に処方箋を持参する旨の申し出があった場合は、患者が次回処方箋を持参しようとする保険薬局に対し、調剤の状況とともに必要な情報をあらかじめ提供することの説明。

④リフィル処方箋

　令和4年4月の法改正で、新しく導入されました。症状が安定している患者に、医療機関に行かずとも、一定期間内で反復利用できる処方箋です。しくみは以下の通りです。

①医療機関がリフィルによる処方が可能と判断した場合、処方箋の「リフィル可」欄にレ点が記入されてきます。

②リフィル処方箋の総使用回数が記入されてきますが、上限3回までです。

③投薬量に限度が定められている医薬品および湿布薬について、リフィル処方箋での投薬はできません。

●2回目以降の調剤について、原則として、前回の調剤開始日を起点とし、

　時間外（閉局）に処方箋の受付をした場合、調剤基本料に時間外加算が算定できる。

投薬期間最終日を次回調剤日として、その前後7日以内とします。
- ●1回目、2回目に調剤した際、リフィル処方箋に調剤日および次回調剤予定日を記載の上、写しを保管。総回数の調剤が終わったら、調剤済処方箋として、保管します。

🔖 調剤基本料に関する加算（P.116 表加算の部分）

地域支援体制加算　届

　かかりつけ薬剤師制度（患者から薬の飲み合わせ等の相談を受ける等、他病院から処方されている薬も含めて、服薬状況を継続的に管理する制度）の機能を発揮し、地域医療に貢献する薬局を評価するものです。所在地の地方厚生局に届出をする必要があり、届出をした保険薬局のみが加算できます。算定要件は、以下の通りです。

調剤基本料1	地域支援体制加算1 ◎2の④を含む3つ以上	**32**点
	地域支援体制加算2 ◎2の①～⑩のうち8つ以上	**40**点
調剤基本料1以外	地域支援体制加算3 ◎2の④と⑦を含む3つ以上	**10**点
	地域支援体制加算4 ◎2の①～⑩のうち8つ以上	**32**点

◎1 地域支援体制加算の施設基準（一部抜粋）

①地域における医薬品等の供給拠点としての対応 ・薬局間連携による医薬品の融通等 ・麻薬小売業者の免許
②休日、夜間を含む薬局における調剤・相談応需体制 ・夜間・休日の調剤、在宅対応体制（地域の輪番制含む）の周知
③在宅医療を行う為の関係者との連携体制等の対応 ・在宅薬剤管理の実績　24回以上
④かかりつけ薬剤師の届出
⑤地域医療に関連する取り組みの実施 ・一般医薬品および要指導医薬品等（基本的な48薬効群）の販売 ・緊急避妊薬の取り扱いを含む女性の健康にかかる対応 ・当該保険薬局の敷地内における禁煙の取扱い ・たばこの販売禁止（併設する医薬品店舗販売業の店舗を含む）

120 〇　そのとおり。時間外等は、閉局状態で応需体制ではないことへの評価。

◎ 2 地域医療に貢献する体制を有することを示す（①〜⑩の実績）
（①〜⑨は処方箋 1 万枚あたりの年間回数、⑩は薬局あたりの年間回数）

要件	基本料 1	基本料 1 以外
①夜間・休日等の対応実績	40 回以上	400 回以上
②麻薬の調剤実績	1 回以上	10 回以上
③重複投薬・相互作用等防止加算等の実績	20 回以上	40 回以上
④かかりつけ薬剤師指導料等の実績	20 回以上	40 回以上
⑤外来服薬支援料 1 の実績	1 回以上	12 回以上
⑥服用薬剤調整支援料の実績	1 回以上	1 回以上
⑦単一建物診療患者が 1 人の在宅薬剤管理の実績	24 回以上	24 回以上
⑧服薬情報等提供料に相当する実績	30 回以上	60 回以上
⑨小児特定加算の算定実績	1 回以上	1 回以上
⑩薬剤師認定制度認証機構が認証している研修認定制度等の研修認定を取得した薬剤師が地域多職種と連携する会議へ出席	1 回以上	5 回以上

出典：「令和 6 年度調剤報酬改定の概要」厚生労働省保険局医療課

❖連携強化加算

　他の薬局や医療機関または都道府県等と連携して、災害や新興感染症の発生時等の非常時に必要な体制が整備されている場合に算定できます。令和 6 年の改正で各都道府県知事より「第二種協定医療機関」の指定を受けていることが必要になりました。　5 点　　連強

❖後発医薬品調剤体制加算 1・2・3

　後発医薬品調剤体制加算は、後発医薬品の調剤を積極的に行っていることに対する評価です。後発医薬品の適切な情報提供や説明を行い、患者の同意のもとでジェネリック医薬品の使用促進を目指しています。所在地の地方厚生局長等に届出をする必要があり、届出をした保険薬局のみが加算できます。

　直近 3 ヵ月間の医薬品の調剤数量における、後発医薬品の調剤数量の割合によって加算点数が異なります。

　例えば、その保険薬局で調剤した「後発医薬品のある先発医薬品」＋「後発医薬品」を合算した規格単位数量のうち、後発医薬品の調剤数量の割合が80％以上の場合は、**後発医薬品調剤体制加算 1** を届け出ることができ、調剤基本料に対して **21 点** を加算することができます。

薬剤調製料は薬を調剤する技術料であるため、薬の種類は問わず、同じ点数で算定する。

後発医薬品調剤体制加算1 後A	80%以上	21点	後発医薬品の調剤を積極的に行っている旨を薬局内に掲示すること。後発医薬品調剤体制加算を算定している旨を薬局の内側の見えやすい場所に掲示していること。
後発医薬品調剤体制加算2 後B	85%以上	28点	
後発医薬品調剤体制加算3 後C	90%以上	30点	

❖後発医薬品減算

　後発医薬品の調剤数量割合が低い薬局（50％以下）、後発医薬品の調剤数量割合を地方厚生局長に報告していない薬局に対しては、調剤基本料を **5** 点減算します（処方箋受付回数が月600回以下の保険薬局は除く）。 後減

❖在宅薬学総合体制加算1・2

　在宅訪問患者に対する薬学的管理および指導を十分に行う体制を評価するもので、条件を満たせば、在宅患者訪問薬剤管理指導料等を算定している患者が提出する処方箋を受け付けて調剤を行った場合に算定できます。

　令和6年の調剤報酬改正で、在宅患者調剤加算は廃止になりました。

在宅薬学総合体制加算1　15点 在総A

在宅薬学総合体制加算2　50点 在総B

　算定要件は以下の通りになります。

◎在宅薬学総合体制加算1

①在宅患者訪問薬剤管理指導の届出
②在宅薬剤管理の実績　24回以上／年
③開局時間外における在宅業務対応（在宅協力薬局との連携含む）
④在宅業務実施体制に係る地域への周知
⑤在宅業務に関する研修（認知症、緩和医療等ターミナルケア）および学会等への参加
⑥医療材料および衛生材料の供給体制
⑦麻薬小売業者の免許の取得

◎在宅薬学総合体制加算2

①加算1の施設基準を全て満たしていること
②開局時間の調剤応需体制（2名以上の保険薬剤師が勤務）
③かかりつけ薬剤師指導料等の算定回数合計　24回以上／年
④高度管理医療機器販売業の許可

× 　内用薬、屯服薬、外用薬など、それぞれの薬剤調製料は異なる。（P.124～参照）

⑤ ア又はイの要件への適合
　ア．がん末期などターミナルケア患者に対する体制
　1）医療用麻薬の備蓄・取扱（注射剤1品目以上を含む6品目以上）
　2）無菌室、クリーンベンチまたは安全キャビネットの整備
　イ．小児在宅患者に対する体制（在宅訪問薬剤管理指導等に係る小児特定加算および乳幼児加算の算定回数の合計　6回以上／年）

出典：「令和6年度調剤報酬改定の概要」厚生労働省保険局医療課

✿医療DX推進体制整備加算

　令和5年4月に、オンライン資格確認システム導入が義務化されました。オンライン資格確認により取得した診療情報や薬剤情報を活用、電子処方箋の導入等、医療DXに対応する体制を評価するものです。月に1回、4点を算定できます。

医療DX推進体制整備加算　4点　薬DX

✿時間外等の加算

　表示している「**開局時間**」以外の時間帯（時間外・休日・深夜）の緊急時に、処方箋を受け付けて調剤を行った場合に加算できます。

　調剤基本料に対する時間外加算等の計算は、【調剤基本料＋加算】に対して行います（P.116参照）。

時間外加算＝（所定点数＋注加算）×1／休日加算＝（所定点数＋注加算）×1.4
深夜加算＝（所定点数＋注加算）×2

　次の場合の調剤基本料は何点になるでしょうか。P.115の表を見ながら解いてみましょう。

第1問

条件：調剤基本料1、地域支援体制加算1の場合

解答：調剤基本料　基A　地支A　77点

【解説】
手順①　P.115の調剤基本料一覧を確認する。
手順②　①から「調剤基本料1」45点で算定する。
また、地域支援体制加算1とあるので、地支A 32点加算します。
45点（調剤基本料1）＋32点（地域支援体制加算1）＝調剤基本料は 基A 地支A
77点になります。

> **Q** 内服薬の薬剤計算は、飲むタイミングが同じものは1剤と考え、計算する。
> ただし液剤は含めず、別に計算する。

条件：調剤基本料2、妥結率50%超、後発医薬品調剤体制加算2の場合で、<u>休日に調剤を行う</u>

解答：調剤基本料 │基B│ │後B│ 137点

【解説】

「調剤基本料2」は **29** 点を算定します。また、後発医薬品調剤体制加算2があるので │後B│ **28** 点を加算します。

①29点（調剤基本料2）＋28点（後発医薬品調剤体制加算2）＝ │基B│ │後B│ 57点

休日加算の点数は、調剤基本料に **1.4** をかけます。

②休日加算　調剤基本料 57 点× 1.4 ＝ 79.8 点　時間外等加算は 80 点です。

①＋②＝調剤基本料→ 57 ＋ 80 ＝ 137

条件：調剤基本料 3-ハ（処方箋受付回数月同一グループ合計 45 万回、集中率 78%）、妥結率 50% 以上、<u>後発医薬品調剤体制加算 3</u>
処方箋受付日 6/5・6/15 の 2 回の場合

解答：調剤基本料 │基E│ │後C│ 130点

【解説】

P.115 の早見表で、施設基準の設定条件が「調剤基本料 3 −ハ」の保険薬局に該当することを確認します。

受付回数は月同一グループで合計 40 万回を超え、かつ集中率は 85%以下のため、「調剤基本料3−ハ」基本点数は 35 点を算定します。妥結率 50%以上なので減算はありません。また、後発医薬品調剤体制加算3とあるので、30 点加算します。調剤は 6/5 と 6/15 に2回受け付けて調剤を行ったので、2回分の調剤基本料が算定できます。35 点（調剤基本料3−ハ） ＋ 30 点（後発医薬品調剤体制加算 3） ＝調剤基本料は 65 点になります。

処方箋受付が 2 回分。65 ＋ 65 ＝ │基E│ │後C│ 130 点になります。

 ②薬剤調製料

　薬剤調製料とは、「**内服薬**」「**内服用滴剤**」「**屯服薬**」「**浸煎薬**」「**湯薬**」「**注射薬**」「**外用薬**」の 7 つの調剤に対する技術料のことをいいます。どの薬を調剤したかによって、それぞれ薬剤調製料の点数が違います。また、薬の服用時点が同じものは**投与日数にかかわらず**、**1 剤**といいます。

　計算式にすると、次のようになります。

薬剤調製料 ＝【薬剤調製料】 ＋ 【加算】

　それぞれの薬剤調製料について見ていきましょう。

  ○ そのとおり。

	項 目	算定要件	備 考		略称	点数	留意点
②薬剤調製料	内服薬	受付1回につき	1剤につき、3剤まで(浸煎薬、湯薬除く)		「内服」	24	4剤以上の部分は算定しない
	屯服薬	受付1回につき	調剤数や回数に関わらず1処方につき		「屯服」	21	
	浸煎薬	1調剤につき	1調剤につき、3剤まで		「浸煎」	190	
	湯薬	1調剤につき	1調剤につき、3剤まで。7日分以下の場合		「湯薬」	190	
			8日~28日分以下の場合 8日目以上の部分(1日分につき)			+10	
			29日以上			400	
	内服用滴剤	1調剤につき	わずかな量(1滴~数滴)1調剤につき		「内滴」	10	上記の「内服薬の3剤まで」とは別に算定できる
	外用薬	受付1回につき	1調剤につき、3剤まで		「外用」	10	
	注射薬	受付1回につき			「注射」	26	
	無菌製剤処理加算(注射薬のみ)	1日分につき	1日につき、中心静脈栄養法用輸液		「菌」	69	2種類以上の注射薬を無菌室で混合して製剤した場合に算定する。2名以上の保険薬剤師を要する(1名は常勤)
			(6歳未満)			137	
			抗悪性腫瘍剤			79	
			(6歳未満)			147	
			麻薬			69	
			(6歳未満)			137	
	麻薬・向精神薬・覚醒剤原料・毒薬加算	1調剤につき	麻薬を調剤した場合		「麻」	70	
			向精神薬・覚醒剤原料・毒薬を調剤した場合		「向」「毒」「覚原」	8	
	自家製剤加算	7日分ごとにつき	内服薬	錠剤、丸剤、カプセル剤、散剤、顆粒剤、エキス剤	「自」予製剤使用・「自」錠剤を分割した場合・「分自」	20	予製剤を使用、または錠剤を分割した場合は、20/100相当で算定
				液剤		45	
		1調剤につき	屯服薬	内服薬と同じ		90	
				液剤		45	
			外用薬	錠剤、トローチ剤、パップ剤、軟・硬膏剤、リニメント剤、坐剤		90	
				点眼剤、点鼻・点耳剤、浣腸剤		75	
				液剤		45	
	計量混合調剤加算	1調剤につき	内服 屯服 外用	液剤	「計」	35	予製剤を使用した場合は、20/100相当で算定
				散剤、顆粒剤		45	
				軟・硬膏剤		80	
	時間外加算	開局時間外。概ね午前6時~8時、午後6時~10時(休日、深夜除く)			「時」		(所定点数+加算)×1
	休日加算	日曜、祝日、12/29~1/3			「休」		(所定点数+加算)×1.4
	深夜加算	午後10時~午前6時			「深」		(所定点数+加算)×2
	夜間・休日加算	受付1回につき。午後7時(土曜日は午後1時)~午前8時まで。開局時間内の時間			「夜」	40	

※1 開局時間以外で受付の場合
　・所定点数は 麻 向 毒 覚原 自 計 支B 加算を含まない

第5章 調剤報酬の算定のしかた

 内用薬の薬剤調製料の算定方法

　内用薬には「**内服薬**」「**内服用滴剤**」「**屯服薬**」「**浸煎薬**」「**湯薬**」があります。

　それぞれの算定のしかたを見ていきましょう(薬価基準は P.93 参照)。

①内服薬・内服用滴剤

　内服薬とは、口から飲み込む薬で、飲む時が決められていて**継続して**

 薬の服用時点が同じであれば、投与日数が同じでなくても1剤である。液剤は含まない。

飲む薬をいいます。内服用滴剤とは、1回の使用量が極めて少量（1〜数滴）であり、スポイト、滴瓶等により、分割使用するものをいいます。

❀内服薬の1剤の考え方

服用時点が同じものについては、**投与日数にかかわらず1剤**として算定します。ただし、**内服用液剤**は別剤です。

服用時点とは、例えば「朝食後、夕食後」、「1日3回食後服用」、「就寝前服用」等が同一であることをいいます。食事を目安とする場合は、食前、食後、食間の3区分とされており、「食直前」「食前30分」等とあっても「食前」とみなし、1剤として扱います。

みなさんも複数の違った薬を手のひらにのせて、一度（同じ時点）に飲むことがあるでしょう。これらは**服用時点（飲むタイミング）**が同じなので、その複数の薬をまとめて**1剤**といいます。

内服薬の薬剤調製料は、1回の処方箋の受付で、**最高3剤まで**（内服用滴剤は除く）しか算定できません。

ドライシロップ剤は、水に溶かさず散剤としてそのまま投与するときには「**内服用固形剤**」として他の同時服用の固形剤（錠剤やカプセル剤など）と一緒に算定しますが、液状にしてシロップ剤として患者に投与した場合は「**液剤**」として別カウントになります。

ラキソベロンなどの数滴使用の「**内服用滴剤**」を調剤した場合の薬剤調製料は、**投与日数にかかわらず、1調剤につき10点**を算定します。

次の場合の調剤数はいくつになるでしょうか。

A錠とBカプセル錠は服用する時点が同じなので、この2つで1剤となります。

第1問

①A錠	3T	1日3回	毎食後	
②Bカプセル	3C	1日3回	毎食後	
③Cカプセル	2C	1日2回	朝・寝る前	

←1剤　①②は服用時点が同じ

 　〇　そのとおり。（P.126参照）

解答：2剤

【解説】

①と②は「**毎食後**」と服用時点が同じなので、**1剤**となります。③は服用時点が異なるので別です。答えは**2剤**です。

第2問

① A錠　　　　3T　|1日3回　毎食後|　← 1剤　①②は服用時点が同じ
② Bカプセル　3C　|1日3回　毎食後|
③ C液剤　　60ml　|1日3回　毎食後|　← 1剤　③は液体なので①②と別にする
④ Dカプセル　2C　|1日2回　朝・寝る前|　← 1剤　服用時点が異なるので別

解答：3剤

【解説】

①と②は「**毎食後**」と服用時点が同じなので、**1剤**となります。③は**液剤**なので、①②とは別です。④は上記3つと**服用時点**が異なるので、**1剤**となります。答えは**3剤**です。
※嚙み砕いたり唾液で溶かしたりする舌下錠やチュアブル錠も別剤です（服用方法が異なります）。

第3問

① A錠　　　4錠　|1日2回　朝夕食後|　← 1剤　①②は服用時点が同じ
② B粉末　　2g　|1日2回　朝夕食後|
③ C液剤　　4ml　|1日2回　朝夕食後|　← 1剤　③は液体なので①②と別にする

解答：2剤

【解説】

①②③は「朝夕食後」で服用時点は同じですが、③は液剤なので1剤。液体になっていなければ、錠剤・カプセル・顆粒や粉末は内服固形剤として合わせて OK です。①と②は1剤。

　それでは実際に薬剤調製料を算定していきましょう。

①内服薬

【点数算定の根拠】

　内服薬（浸煎薬および湯薬除く）1剤につき24点、3剤分まで算定する。ただし、服用時点が同じものについては投与日数にかかわらず1剤として算定。

②屯服薬

　屯服薬は、発熱・下痢などその症状の出現に応じて、**臨時的**に飲む薬をいいます。

 内用薬（内服薬・屯服薬）は、決められた飲み方（タイミング）、服用量、服用日数によって定期的に飲む薬である。

【点数算定の根拠】

●屯服薬：１回の処方箋受付につき
　調剤数にかかわらず　21点

回分・包・P
の記載もあ
ります。

屯服薬は次のように記載されます。

【屯服薬の記載例】

Rp　〇〇錠　　1T　　発熱時　５回分

❖屯服薬の１剤の考え方

　屯服薬の薬剤調製料は、**調剤数や回数にかかわらず、受付した処方箋１回に対して21点**を算定します。

　P.125の早見表を参照して屯服薬の薬剤調製料を計算してみましょう。

第1問

１処方箋に３つの屯服薬があった場合の薬剤調製料

Rp①　〇〇錠　　1T　　疼痛時　３回分
Rp②　〇〇　　　1g　　発熱時　２包
Rp③　〇〇錠　　2T　　発作時　５回分　　⇒　21点

解答：21点

【解説】

３つの屯服薬があった場合でも、１処方箋に対して21点です。

③浸煎薬・湯薬

　浸煎薬や**湯薬**も、内服薬の一種です。

　浸煎薬は１種類以上の**生薬をお湯で煮出した薬**のことです。瓶などに入れて患者に渡します。**日数にかかわらず、１調剤につき190点（上限3調剤**まで）になります。

　また、湯薬は２種類以上の生薬を刻んで、**適量をティーバッグのように分包した薬**で、患者自身がお湯に浸煎して作ります。**日数**に応じて、１調剤につき、上限**3調剤**までになります。

128 　×　屯服薬は症状の出現に伴い、それぞれの状態に合わせて服用するもので、臨時的に飲む薬である。（P.127参照）

【点数算定の根拠】

●浸煎薬：1調剤につき（3調剤まで）

190点

※4剤以上の部分については算定しない

●湯薬：1調剤につき（3調剤まで）

イ．7日分以下の場合……190点

ロ．8日分以上28日分以下の場合

（1）7日目以下の部分……190点

（2）8日目以上の部分（1日分につき）……10点

ハ．29日分以上の場合……400点

※4調剤以上の部分については算定しない

を押さえる！

浸煎薬や湯薬は内服薬とは別に点数が設定されていますが、調剤数は内服薬に含まれているので、内服薬の算定できる上限3剤に浸煎薬や湯薬の調剤数を含めてカウントします。

✿内服薬と浸煎薬・湯薬の入った調剤数の考え方

調剤数については、次のように計算します。

①1処方箋に内服薬が3剤、浸煎薬が2剤あった場合

➡ 5剤のうち、どれか2剤は算定できません。薬剤調製料が高くなるように**3剤**を選択します。

②1処方箋に浸煎薬が2剤、湯薬が2剤あった場合

➡ 4剤のうち、どれか1剤は算定できません。薬剤調製料が高くなるように**3剤**を選択します。

💊 外用薬の薬剤調製料の算定方法

外用薬は、皮膚の表面や粘膜などに直接塗ったり貼ったりして薬効を浸透させる薬をいいます。軟・硬膏、坐剤、湿布剤、点眼剤、点鼻・点耳剤、うがい薬、トローチなどが該当します。

外用薬は投与日数にかかわらず1調剤につき**10**点（上限**3調剤**まで）

 処方箋に「〇回分」「〇P」「〇包」などの記載がある薬は屯服薬と判断する。 **129**

になります。

【点数算定の根拠】

> ●外用薬：1調剤につき、3剤まで　10点
>
> ※4剤以上の部分については算定しない

外用薬は次のように記載されています。

【処方箋の記載例】

> Rp　〇〇クリーム　　50ｇ　　右膝に塗布

P.125の早見表を参照して外用薬の薬剤調製料を計算してみましょう。

第1問

> Rp①　〇〇クリーム　　　50ｇ
> Rp②　〇〇点眼剤　　　　5ml　　　　　　　2本
> Rp③　〇〇湿布剤　　　　10cm×10cm　10枚
> Rp④　〇〇トローチ　　　　　　　　　　　7個

解答：30点
【解説】
4つのうち、上限3つまでが算定の対象です。ですので、①②③各10点を合計した30点となります。

💊 注射薬の薬剤調製料の算定方法

　注射薬とは、注射針で皮下、筋肉内、血管などに直接薬剤を投与する薬液のことです。注射薬は体内組織や器官に直接投与するため、経口投与に比べ薬剤の速効性と確実性が期待できます。注射薬のうち、保険薬局で調剤できるのは、在宅医療における自己注射等の薬剤や電解質製剤および注射用抗菌薬などです。

　注射薬は調剤した調剤数、日数にかかわらず**処方箋の受付1回**につき、**26**点を算定します。1処方箋に複数の注射薬が出ていても、算定できるのは**26**点のみです。

【点数算定の根拠】

●注射薬：1回の処方箋受付につき　26 点

※調剤数・日数にかかわらず

 薬剤調製料に関する加算

❖無菌製剤処理加算（注射のみ）について

　無菌製剤処理とは、無菌室・クリーンベンチ・安全キャビネットなど無菌環境の中で、無菌化した器具を使用し無菌の薬を製剤することです。中心静脈栄養法用輸液・麻薬または抗悪性腫瘍薬を製剤した場合のみ算定できます。

●厚生労働大臣が定める適合施設として、地方厚生局長等に届出のある保険薬局で算定できます。

●2名以上の保険薬剤師（常勤の保険薬剤師は1名以上）がいなければなりません。

●1日につき、中心静脈栄養法用輸液、麻薬は **69** 点（6歳未満は 137 点）、抗悪性腫瘍剤は **79** 点（6歳未満は 147 点）です。

❖「麻薬」または「向精神薬・覚醒剤原料・毒薬」の調剤加算について

　内用薬、注射薬、外用薬に麻薬が含まれている場合は、1調剤につき、品目数や投薬日数に関係なく **70** 点が算定できます。

●1調剤に「**向精神薬・覚醒剤原料・毒薬**」が複数あっても、1調剤につき、**8**点のみ算定します。

●「麻薬」と「向精神薬・覚醒剤原料・毒薬」がある場合は麻薬 **70** 点のみを算定します。

❖自家製剤加算について

　自家製剤加算とは、市販の剤形では対応できない場合に、医師の指示に基づき、内服薬、屯服薬または外用薬に対して、服用しやすいように特殊な加工を行うものです。加工の難易度などによっても点数が異なります。

 外用薬が5剤出ているが、外用薬の薬剤調製料は3調剤分までしか算定できないため、30点である。

●あらかじめ使用することを想定し、すでに製剤していたもの（予製剤を用いる、または錠剤を分割する場合（内服薬のみ）には、20/100の点数）の点数で算定します。

●薬価基準収載の薬剤Aは、規格が200mg・100mg・50mgに分かれています。このように薬剤に規格がありながら、100mgの薬剤を半分にカットし、50mgとした場合などは、自家製剤加算の対象にはなりません。

■自家製剤加算

算定要件		薬剤の形	所定点数	予製剤または錠剤を分割した場合の点数
7日ごと	内服	錠剤、丸剤、カプセル剤、散剤、顆粒剤、エキス剤の内服薬	20	4
1調剤	内服	液剤	45	9
	屯服	錠剤、丸剤、カプセル剤、散剤、顆粒剤、エキス剤の内服薬	90	18
		液剤	45	9
	外用	錠剤、トローチ剤、パップ剤、軟・硬膏剤、リニメント剤、坐剤	90	18
		点眼剤、点鼻・点耳剤、浣腸剤	75	15
		液剤	45	9

※嚥下困難者用製剤加算は、飲みやすくするための調整に対する評価が自家製剤加算に1本化されたことにより、令和6年の改正で廃止された。

❖計量混合調剤加算について

　計量混合調剤加算とは、薬価基準に収載されている2種類以上の医薬品（液剤、散剤、顆粒剤または軟・硬膏剤に限る）を計量し、かつ混合して液剤、散剤もしくは顆粒剤として内服薬・屯服薬を調剤した場合、および軟・硬膏剤等として外用薬を調合した場合に算定できます。

●1調剤につき算定のため、投与量、投与日数に関係なく、計量し混合調剤したことに対して算定します。

●あらかじめ使用することを想定し、すでに製剤したものを用いる場合には、「予製剤」として20/100に相当する点数で算定します。

Ａ　○　そのとおり。(P.130参照)

■計量混合調剤加算

		薬剤の形	所定点数	予製剤の点数
1調剤	内服 屯服 外用	液剤	35	7
		散剤、顆粒剤	45	9
		軟・硬膏剤	80	16

❖時間外・休日・深夜または夜間・休日等加算について

【時間外加算等について】

　「開局時間」以外の時間帯（時間外・休日・深夜）の緊急時に処方箋を受け付け、調剤を行った場合に算定できます。ただし、外来服薬支援料2、麻向覚毒加算、自家製剤加算、計量混合調剤加算には、時間外加算等の算定はできません。

●午前9時〜午後5時までを開局時間としている場合の例（土・日・祝日は休み）

時間外⇒＋（（薬剤調製料＋調剤管理料）＋加算×1）
休　日⇒＋（（薬剤調製料＋調剤管理料）＋加算×1.4）
深　夜⇒＋（（薬剤調製料＋調剤管理料）＋加算×2）

【夜間・休日等加算】

　夜間・休日等加算とは、常態として夜間・休日等に開局して調剤を行っていることを指しています。わかりやすくいえば、開局時間を延長して、午後7時（平日の場合）を過ぎると、受付1回につき40点が算定できます。夜間・休日等加算は、薬剤調製料の加算として算定します。**類似の名称ですが、「時間外加算等」とは内容が異なります。**開局しているので「時間外加算等」はできません。

> ●平日は午後7時〜午前8時の間
> ●土曜日の午後1時〜日曜日の午前8時の間　●休日は終日
> ●処方箋の受付1回につき、薬剤調製料に加算する
> ●調剤基本料には加算できません

処方された内服薬が1剤の場合で、3種類以上の固形剤で構成され一包化した場合は、外来服薬支援料2の対象ではない。

薬学管理料

学習の
ポイント！

- 服薬指導や情報管理を行った場合は薬学管理料を算定できる。
- 飲み方の指導や薬の説明をすると服薬管理指導料を算定できる。
- 在宅患者訪問薬剤管理指導料は原則月4回に限り算定される。

薬学管理料とは

次に、**薬学管理料**について見ていきましょう。

薬学管理料とは、患者が安心して薬を飲むことができるよう**服薬指導**や**情報管理**などを行った場合に算定できる報酬です。ただし算定条件があるので注意が必要です。

表にまとめると、次のようになります。

	項 目	算定単位・要件	点数	略称
③薬学管理料	調剤管理料	1. 内服薬(内服用滴剤、浸煎薬および湯薬を除く)を調剤した場合(内服薬1剤につき) 受付1回につき(3剤まで) <table><tr><td>1～7日分以下</td><td>**4点**</td><td>15～28日分</td><td>**50点**</td></tr><tr><td>8～14日分</td><td>**28点**</td><td>29日分以上</td><td>**60点**</td></tr></table> ①固形剤(錠剤、カプセル、散剤など) ②液剤(シロップなど) ※①と②は分けること 2. 1以外の場合(受付1回につき) **4点**	左記参照	
	重複投薬・相互作用等防止加算	処方変更が行われた場合　残薬調整以外 　　　　　　　　　　　　残薬調整の場合	+40 +20	防A 防B
	調剤管理加算	複数の医療機関から合計6種類以上の内服薬が処方されている患者　初来局時 2回目以降・処方変更、追加があった場合	+3 +3	調管A 調管B
	医療情報取得加算1	オンライン資格確認システム体制整備、6月に1回まで	+3	医情A
	医療情報取得加算2	オンライン資格確認により薬剤情報取得、6月に1回まで	+1	医情B
	服薬管理指導料			
	服薬管理指導料1	受付1回につき 3ヵ月以内に再来局した患者・おくすり手帳による情報提供	45	薬A
	服薬管理指導料2	3ヵ月以内に再来局した患者・おくすり手帳による情報提供なし 3ヵ月以内に再来局なし	59 59	薬B 薬C
	服薬管理指導料3	介護老人福祉施設等入所者(ショートステイ含む)、老健・介護医療院の患者も算定可。オンライン服薬指導含む月4回まで	45	薬3
	服薬管理指導料4	情報通信機器による服薬指導(オンライン服薬指導) イ　原則3ヵ月以内に再度処方箋を提出した患者・おくすり手帳による情報提供 ロ　「イ」以外　おくすり手帳による情報提供なし	45 59	薬オA 薬オB
	服薬管理指導料(特例)	・3ヵ月以内に再来局した患者のうち手帳持参率が50%以下の薬局の場合(加算算定不可) ・かかりつけ薬剤師と連携するほかの薬剤師が対応した場合	13 59	特1
	加算			
	麻薬管理指導加算	麻薬を調剤、服薬指導をした場合	+22	麻

  ✕　投薬が1剤であっても、3種類以上の内服用固形剤が処方されていれば、外来服薬支援料2は算定できる。<例>投薬日数が30日の場合　170点

項 目		算定単位・要件	点数	略称
③ 薬学管理料	特定薬剤管理指導加算1	イ. 特に安全を要する医薬品(ハイリスク薬)の指導、新たに処方された時 ロ. 用量変更や副作用発現等に伴い、指導が必要な時	+10 +5	特管Aイ 特管Aロ
	特定薬剤管理指導加算2	抗悪性腫瘍剤を注射かつ調剤(月1回まで)	+100	特管B
	特定薬剤管理指導加算3	イ. 医薬品リスク管理計画に基づく指導、対象医薬品最初の処方時1回のみ(初回のみ) ロ. 選定療養(長期収載品の選択)等の説明、対象薬最初の処方時1回のみ(初回のみ)	+5 +5	特管Cイ 特管Cロ
	乳幼児服薬指導加算	6歳未満に対し指導した時	+12	乳
	吸入薬指導加算	3ヵ月に1回まで	+30	吸
	小児特定加算	医療的ケア児に必要な服薬指導、手帳へ記載	+350	小特
	かかりつけ薬剤師指導料	受付1回につき　服薬情報等提供料の併算定不可	76	薬指
	麻薬管理指導加算	麻薬を調剤、服薬指導をした場合	+22	麻
	特定薬剤管理指導加算1	イ. 特に安全を要する医薬品の指導、新たに処方された時 ロ. 用量変更や副作用発現等に伴い、指導が必要な時	+10 +5	特管Cイ 特管Cロ
	特定薬剤管理指導加算2	抗悪性腫瘍剤を注射かつ調剤(月1回まで)	+100	特管B
	特定薬剤管理指導加算3	イ. 医薬品リスク管理計画に基づく指導、対象医薬品最初の処方時1回のみ ロ. 選定療養(長期収載品の選択)等の説明、対象薬最初の処方1回のみ	+5 +5	特管Cイ 特管Cロ
	乳幼児服薬指導加算	6歳未満に対し指導した時	+12	乳
	小児特定加算	医療的ケア児に必要な服薬指導、手帳へ記載	+350	小特
	吸入薬指導加算	喘息または慢性閉塞性肺疾患の患者、3ヵ月に1回まで	+30	吸
	かかりつけ薬剤師包括管理料	受付1回につき	291	薬包
	外来服薬支援料1	月1回のみ、処方箋は必要としない	185	支A
	外来服薬支援料2	一包化支援　内服薬のみ　　受付1回につき(7日分につき34点) <table><tr><td>1～7日分</td><td>34点</td><td>29～35日分</td><td>170点</td></tr><tr><td>8～14日分</td><td>68点</td><td>36～42日分</td><td>204点</td></tr><tr><td>15～21日分</td><td>102点</td><td>43日以上</td><td>240点</td></tr><tr><td>22～28日分</td><td>136点</td><td></td><td></td></tr></table>	左記参照	支B
	施設連携加算	介護施設入所者等を訪問、施設職員と協働して服薬管理、支援時、月1回まで	+50	施連
	服用薬剤調整支援料1	月1回のみ・6種類以上→2種類以上に減少	125	剤調A
	服用薬剤調整支援料2	イ. 6種類以上→処方医に減薬を提案、実績あり、3月に1回まで ロ. イ. 以外	110 90	剤調B 剤調C
	調剤後薬剤管理指導料	地域支援体制加算の届出をしている保険薬局、月1回まで 1)新たに糖尿病用剤を処方、または処方内容変更 2)慢性心不全患者、心疾患による入院歴ありの患者に指導	60 60	調後A 調後B
	服薬情報等提供料1	医療機関からの求めの場合、文書による情報提供(月1回まで)	30	服A
	服薬情報等提供料2	薬剤師が必要性を認めた場合、文書による情報提供(月1回まで) イ)保険医療機関へ情報を提供した場合 ロ)リフィル処方箋の調剤後処方医に必要な情報を提供した場合 ハ)介護支援専門員に必要な情報を提供した場合	20 20 20	服Bイ 服Bロ 服Bハ
	服薬情報等提供料3	医療機関からの求め、入院予定患者の服用薬整理、文書による情報提供(3月に1回まで)	50	服C
	在宅患者訪問薬剤管理指導料 ①単一建物患者1人 ②単一建物患者2～9人 ③①および②以外 ④在宅患者オンライン薬剤管理指導料	患者と薬局の距離16km以内 月4回まで(がん末期患者、注射による麻薬投与が必要な患者、中心静脈栄養法の患者週2回、月8回まで) ※(①～④合わせて)保険薬剤師1人につき週40回まで	650 320 290 59	訪A 訪B 訪C 在オ

 無菌製剤処理加算は平成26年4月から対象薬剤が追加され、6歳未満の患者の場合、年齢加算も算定できる。

	項目		算定単位・要件	点数	略称
③薬学管理料		麻薬管理指導加算	麻薬を調剤、服薬指導をした場合	+100	麻
			オンライン服薬指導の場合	+22	麻オ
		在宅患者医療用麻薬持続注射療法加算	医療用麻薬持続注射療法について、薬学的管理及び指導をした場合(オンライン不可)	+250	医麻
		乳幼児服薬指導加算	6歳未満に対し指導した時	+100	乳
			オンライン服薬指導の場合	+12	乳オ
		小児特定加算	医療的ケア児に必要な服薬指導、手帳へ記載	+450	小特
			オンライン服薬指導の場合	+350	小特オ
		在宅中心静脈栄養法加算	在宅中心静脈栄養法について、必要な薬学的管理及び指導をした場合(オンライン不可)	+150	中静
	在宅患者緊急訪問薬剤管理指導料 ①計画的な訪問薬剤管理指導に係る疾患の急変に伴う場合 ②①以外の場合 ③在宅患者緊急オンライン薬剤管理指導料		在宅療養患者の状態急変等に伴う、医師の指示による対応、新興感染症対応 月4回まで(がん末期患者、注射による麻薬投与が必要な患者、中心静脈栄養法の患者原則月8回まで) ※①～③はオンライン服薬指導も合わせて保険薬剤師1人につき週40回まで	500 200 59	緊訪A 緊訪B 緊訪オ
		麻薬管理指導加算	麻薬を調剤、服薬指導をした場合	+100	麻
			オンライン服薬指導の場合	+22	麻オ
		在宅患者医療用麻薬持続注射法加算	医療用麻薬持続注射療法について、薬学的管理および指導をした場合(オンライン不可)	+250	医麻
		乳幼児服薬指導加算	6歳未満に対し指導した時	+100	乳
			オンライン服薬指導の場合	+12	乳オ
		小児特定加算	医療的ケア児に必要な服薬指導、手帳へ記載	+450	小特
			オンライン服薬指導の場合	+350	小特オ
		在宅中心静脈栄養法加算	在宅中心静脈栄養法について、必要な薬学的管理および指導をした場合(オンライン不可)	+150	中静
		夜間訪問加算 休日訪問加算 深夜訪問加算	末期がん患者、注射による麻薬投与が必要な患者に対し、開局時間以外に緊急に患者宅を訪問し、薬学的管理・服薬指導を行った場合にそれぞれ所定点数に加算する	夜間+400 休日+600 深夜+1000	夜訪 休訪 深訪
	在宅患者緊急時等共同指導料		月2回まで 主治医または連携する保険医との共同カンファレンスを行い、薬学的管理指導を行った場合	700	緊共
		麻薬管理指導加算	麻薬を調剤、服薬指導をした場合	+100	麻
		在宅患者医療用麻薬持続注射法加算	医療用麻薬持続注射療法について、薬学的管理および指導をした場合	+250	医麻
		乳幼児服薬指導加算	6歳未満に対し指導した時	+100	乳
		小児特定加算	医療的ケア児に必要な服薬指導、手帳へ記載	+450	小特
		在宅中心静脈栄養法加算	在宅中心静脈栄養法について、必要な薬学的管理および指導をした場合	+150	中静
	在宅患者重複投薬・相互作用等防止管理料		1)疑義照会に伴う処方変更 イ.残薬調整以外	40	在防Aイ
			ロ.残薬調整の場合	20	在防Aロ
			2)処方箋交付前の処方提案に伴う処方箋受付 イ.残薬調整以外	40	在防Bイ
			ロ.残薬調整の場合	20	在防Bロ
	経管投薬支援料		初回のみ	100	経
	在宅移行初期管理料		在宅療養が予定されている患者に、保険医と連携して開始前の薬学管理指導をした場合、在宅患者訪問薬剤管理指導料等の初回に算定	230	在初
	退院時共同指導料		入院中1回(末期がん患者等の場合入院中2回まで)	600	退共

A ○ そのとおり。(P.131 参照)

では、ここでは主な薬学管理料を解説しましょう。

 調剤管理料

【点数算定の根拠】

　処方された薬剤について、患者や家族等から服薬状況等の情報を収集し必要な薬学分析を行い、薬剤服用歴への記録や管理を行った場合に、処方箋受付1回につき算定する。内服薬（浸煎薬および湯薬除く）1剤につき、3剤分まで算定する。ただし、服用時点が同じものについては日数の長い方で算定。

> 1. 内服薬ありの場合：内服用滴剤、浸煎薬、湯薬を除く（1剤につき）
>   イ．1〜7日……4点
>   ロ．8〜14日分 ……28点
>   ハ．15日分以上28日分以下の場合 ……50点
>   ニ．29日分以上の場合 ……60点
> 2. 1以外……4点
> ※・1を算定した場合、2は算定不可
>   ・1を算定しない（内服薬を調剤しない）場合、2を算定

下の内服薬の調剤管理料一覧を参照してください。

第5章　調剤報酬の算定のしかた

■内服薬の調剤管理料一覧

処方日数	1〜7	8〜14	15〜28	29〜
調剤管理料	4	28	50	60

【処方箋の記載例】

> Rp) 〇〇錠　　3T　1日3回　毎食後　　7日分
> 　　△△錠　　3T　1日3回　毎食後　　5日分

 5/5（祝）に調剤を行った。内服薬が3剤あり、それぞれ14日分。調剤管理料の休日加算として、それぞれ39点算定した。

P.137 の内服薬の調剤管理料一覧を参照し、内服薬の調剤管理料を計算してみましょう。

> ① 1剤を 14 日分投与した場合の調剤管理料
> 　一覧から 8 ～ 14 日の点数を選びます　⇒ 28 点
> ② 1剤を 28 日分投与した場合の調剤管理料
> 　一覧から 15 ～ 28 日の点数を選びます　⇒ 50 点

第1問

服用方法と服用時点が同じで、投与日数だけ異なる場合の①②の調剤管理料

| Rp① | a 錠 | 3 錠 | 1 日 3 回 | 毎食後 | 5 日分 | ⇒ | 28 点 |
| Rp② | b 錠 | 6 錠 | 1 日 3 回 | 毎食後 | 14 日分 | | |

解答：28 点

【解説】服用方法・服用時点が同じであれば、投与日数が異なっていても 1 剤です。この場合は投与日数の長い方で調剤管理料を算定します。一覧から 14 日の点数を選びます。

第2問

服用時点と投与日数が異なり、②が滴剤の場合の調剤管理料

| Rp① | c 錠 | 3 錠 | 分 3 毎食後 | | 14 日分 | ⇒ | 内服薬 28 点 |
| Rp② | d <u>液</u> | 30ml | 1 回 10 滴(1 日 1 回寝る前) | 3 日分 | | ⇒ | 内服用滴剤 0 点 |

解答：28 点

【解説】調剤管理料の 1 を設定したら、調剤管理料の 2 は設定できません。合計 28 点。

第3問

4 剤以上の投与がされた場合の調剤管理料

Rp①	e 錠	1 日 1 回	朝食後	14 日分	⇒	1 剤 28 点 ○
Rp②	f 錠	1 日 1 回	朝食後	7 日分		
Rp③	g カプセル	1 日 2 回	朝食後、就寝前	4 日分	⇒	4 点
Rp④	hmg	1 日 1 回	就寝前	2 日分	⇒	4 点
Rp⑤	i 錠	1 日 3 回	毎食後	14 日分	⇒	28 点 ○
Rp⑥	j カプセル	1 日 1 回	起床時	10 日分	⇒	28 点 ○

解答：84 点

【解説】1 回の処方箋で 3 剤までしか算定できません。調剤管理料の点数が高い順（調剤日数の長い順）に 3 剤を算定します。合計は 84 点です。

138

　○　そのとおり。内服薬 14 日分の調剤管理料 28 点。休日加算は 28 × 1.4=39.2　（四捨五入）⇒ 39

❖調剤管理料の加算

調剤管理料の加算には次のものがあります。

①重複投薬・相互作用等防止加算

加算点数　　残薬調整に係るもの以外の場合……**40** 点　防 A

残薬調整に係るものの場合……**20** 点　防 B

算定条件

薬剤服用歴に基づき、重複投薬、相互作用の防止等の目的で、処方医に対して照会を行い、処方に変更が行われた場合は、所定点数に加算します。

在宅患者訪問薬剤管理指導料 訪 A 　訪 B 　　訪 C 、在宅患者緊急訪問薬剤管理指導料 緊訪 A 緊訪 B 、在宅患者緊急時等共同指導料 緊共 を算定している患者については、算定できません。

②調剤管理加算

加算点数

イ. 初めて処方箋を持参した場合　**3**点　調管 A

ロ. 2回目以降に処方箋を持参した場合で、処方内容の変更により薬剤の変更または追加があった場合　**3**点　調管 B

算定条件

複数の保険医療機関から6種類以上の内服薬を処方された患者またはその家族に対して、服薬状況等を一元的に把握、必要な薬学的管理を行った場合に算定できます。

ただし、算定には過去1年間に服用薬剤調整支援料を1回以上算定した実績が必要です。

❖医療情報取得加算 1・2

加算点数

オンライン資格確認を行う体制が整っている等の基準を満たしている場合　**3**点

上記かつオンライン資格確認で薬剤情報を取得した場合　**1** 点

算定条件

オンライン資格確認を行う体制が整っており、患者に係る情報を十分に生かして調剤することへの評価です。6ヵ月に1回加算できます。

Q 3ヵ月以内に再来局した患者にはおくすり手帳に情報提供を行い、服薬管理指導を行った場合は45点を算定する。

服薬管理指導料

基本点数

1. 原則３ヵ月以内に再度処方箋を持参し、かつおくすり手帳を持参した患者に対して行った場合　**45**点

2. 「1」の患者以外の患者に対して行った場合　**59**点

3. 介護老人福祉施設等に入所している患者を訪問またはオンライン服薬指導を行った場合（月４回に限る）　**45**点

4. 情報通信機器を用いた服薬指導（オンライン服薬指導）

   イ．原則３ヵ月以内に再度処方箋を提出した患者に対して行った場合　**45**点

   ロ．イの患者以外の患者に対して行った場合　**59**点

服薬管理指導料の特例

・３ヵ月以内の再来局のうち、おくすり手帳の活用実績が50％以下の場合　**13**点

（この場合、 防A 防B 調管A 調管B 医情A 医情B 麻 特管A イ・ロ 特管B 特管Cイ・ロ 乳 小特 吸 は算定できない）

・かかりつけ薬剤師指導料を算定している患者に、かかりつけ薬剤師と連携して他の薬剤師が対応した場合、処方箋受付１回につき　**59**点

「かかりつけ薬剤師と連携する他の薬剤師」とは、

①保険薬剤師として３年以上の薬局勤務経験があること

②当該保険薬局に勤務して１年以上在籍していること

算定条件

　患者がそれぞれの医療機関で処方された薬を把握することは大変です。その情報をおくすり手帳に記録することで、どんな薬を服用しているのか、薬の飲み合わせに問題がないのかなど、服用履歴の管理をします。保険薬局でおくすり手帳に情報を書き込み、指導することによって「1」と「2」は、処方箋受付１回につき**服薬管理指導料**が算定できます。「3」は介護老人福祉施設等が対象です。「4」は、情報通信機器を用いた服薬指導（オンライン服薬指導）を行った場合の算定です。

140 Ⓐ ○　そのとおり。

「4」情報通信機器を用いた服薬指導（オンライン服薬指導）は令和2年4月の改正から追加になりました。

【必要とされる指導内容】

イ．薬剤情報提供文書の提供と説明

ロ．薬剤服用歴の記録とそれに基づく指導

ハ．おくすり手帳を用いる場合は必要事項の記載

ニ．残薬確認

ホ．後発医薬品に関する情報の提供（調剤を行う前・処方箋受付時）

算定対象外

在宅患者訪問薬剤管理指導料を算定している患者に関しては、臨時投薬の場合以外は、服薬管理指導料は算定できません。

> **ココ を押さえる！**
>
> **服薬状況等の確認のタイミング**
>
> 　平成26年4月から、服薬状況ならびに残薬状況の確認および後発医薬品の使用に関する患者の意向を確認するタイミングは、調剤を行う前の処方箋受付時になりました。
>
> **＜服薬管理指導料の留意事項通知について＞**
>
> 　次の事項については、処方箋受付後、薬を取りそろえる前に患者等に確認する。
>
> ・患者の体質・アレルギー歴・副作用歴等、患者についての情報の記録
> ・患者またはその家族等からの相談事項の要点
> ・服薬状況
> ・残薬の状況確認
> ・患者の服薬中の体調の変化
> ・併用薬等（一般用医薬品、医薬部外品およびいわゆる健康食品を含む）の情報
> ・合併症を含む既往歴に関する情報
> ・他科受診の有無
> ・副作用が疑われる症状の有無
> ・飲食物（現に患者が服用している薬剤との相互作用が認められているものに限る）の摂取状況
> ・後発医薬品の使用に関する患者の意向

かかりつけ薬剤師指導料と服薬管理指導料、かかりつけ薬剤師包括管理料または在宅患者訪問薬剤管理指導料は、同時に算定できない。

❖服薬管理指導料の加算

服薬管理指導料の加算には次のものがあります。なお、服薬管理指導料（特例）には、次の①〜⑦の加算はできません。

①麻薬管理指導加算 麻

加算点数 ＋22点

算定条件

麻薬が処方されている患者に対して、服用方法、残薬・保管状況、副作用の有無等について指導を行った場合に算定します。

②特定薬剤管理指導加算1（ハイリスク薬） 特管Aイ 特管Aロ

加算点数 イ．新たに処方が追加され指導したとき ＋10点

ロ．用法・用量変更、副作用発現時等、薬剤師が必要と認めて指導したとき ＋5点

算定条件

特に安全管理が必要な医薬品として、厚生労働大臣が定めた薬剤を調剤した場合であって、その服用状況、効果の発現状況、注意すべき副作用の有無等について患者に確認し、必要な薬学的管理および指導を行った場合に算定します。

特に安全管理が必要な医薬品

抗悪性腫瘍薬、免疫抑制薬、抗不整脈薬、抗てんかん薬、抗凝固薬、ジギタリス製剤、テオフィリン製剤、カリウム製剤（注射薬に限る）、精神神経用薬、糖尿病用薬、膵臓ホルモン剤、抗HIV薬

③特定薬剤管理指導加算2 特管B

加算点数 ＋100点（月1回まで）

算定条件

抗悪性腫瘍剤を注射された患者であって、抗悪性腫瘍剤および制吐剤等の調剤をうける患者に対して、治療内容（レジメン）等を確認し必要な服薬指導を行い、患者の状況を医療機関に情報提供した場合に算定します。算定には所在地の地方厚生局に届出が必要です。特定薬剤管理指導加算2を算定した場合は、服薬情報等提供料は算定できません。

  ○ そのとおり。

処方元である医療機関が連携充実加算の届出をしていることが条件になります。

④**特定薬剤管理指導加算3** 特管Ｃイ 特管Ｃロ

| **加算点数** | ＋５点（最初に処方された１回に限り） |

イ．医薬品リスク管理計画に基づく対象医薬品の指導を行った場合

ロ．選定療養等の対象医薬品の説明を行った場合

算定条件

「イ」について、医薬品リスク管理計画とは、開発段階から販売までの安全管理について、策定が義務づけられた医薬品のことで、この資材に基づき指導を行った対象医薬品を最初に処方された１回に限り算定できます。

「ロ」について、以下の場合に最初に処方された１回に限り、算定できます。

・後発医薬品が存在する先発医薬品であって、一般名処方または銘柄処方された医薬品について、選定療養対象医薬品（長期収載品）を選択しようとする患者に説明を行った場合（令和6年10月施行）

・医薬品の供給が安定していないため、前回調剤した同様銘柄が確保できず、変更して調剤する必要があることの説明を行った場合

⑤**乳幼児服薬指導加算** 乳

| **加算点数** | ＋12点 |

算定条件

6歳未満の乳幼児に係る調剤に際して、必要な情報等を直接患者またはその家族等に対し確認した上で、適切な服用方法、誤飲防止などの必要な指導を行い、かつ、おくすり手帳にその内容を記載した場合に加算できます。

⑥**小児特定加算** ＋350点 小特

医療ケア児（日常的に医療ケアが必要な児童のこと。18歳未満）である患者に対して、必要な薬剤指導を行い、指導内容等を手帳に記載した場合に算定できます。

外来服薬支援1において、患者が服用しやすいようにあらためて一包化した場合は、外来服薬支援料2も算定できる。

⑦**吸入薬指導加算**

加算点数 ＋**30**点（3ヵ月に1回まで）

算定条件

喘息等の患者であって吸入薬の投薬が行われている患者に対して、医療機関または患者等の求めに応じて、吸入薬の使用方法を文書および練習用吸入器等を用いて、必要な薬学的管理指導を行い、その指導内容を医療機関に提供した場合に3ヵ月に1回算定できます。

🔖 かかりつけ薬剤師指導料

基本点数 処方箋受付1回につき**76**点 薬指

算定条件

「かかりつけ薬剤師」は、患者が選択した保険薬剤師で、当該薬局に複数回来院している患者に行うこととし、患者1人に対して1人の薬剤師のみが、かかりつけ薬剤師指導料を算定できます。患者の選択で、その同意を得た上で、同意を得た次の来局時以降に算定できます。

かかりつけ薬剤師は、処方箋を出した医師と連携して、患者の服薬状況を一元的・継続的に把握し、それに基づき患者への指導等を行った場合に、処方箋受付1回につき「かかりつけ薬剤師指導料」76点が算定できます。なお、やむを得ない事情により業務を行えない場合、かかりつけ薬剤師と連携する他の薬剤師が行うことについて、あらかじめ患者の同意を得て指導した場合は、服薬管理指導料（特例）として59点が算定できます。

施設基準を満たす届出保険薬局において算定できます。

服薬管理指導料、服薬情報提供料、かかりつけ薬剤師包括管理料または在宅患者訪問薬剤管理指導料（当該患者の薬学的管理指導計画に係る疾病または負傷に係る臨時の調剤が行われた場合を除く）と同時に算定できません。

【かかりつけ薬剤師の主な人的要件】

①保険薬剤師として3年以上の保険薬局勤務の経験があること

144   ✕ 外来服薬支援料2を併せて算定することはできない。

②当該薬局に週32時間以上勤務していること

③当該保険薬局に継続して1年以上勤務していること

④薬剤師認定制度認証機構が認証している研修認定を取得していること

⑤医療に係る地域活動の取り組みを行っていること

⑥患者のプライバシーに配慮していること

など、十分な経験等を有する薬剤師であることが要件となっています。

♣かかりつけ薬剤師指導料の加算

かかりつけ薬剤師指導料の加算には、次のものがあります（詳しくは
P.142 ～ 144 参照）。

①**麻薬管理指導加算** ＋22点 麻

②**特定薬剤管理指導加算1** ＋10点 特管Aイ

　　　　　　　　　　　　 ＋5点 特管Aロ

③**特定薬剤管理指導加算2** ＋100点（月1回まで） 特管B

④**特定薬剤管理指導加算3** ＋5点 特管Cイ 特管Cロ

⑤**乳幼児服薬指導加算** ＋12点 乳

⑥**小児特定加算** ＋350点 小特

⑦**吸入薬指導加算** ＋30点 吸（3ヵ月に1回まで）

かかりつけ薬剤師包括管理料

基本点数 処方箋受付1回につき **291** 点 薬包

算定条件

医療機関において、医科点数表A001再診料の注12「地域包括診療加
算」もしくは注13「認知症地域包括診療加算」B001-2-9「地域包括診療料」
またはB001-2-10「認知症地域包括診療料」を算定している患者に対し、
かかりつけ薬剤師が必要な指導等を行った場合に、調剤料や薬学管理料
に係る業務を包括した点数として、処方箋受付1回につき **291** 点を算
定するものです。

かかりつけ薬剤師の人的要件と同じ要件が加わり、施設基準もかかり
つけ薬剤師指導料と同じです。

 外来服薬支援料1と併せて①調剤基本料、②地域支援体制加算、③後発医 **145**
薬品調剤体制加算は算定できる。

したがって、その対象患者にしか算定できないこと、291点に包括されているものは何かを知ることが必要です。

【包括されていない項目】

下記の項目は別に算定できます（①〜⑤以外は291点に包括され算定できない）。

①時間外等の加算（時間外、休日、深夜）、夜間・休日等の加算

②在宅患者訪問薬剤管理指導料（臨時の投薬の場合）、在宅患者緊急訪問薬剤管理指導料、在宅患者緊急時等共同指導料、退院時共同指導料、経管投薬支援料

③在宅移行初期管理料

④薬剤料

⑤特定保険医療材料

服薬管理指導料、かかりつけ薬剤師指導料 薬指 を算定している患者は算定できません。

 ## 外来服薬支援料1

外来服薬支援料は、薬の管理が難しい方への支援に対して算定されます。

基本点数 月1回上限 **185**点 支A

算定条件

自己による服薬管理が難しい患者もしくはその家族等、または保険医療機関の求めに応じ、服薬中の薬剤について、処方した保険医に当該薬剤の治療上の必要性および服薬管理に係る支援の必要性を確認した上で、患者の服薬管理を支援した場合に月1回に限り算定します。

患者またはその家族等が保険薬局に持参した服用薬の整理等の服薬管理を行い、その結果を保険医療機関に情報提供した場合についても算定できます。

算定対象外

在宅患者訪問薬剤管理指導料を算定している患者に関しては、外来服薬支援料1は算定できません。

   × **外来服薬支援料1**と併せて①②③は算定できない。

を押さえる！

外来服薬支援料
外来服薬支援料は、患者やその家族が持参した服薬中の薬剤について、薬の服用が容易にできるよう支援するものです。支援の必要性について処方医から了解を得て、一包化するなどの支援があり、この支援に対する評価です。ただし、調剤済みの薬剤に対して実施するものなので、一包化しても調剤に対する技術料は算定できません。

外来服薬支援料２

　外来服薬支援料２は、以前まで一包化加算として算定していたものになります。令和4年4月の法改正で一包化加算は廃止され、外来服薬支援料２が新設されました。多種類の薬剤を処方されている患者に服薬管理を支援したことへの評価になります。

イ．42日以下の場合、投与日数が7またはその端数が増すごとに34点を加算して得た点数

ロ．43日以上の場合　240点　┃支B┃

❖内服薬を一包化調剤した場合の加算

　高齢者や視覚障害のある方などは、複数の内服薬で服用時点が異なるような場合、薬や量を間違えて飲んでしまうことがあります。そこで、朝・昼・夕など服用時点ごとに、一度に飲む薬をまとめて包装すれば間違える危険性がなくなります。

　このように複数の内服用固形剤を服用時点ごとにまとめて分包した調剤を「**一包化**」といいます。一包化調剤を行ったときは、**外来服薬支援料2**を算定します。

　外来服薬支援料2の算定要件は、下記の①②いずれか、または両方の場合です。

①服用時点の異なる2種類以上の内服用固形剤が処方されていること。

②1剤で3種類以上の内服用固形剤が処方されていること。

※なお、一包化は治療上の必要性が認められる場合に、医師の了承を得た上で行うものであること。

外来服薬支援料2を算定した場合は、自家製剤加算、計量混合調剤加算は算定できません。

❖外来服薬支援料2の計算のしかた

一包化調剤の算定ポイントは、まず投与日数に着目してください。

受付1回につき、

投与日数**42日分以下**の場合（**7日または端数を増すごとに**）**34**点

投与日数**43日分以上**の場合（投与日数にかかわらず一律）**240**点

これを表にまとめると、次のようになります。

■外来服薬支援料2の一覧表

1日〜7日分	34	22日〜28日分	136	43日分以上	240
8日〜14日分	68	29日〜35日分	170		
15日〜21日分	102	36日〜42日分	204		

例えば、次のような場合を見てみましょう。昼は①のみですが、朝と夕は飲む薬がまちまちなので同時に服用する薬をまとめて一包化します。

```
Rp①  ★         1日3回  朝昼夕  14日分
Rp②  △□○      1日2回  朝 夕  14日分
Rp③  ◆         1日1回     夕  14日分
```

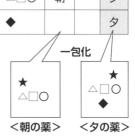

- ●投与日数は14日です。
- ●投与日数が42日分以下のときは、いつでも投与日数を7で割ります。
  14÷7＝2
- ●42日分以下の場合は、7日ごとに34点が算定できます（上の一覧表参照）。
- ●外来服薬支援料2は34点×2＝68点になります。

内服薬の一包化について外来服薬支援料2を計算してみましょう。

【外来服薬支援料2の一覧表】を参照してください。

○　そのとおり。

第1問

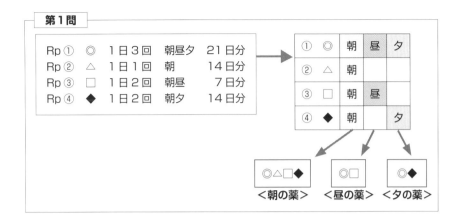

解答：68点

【解説】

薬は全部で4剤あります。朝、昼、夕それぞれ一包化すると、上図のようになります。

●投与日数は、①の薬剤と重なり合っている一番長い日数で算定しますので14日になります。

●投与日数が42日以下のときは、いつでも投与日数を7で割ります。　14÷7＝2

●42日分以下の場合は、7日ごとに34点が算定できます（P.148の一覧表参照）。

●外来服薬支援料2は34点×2＝68点になります。

第2問

　次の場合、投与剤数は何剤で、一包化は何日で算定し、点数は何点になるでしょうか。

1．Rp）①A錠　3T　毎食後　　　　14日分┐2剤、一包化の日数は **14日** で算定、
　　　　②B錠　2T　朝・夕食後　　14日分┘68点

2．Rp）①A錠　3T　毎食後　　　　14日分┐2剤、一包化の日数は **7日** で算定、
　　　　②B錠　2T　朝・夕食後　　7日分┘34点

3．Rp）①A錠　3T　毎食後　　　　14日分┐
　　　　②B錠　2T　朝・夕食後　　7日分├⇒3剤、一包化は **7日** で算定、34点
　　　　③C錠　1T　寝る前　　　　21日分┘

4．Rp）①A錠　　　3T　毎食後　　　14日分┐2剤、一包化する他の内服固形剤
　　　　②Dシロップ　10ml　朝・夕食後　14日分┘⇒がないので **算定不可**（液剤とは一包化できない）

5．Rp）①A錠　　　3T┐
　　　　　E錠　　　3T│⇒毎食後　28日分┐2剤、一包化日数は **28日** で算定、
　　　　　Fカプセル　3C│　　　　　　　　│136点
　　　　　G錠　　　6T┘　　　　　　　　├⇒1剤の中に、3種類以上の内服固
　　　　②B錠　2T　朝・夕食後　14日分┘　形剤があれば、1剤でも一包化の
　　　　　　　　　　　　　　　　　　　　　算定ができる

Q 在宅患者緊急時等共同指導料は、患家において共同指導が行われる。　**149**

❖施設連携加算

　介護老人福祉施設に入所中の患者を訪問し、施設職員と協働して患者の服薬管理・支援をした場合、月1回限り外来服薬支援料2に加え **50**点を算定できます。他の保険薬局や医療機関で調剤済の薬剤も含めて一包化等の調製を行います。

　服用している薬剤が多い場合や、新たな薬剤が処方または用法・用量が変更になり、異なる支援が必要と薬剤師が認めた場合に算定できます。

施設連携加算（月1回まで）　50点　施連

服用薬剤調整支援料

　服用薬剤調整支援料は、患者の服薬治療と副作用の可能性を考慮して、処方医に減薬の提案を行い、結果、処方される内服薬が減少した場合に算定されます。

服用薬剤調整支援料1　　125点（月1回まで）　剤調 A

服用薬剤調整支援料2　　イ. 110点（3月に1回）　剤調 B

　　　　　　　　　　　ロ. 90点（イ. 以外の場合）　剤調 C

　服用薬剤調整支援料1について、内服を開始して4週間以上経過した内服薬6種類以上を調剤している患者について、処方医に文書を用いて減薬を提案した結果、内服薬が2種類以上減少し、その状態が4週間以上続いた場合、月に1回限り算定します。

　服用薬剤調整支援料2　イ. について、複数の医療機関から合計6種類以上の内服薬が処方されていたものについて、患者もしくは家族等の求めに応じて、重複投薬等を確認、文書で解消を提案した場合に算定できます。ただし、過去1年以内に服用薬剤調整支援料1を算定、もしくは同等の実績がある場合に限ります。

調剤後薬剤管理指導料1・2

　新たに糖尿用薬剤が処方された患者や、慢性心疾患患者に対して、調剤後に電話等で使用状況や服薬中の体調の変化の有無を確認し、文書で医療機関に情報提供した場合に月1回まで算定できます。

〇　そのとおり。（P.155 参照）

調剤日と同日に電話等で確認した場合は、算定できません。算定要件として、地域支援体制加算の届出が必要です。

調剤後薬剤管理指導料1　ア．新たに糖尿用薬剤が処方された患者
　　　　　　　　　　　　　イ．糖尿用薬剤の用法・用量に変更があった
　　　　　　　　　　　　　　　患者（月1回まで）　**60** 点　調後 A
調剤後薬剤管理指導料2　心疾患による入院歴がある、慢性心不全患者
　　　　　　　　　　　　　（月1回まで）　**60** 点　調後 B

服薬情報等提供料

　服薬情報等提供料は、患者の同意のもと受診している保険医療機関へ服薬状況などの情報を文書により提供した場合に算定されます。保険薬局が当該患者の服薬に関する情報提供の必要性を認めた場合や、介護支援専門員に情報提供した場合も算定の対象となります。

基本点数　**服薬情報等提供料1**　月1回上限 **30** 点　服 A
保険医療機関からの求めの場合
服薬情報等提供料2　月1回上限 **20** 点
薬剤師が必要性を認めた場合
①保険医療機関へ文書で提供　月1回上限　服 B イ
②リフィル処方箋による調剤後、処方医へ文書で提供
　服 B ロ
③介護支援専門員へ文書で提供　服 B ハ
服薬情報等提供料3　**50** 点　服 C
入院前の患者について、医療機関からの求めの場合、3月に1回に限り

算定条件

　保険医療機関に対する情報提供の内容としては、当該患者の服用薬および服薬状況、当該患者に対する服薬指導の要点・患者の状態、残薬、副作用の有無等です。服薬情報等提供料は、患者1人につき同一月に2回以上の服薬情報等の提供を行っても、月1回のみの算定です。
　複数の保険医療機関または複数の診療科に対して服薬情報提供を行っ

薬指について、患者1人に対して1カ所の保険薬局の1人の薬剤師のみが「かかりつけ薬剤師」になれる。

た場合は、保険医療機関ごと、診療科ごとに、それぞれ月1回に限り算定できます。

算定対象外

かかりつけ薬剤師指導料、かかりつけ薬剤師包括管理料または在宅患者訪問薬剤管理指導料を算定している患者に関しては、服薬情報等提供料は算定できません。

在宅患者訪問薬剤管理指導料

基本点数　訪問指導　月**4**回（または8回）、「1」「2」「3」「4」を合わせた場合は保険薬剤師1人につき週40回に限り算定

1. 単一建物診療患者が1人の場合　1回　**650**点　訪A
2. 単一建物診療患者が2人以上9人以下の場合　1回**320**点　訪B
3. 「1」および「2」以外の場合　1回**290**点　訪C
4. **在宅患者オンライン服薬指導料**　**59**点　在オ

算定条件

在宅患者訪問薬剤管理指導料は、処方箋が交付された通院困難な患者に対し、医師の指示のもと、保険薬剤師が薬学的管理指導計画を策定し、患家を訪問して薬学的管理および指導を行った場合に算定します。在宅患者訪問薬剤管理指導料は、単一建物診療患者の人数「1」〜「3」に従い算定します。また、情報通信機器を用いた服薬指導を行った場合は、**在宅患者オンライン服薬指導料**として、**59**点を算定します。患者1人につき月4回（がん末期患者、注射による麻薬投与が必要な患者および中心静脈栄養法の対象患者は週2回かつ月8回）に限り算定します。この場合、「1」〜「4」まで合わせて薬剤師1人につき週40回に限り算定できます。

なお、交通費は患家負担になります。

算定対象外

服薬管理指導料、かかりつけ薬剤師料、かかりつけ薬剤師包括管理料、外来服薬支援料1、服薬情報等提供料を算定している患者は、在宅患者訪問薬剤管理指導料は算定できません。

152

　○　そのとおり。

保険薬局と患家との間が 16km を超えている場合は、原則算定できません。

❧在宅患者訪問薬剤管理指導料の加算

在宅患者訪問薬剤管理指導料の加算には次のものがあります。

麻薬管理指導加算　　　　　　　　1 回につき　＋ **100** 点 麻

　オンライン服薬指導の場合　　　　1 回につき　＋ **22** 点 麻オ

麻薬が処方されている患者に対して、服用方法、残薬・保管状況、副作用の有無等について指導を行った場合に算定します。

乳幼児加算（6歳未満）　　　　　　1 回につき　＋ **100** 点 乳

　オンライン服薬指導の場合　　　　1 回につき　＋ **12** 点 乳オ

在宅患者医療用麻薬持続注射療法加算 1 回につき　＋ **250** 点 医麻

　在宅で医療用麻薬持続注射療法を行っている患者に、投与、保管状況、副作用の有無等、薬学的管理指導を行った場合に算定。麻薬管理指導加算は同時算定できません。また、算定には麻薬小売業者の免許、高度管理医療機器販売業の許可が必要です。

小児特定加算　　　　　　　　　　1 回につき　＋ **450** 点 小特

　オンライン服薬指導の場合　　　　1 回につき　＋ **350** 点 小特オ

医療的ケア児（人工呼吸器や胃ろう等を使用し日常的に医療的ケアが必要な児童）に必要な薬学的管理、指導を行った場合に算定。乳幼児加算は同時算定できません。

在宅中心静脈栄養法加算　　　　　1 回につき　＋ **150** 点 中静

　在宅中心静脈栄養法を行っている患者に、投与、保管の状況、配合変化の有無を確認し必要な薬学的管理指導を行った場合に算定。高度管理医療機器販売業の許可が必要です。

 ## 在宅患者緊急訪問薬剤管理指導料

基本点数　　1. 計画的な訪問薬剤管理指導に係る疾患の急変に伴うものの場合　**500** 点 緊訪 A

　　　　　　2. 1以外の場合　**200** 点 緊訪 B

　　　　　※1と2合わせて月4回に限り算定（がん末期患者および注射による麻薬投与が必要な患者は原則月8回）

 外来服薬支援料 2 について、49 日分一包化したので、238 点を算定した。

ただし、情報通信機器を用いて薬剤管理指導を行った場合（在宅患者緊急オンライン薬剤管理指導料）は **59** 点 緊訪オ

算定条件

訪問薬剤管理指導を行っている保険薬局の薬剤師が、在宅療養を行っている通院が困難な患者の状態の急変等に対して、医師の指示のもと緊急に患者を訪問して、必要な薬学的管理を行い、当該保険医に対し、訪問結果について必要な情報提供を文書で提供した場合に、「1」と「2」を合わせて月4回に限り算定します。また、がん末期患者および注射による麻薬投与が必要な患者は、原則月8回まで算定できます。訪問に際し、かかった交通費の実費は患家の負担となります。

新興感染症（以前は知られていなかった感染症、公衆衛生上の問題となる感染症）の患者が自宅療養する場合、医師の指示により患家を訪問し、服薬指導やその他必要な薬学的管理指導をし、薬剤を交付した場合は「1」を算定します。

算定対象外

保険薬局と患家との間の距離が **16km** を超えている場合は原則算定できません。

❖在宅患者緊急訪問薬剤管理指導料の加算

在宅患者緊急訪問薬剤管理指導料の加算には次のものがあります。

麻薬管理指導加算	1回につき	＋**100**点	麻
オンライン服薬指導の場合1回につき		＋**22**点	麻オ
乳幼児加算	1回につき	＋**100**点	乳
オンライン服薬指導の場合1回につき		＋**12**点	乳オ
在宅患者医療用麻薬持続注射療法加算	1回につき	＋**250**点	医麻
小児特定加算	1回につき	＋**450**点	小特
オンライン服薬指導の場合1回につき		＋**350**点	小特オ
在宅中心静脈栄養法加算	1回につき	＋**150**点	中静
夜間・休日・深夜訪問加算	イ.夜間訪問加算	**400**点	夜訪

× 49日分を一包化した場合、 支B 43日分以上：240点を算定する。

ロ. 休日訪問加算　**600** 点　休訪
ハ. 深夜訪問加算　**1000** 点　深訪

　がん末期患者および注射による麻薬投与が必要な患者に対して、医師の指示により開局時間外の夜間・休日・深夜に緊急に訪問し、薬学的管理指導を行った場合1回につき算定できます。

在宅患者緊急時等共同指導料

　在宅患者緊急時等共同指導料は、患者の急変時に他の保険医療従事者と共同でカンファレンスを行い、必要な指導をした場合に算定します。

基本点数　　訪問指導　月**2**回に限り　1回　**700** 点　緊共

算定条件

　訪問薬剤管理指導を行っている保険薬局の薬剤師が、在宅療養を行っている通院が困難な患者の状態の急変に対して、その患者の担当医師の求めによりまたは連携する他の保険医療機関の担当医の求めにより、当該保険医療機関の医師、歯科医師、訪問看護ステーションの保健師、助産師、看護師、理学療法士、作業療法士、もしくは言語聴覚士、介護支援専門員または相談支援専門員と共同でカンファレンスに参加し、共同で療養上必要な指導を行った場合に、月2回に限り算定します。

　また、やむを得ない事情により患家を訪問することができない場合は、保険薬剤師がビデオ通話でカンファレンスに参加しても算定できます。

　ただし、1名以上は患家に赴きカンファレンスの必要があります。

算定対象外

　在宅患者訪問薬剤管理指導料を別に算定はできません。

　保険薬局と患家との間が**16**kmを超えている場合は原則算定できません。

❖在宅患者緊急時等共同指導料の加算

　在宅患者緊急時等共同指導料の加算は次のようになります（P.154参照）。

麻薬管理指導加算	1回につき　＋**100**点	麻
在宅患者医療用麻薬持続注射療法加算	1回につき　＋**250**点	医麻
乳幼児加算	1回につき　＋**100**点	乳

 在宅患者訪問薬剤管理指導料の対象となる患者が同一世帯（同居）に2人いて、患家を訪問し指導した。2人なので 訪B を算定した。

第5章　調剤報酬の算定のしかた

| 小児特定加算 | 1 回につき | ＋ **450** 点 | 小特 |
| 在宅中心静脈栄養法加算 | 1 回につき | ＋ **150** 点 | 中静 |

在宅患者重複投薬・相互作用等防止管理料

基本点数　1. 疑義照会に伴う処方変更

　　　　イ. 残薬調整以外　　**40** 点　　在防 A イ

　　　　ロ. 残薬調整の場合　**20** 点　　在防 A ロ

　　　2. 処方箋交付前に処方提案し、提案内容に基づく処方箋
　　　　を受付

　　　　イ. 残薬調整以外　　**40** 点　　在防 B イ

　　　　ロ. 残薬調整の場合　**20** 点　　在防 B ロ

算定条件

　在宅患者重複投薬・相互作用等防止管理料は、薬剤服用歴の記録また
は患者およびその家族等からの情報等に基づき、処方医に対して連絡・
確認を行い、処方の変更が行われた場合に算定します。ただし、複数項
目に該当した場合であっても、重複して算定することはできません。

　受け付けた処方箋について疑義照会し、処方変更が行われた場合は「1」
を算定します。処方箋交付前に処方提案し、提案内容に基づく処方箋を
受け付けた場合は「2」を算定します。

　対象は、①在宅患者訪問薬剤管理指導料（医療保険）、在宅患者緊急
訪問薬剤管理指導料、在宅患者緊急時等共同指導料、または②居宅療養
管理指導費もしくは介護予防居宅療養管理指導費（介護保険）を受けて
いる患者です。

　「1」残薬調整に係るもの以外の場合は、次の内容について、処方医
に対して連絡・確認を行い、処方の変更が行われた場合に算定します。

　ア. 併用薬との重複投薬（薬理作用が類似する場合を含む）

　イ. 併用薬・飲食物等との相互作用

　ウ. そのほか薬学的観点から必要と認める事項

　「2」残薬調整に係るものの場合は、残薬について疑義照会を行い、
処方変更になった場合に算定します。

  ×　同一世帯（同居）で対象患者 2 人の場合、1 人目に 訪 A 、2 人目に
訪 A をそれぞれ算定できる。

服薬管理指導料、かかりつけ薬剤師指導料、かかりつけ薬剤師包括管理料を算定している患者には算定しません。

調剤管理料の重複投薬、相互作用等防止加算を算定している患者には算定できません。

経管投薬支援料

基本点数　　100点（初回のみ）経

算定条件

胃瘻もしくは腸瘻による経管投薬または経鼻投薬を行っている患者や家族もしくは医療機関の求めに応じて、簡易懸濁法による薬剤の服用に関して、必要な支援を行った場合に、初回に限り算定します。

簡易懸濁法とは、錠剤の粉砕カプセルの開封等をせずに、投与時、お湯（約55℃）等に入れて崩壊・懸濁させ、投薬する方法のことをいいます。

必要な支援とは、次の内容をいいます。

ア．簡易懸濁法に適した薬剤の選択の支援

イ．患者の家族または介助者が簡易懸濁法により、経管投薬を行うために必要な指導

ウ．必要に応じて保険医療機関への患者の服薬状況およびその患者の家族等の理解度に係る情報提供

患者1人につき、複数回支援しても1回のみの算定になります。また所定の要件を満たせば服薬情報等提供料の算定も可能です。

在宅移行初期管理料

在宅移行初期管理料は、在宅療養へ移行予定の患者に定期的な訪問薬剤管理指導を行う前に、保険医療機関と連携して必要な薬学的管理指導を行った場合に算定できます。

基本点数　　月1回限り　230点　在初

算定条件

在宅医療を担う多職種の医療機関と連携して、退院時の処方内容を踏まえた薬剤の調整や残薬整理、必要な薬学的管理指導を行った場合が対

 特管Ａイ の対象薬剤が2つあり、それぞれ指導したので20点を算定した。

象です。

条件に当てはまる患者は、以下の通りです。

ア．認知症患者、精神障害者など自己服薬管理困難な患者、医療的ケア児（18歳未満）、6歳未満の乳幼児、がん末期患者および注射による麻薬投与が必要な患者

イ．在宅訪問薬剤管理料指導料、居宅療養管理指導費、介護予防居宅管理指導費（いずれも単一建物診療患者が1人の場合に限る）に係る医師の指示がある患者

在宅訪問管理指導料1、居宅療養管理指導費、介護予防居宅療養管理指導費の初回算定日の属する月に1回限り算定します。外来服薬支援料1は算定できません。

退院時共同指導料

退院時共同指導料は、退院予定の患者に対し、在宅療養に先立ち服薬指導した場合に算定します。また、やむを得ない事情により、保険薬局の薬剤師が患者の入院している保険医療機関に赴くことができない場合は、ビデオ通話を用いて共同指導した場合も算定できます。

基本点数　　入院中　**1**回限り　**600**点　退共

算定条件

退院後の訪問薬剤管理指導を担う保険薬局として、患者が指定する保険薬局の薬剤師が、当該患者が入院中に保険医療機関に赴き、患者の同意を得て、退院後の在宅での療養上必要な薬剤についての説明や指導を、保険医療機関の医師、看護師、薬剤師、管理栄養士、理学療法士、作業療法士、言語聴覚士、もしくは社会福祉士と共同で行った上で、文書により情報提供した場合に、入院中に1回を限度として算定します。

次の条件に当てはまる患者は当該入院中、2回算定できます（別に厚生労働大臣が定める疾病等の患者）。

●がん末期患者（在宅末期医療総合診療料を算定している患者は除く）

●下記の①であって、②または③の状態の患者

  ×　特管Ａイ の対象薬剤が2つあった場合、それぞれ指導が必要。点数は10点のみ算定する。

①在宅自己腹膜灌流指導管理、在宅血液透析指導管理、在宅酸素療法指導管理、在宅中心静脈栄養法指導管理、在宅成分栄養経管栄養法指導管理、在宅人工呼吸指導管理、在宅悪性腫瘍患者指導管理、在宅自己疼痛管理指導管理、在宅肺高血圧症患者指導管理、在宅気管切開患者指導管理を受けている患者
②ドレーンチューブまたは留置カテーテルを使用している状態
③人工肛門または人工膀胱を設置している状態
● 在宅での療養を行っており、高度な指導管理を必要とする患者

算定対象外

　退院後に在宅療養を行う患者に対しての指導のため、他の保険医療機関や社会福祉施設等に入院もしくは入所する患者または死亡退院した患者は算定できません。

調剤報酬の算定のしかた

次の問いに○か×で答えなさい。

Q1 処方箋の受付回数が1月に1,900回かつ集中率が98%の場合、妥結率50%超の当該保険薬局の調剤基本料は「2」であり、29点で算定する。

Q2 同一日に、同じ保険医療機関の皮膚科A医師の処方箋と耳鼻科B医師の処方箋を受け付けた場合、受付回数は2回である。

Q3 同一日に、同じ保険医療機関の皮膚科A医師の処方箋と歯科B医師の処方箋を受け付けた場合、受付回数は2回である。

Q4 薬価基準収載の薬剤Aには、規格が200mg・100mgが収載されている。100mgの薬剤Aを7日分半錠に分割調剤した場合は、自家製剤加算20点を加算することができる。

解答&解説

A1 ○ そのとおり。妥結率が50%超の場合は、調剤基本料2（29点）で算定する。
ちなみに妥結率が50%以下の場合は、調剤基本料2（15点）となる。

A2 × 1回。同一医療機関で複数科の医師の処方箋を複数受け付けても、受付は1回。（P.117参照）

A3 ○ 2回である。同一医療機関でも医科と歯科は別とする。（P.117参照）

A4 × 錠剤を分割した場合は所定点数の20/100になるため4点を加点できる。（P.132参照）

Q5 「屯服薬7回分」とあった場合の薬剤調製料は147点である。

Q6 高齢者に対して、薬の飲み間違えなどを防止する必要性から医師の了解を得て、内服用固形剤の一包化を行った場合、外来服薬支援料2は算定できる。

Q7 年末（12月30日まで）は開局していたが、12月29日～1月3日までの期間は休日加算の対象になっているので、薬剤調製料にそれぞれ休日加算（140/100）を算定した。

Q8 処方箋に書かれている内容で、1日の服用回数、服用量、服用時点（タイミング）、投与日数が書かれている薬は内服薬である。

Q9 計量混合調剤加算は錠剤に対しても算定できる。

Q10 薬価基準収載の薬剤で「劇」と表示されているのは劇薬のことで、麻薬と同等の薬のため、薬剤調製料に麻薬加算として70点加算する。

第5章 調剤報酬の算定のしかた

解答&解説

A5 × 21点。屯服薬は調剤数にかかわらず、21点である。（早見表・P.125参照）

A6 ○ そのとおり。（P.147参照）

A7 × 1/1～1/3、12/29～12/31は休日加算の対象だが、開局して応需体制にある場合は加算できない。（P.133参照）

A8 ○ そのとおり。（P.126参照）

A9 × 錠剤には加算できない。（P.132参照）

A10 × 麻薬加算70点は麻（麻薬）に対してのみ算定できる。（P.131参照）

Q11 乳幼児服薬指導加算は6歳未満の乳幼児に係る調剤上必要な情報を、直接患者またはその家族に対して確認し、服用に関して必要な指導を行い、かつ、指導内容をおくすり手帳に記載した場合に、服薬管理指導料の所定点数に12点加算できる。

Q12 「内服用固形剤 1日3回 14日分」、「液剤 1日3回 毎食後 14日分」が投与された場合、服用時点が同じなので内服薬1剤と考え、薬剤調製料は24点となる。

Q13 1処方箋に麻薬（就寝前服用）と向精神薬（毎食後服用）が含まれていたので、78点を算定した。

Q14 在宅患者緊急時等共同指導で行われるカンファレンスは、患者または家族が通院した際に行われるものである。

Q15 特定薬剤管理指導加算は、厚生労働大臣が定めた特に安全管理が必要なハイリスク薬を調剤した場合に加算の対象となる。

解答&解説

A11 ○ そのとおり。（P.143 参照）

A12 × 液剤は別扱いのため、内服薬2剤である。それぞれ算定するので48点となる。（P.126 参照）

A13 ○ そのとおり。麻薬等の加算は「1調剤につき」算定するため、該当する複数の薬剤がある場合でも用法が異なれば算定可能。（P.131 参照）

A14 × 通院困難な状態の患者に対し、他の保険医療従事者と共同で患家に訪問して行われるもの。（P.155 参照）

A15 ○ そのとおり。（P.142 参照）

次の問題に答えなさい。

調剤報酬の算定のしかた

1 内服薬について各問に答えなさい。

(1) 1剤の10日分の調剤管理料は何点か。

（　　　　）点

(2) 服薬のタイミングが同じ、投与日数は異なる以下のケースの調剤管理料を計算しなさい。

Rp）①A錠　3T　　　　分3　毎食後　7日分

②Bカプセル 6C　分3　毎食後　14日分

調剤管理料（　　　　）点

2 次の処方箋の薬剤調製料は何点か。

Rp）①Aトローチ　1日6錠　2日分　②Bクリーム　30 g

③Cパップ剤　　5枚　④点眼剤　　5 ml

3 次の処方箋内容の場合、何剤か。また、どのような加算ができるか。加算を含めた薬剤調製料は何点になるか。

調剤数（　　　　）剤　薬剤調製料（　　　　）

薬剤調製料加算（　　　　）

　合計（　　　　）点

Rp）①A薬（麻）0.3g　分3　毎食後　7日分

②B薬 6.0g　分3　毎食後　7日分

③C薬　3錠　分3　毎食後　7日分

④D薬（向）　6錠　分3　毎食後　5日分

※①②は計量混合調剤実施

第5章　調剤報酬の算定のしかた

163

解答&解説

1 (1) 28点（P.134 早見表参照）
【解説】
早見表「内服薬」の処方日数「8〜14日」を見る⇒調剤管理料は
28点
(2) 28点（P.134 早見表参照）
【解説】
服用タイミングが同じであれば、投与日数が異なっていても①②合わせ
て1剤と考える。日数は長い方で算定するので、14日の点数を選択。
早見表「内服薬」の処方日数「8〜14日」を見る⇒調剤管理料は
28点

2 30点
【解説】
薬剤はすべて外用薬である。外用薬は1調剤で算定する。また1回の処
方箋では3剤を上限にして算定。4剤以上は、算定対象から外す。
1調剤につき10点。

3 ① 10点／② 10点／③ 10点／④×（4剤目からは算定できない）

調剤数　1剤　薬剤調製料　24点　　薬剤調製料加算　123点
合計点数　147点（P.125 早見表参照）
【解説】
調剤数は1剤（服用時点が同じため）
薬剤調製料……内服薬 7 日分 <u>24点</u>
加算点数　123点 (45+78)
〈加算項目〉
計量混合調剤加算　45点（①②は散剤）
麻薬・向精神薬調剤加算　78点（①は 麻 70点、④は 向 8点）
<u>調剤技術料の合計点数……147点</u>（24+123）

〈一処方の中に 麻 や 向 がある場合の留意点〉
・用法が異なれば、それぞれ算定できる（70点・8点）
・用法が同じで投与日数が異なる場合、それぞれ算定できる（70
　点・8点）
・用法も投与日数も同じ場合、70点のみ算定する

第6章

調剤報酬明細書
作成のしかた

この章では、処方箋を見ながらレセプトを作成する手順を学習します。大きく3つのブロックに分けていますので、ひとつずつ、順番に追っていきましょう。

調剤報酬明細書とは

学習の ポイント！
- ◯ 調剤報酬明細書（調剤レセプト）は、処方箋をもとに作成する。
- ◯ 処方箋とレセプトの対応する位置を確認する。
- ◯ レセプトの様式、書き方は全国一律である。

　下図は処方箋とレセプトのサンプルです。処方箋を見ながらレセプト
に転記をしていきます。

　では、処方箋のどの部分をレセプトのどこに書き写すのか、目で見て
覚えるようにしましょう。

様式第2号

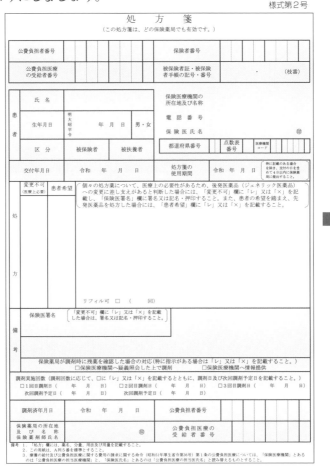

処方箋を見ながら
レセプトに転記します。
処方箋とレセプト、同じ色の部分が対
応しています。
また、各項目については次ページ以降
でひとつずつ見ていきます。

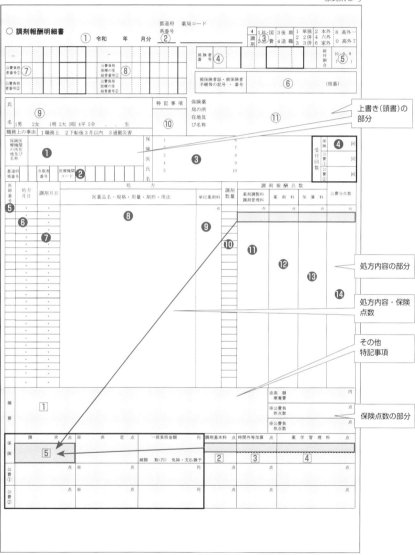

様式第5号

第6章 調剤報酬明細書作成のしかた

処方箋や調剤報酬明細書は様式が定められており、当該様式またはそれに
準じたものを使用しなければならない。

レセプトには何が書かれているのか

サンプルをもとに、番号順に見ていきましょう。

まず、上書き（頭書）の記入です。

【上書き（頭書）の部分】

①**調剤年月**を記入します。

②保険薬局の所在地の**都道府県番号**（2桁）とその保険薬局の**薬局コード番号**（7桁）を記入します（P.15「都道府県番号表」参照）。

薬局コードの構成 ○○,○○○○・○
市区番号　保険薬局番号　検証番号

③**保険種別および本人、家族欄**について該当番号を3カ所○で囲みます。

> 該当番号
>
> ※「保険種別1」欄　1…社保または国保
> 　　　　　　　　　2…公費負担医療(他の保険との併用なし)
> 　　　　　　　　　3…後期高齢者医療(法別39)　4…退職者医療
> ※「保険種別2」欄　1…単独　　2…1種の公費負担医療との併用(2併)
> 　　　　　　　　　3…2種以上の公費負担医療との併用(3併)
> ※「本人、家族」欄　2…本人　　4…未就学者　　6…家族(未就学者を除く)
> 　　　　　　　　　8…高齢者一般　　0…高齢者3割負担

④**保険者番号**を記入します。社保は**8**桁、国保は**6**桁(右詰めで記入)です。

⑤給付割合は、**国保**の場合に、○で囲むか（　）に給付割合を書きます。

⑥被保険者証の記号・番号を処方箋からそのまま書き写します。

⑦公費負担者番号①・②は、2種類の公費を併用している場合は第1公費（優先）を①に記入し、第2公費を②に記入します。

⑧公費負担医療の受給者番号①・②は上記同様、第1公費（優先）の受給者番号を①に記入し、第2公費の受給者番号を②に記入します。

⑨患者の氏名、性別（該当する番号を○で囲む）、生年月日（該当する

 ○　そのとおり。処方箋は様式第2号、レセプトは様式第5号である。（P.166 参照）

年号の番号を○で囲む）を記入します。

⑩ 70 歳以上の場合、所得区分により、次の記号を記入します。

記号	所得区分	記号	所得区分	記号	所得区分
26 区ア 27 区イ 28 区ウ	現役並所得者 Ⅲ Ⅱ Ⅰ	41 区カ 42 区キ	一般所得者 Ⅱ Ⅰ	30 区オ	低所得者 Ⅱ Ⅰ

⑪ 保険薬局の所在地、名称および連絡先電話番号を記入します。

【処方内容の部分】

❶ 処方箋を発行した保険医療機関の所在地、名称を記入します。

❷ 処方箋に書かれている都道府県番号や点数表番号、医療機関コードを記入します。

❸ 処方箋を発行した医師・歯科医師の氏名を記入します。

❹ **受付回数**を記入します。同一の保険医療機関で同じ患者に対して複数科の別々の医師が交付した処方箋を、**同一日**に受け付けた場合は、**複数診療科・枚数等**にかかわらず、**1 医療機関 1 回**の受付回数とカウントします。ただし、**歯科は同一保険医療機関であっても別**に受け付けます。

❺ 処方箋を交付した医師または歯科医師の「保険医氏名」（❸）欄の番号を記載します。医師が **1 人**の場合は**記入不要**です。

❻ 処方箋が交付された月日を記載します。

❼ 保険薬剤師が調剤した月日を記載します。

❽ 薬剤区分の見極めをします（内服薬・内服用滴剤・屯服薬・浸煎薬・湯薬・外用薬・注射薬）。

　薬剤区分の所定単位ごとに、医薬品名、規格、用量、剤形、用法を記載し、次の行との間を線で**区切り**、最終行の下に線を引きます。

- 内服薬は1剤1日分、湯薬は1調剤ごと1日分、内服用滴剤・屯服薬・浸煎薬・注射薬・外用薬はいずれも1調剤分を示します。
- 剤形は、「内服」「内滴」「屯服」「浸煎」「湯」「注射」「外用」と記入します。
- 用法は、毎食後、n.d.E、v.d.Sなどのように、服用時点を記入します。

---

❾ 処方欄の 1 単位当たりの**薬剤料**を記入します。

❿ 調剤数量の欄は、処方内容の**調剤単位数**を調剤月日ごとに記入します。

Q レセプトの「保険医氏名」欄に医師名を記入し、各番号をレセプトの「医師番号」に記入するが、医師が 1 名の場合は「医師番号」の記入を省略してもよい。　**169**

●内服薬および湯薬は、**投与日数**を記入します。

●内服用滴剤、浸煎薬、屯服薬、注射薬、外用薬は、調剤回数を記入します。

●長期投薬を分割調剤した(同一保険薬局で)場合は、単位数に 分 を記入します。

●後発医薬品を分割調剤した(同一保険薬局で)場合は、単位数に 試 を記入します。

●医師の指示により分割調剤した(同一保険薬局で)場合は、単位数に 医 を記入します。

⓫薬剤調製料・調剤管理料の欄には**それぞれの点数**を記入します。薬剤調製料・調剤管理料の算定ができないときは必ず**0**を記入します。

⓬薬剤料の欄には「❾×❿」の点数を記入します。

⓭加算するものがあった場合は、その加算の**記号**を書き、加算の合計点数を記入します。

【記号】

●無菌製剤処理加算 ⇒ 菌

●麻薬加算・向精神薬加算・覚せい剤原料加算・毒薬加算 ⇒ 麻 向 覚原 毒

●自家製剤加算・計量混合調剤加算 ⇒ 自 計

●予製剤加算〈自家製剤、計量混合調剤での〉 ⇒ 予

●自家製剤加算で錠剤を分割した場合 ⇒ 分自

一包化した場合→外来服薬支援料2 支B

●時間外加算・休日加算・深夜加算

〈薬剤調製料での加算〉 ⇒ 薬時 薬休 薬深

〈調剤管理料での加算〉 ⇒ 調時 調休 調深

⓮公費分点数欄には併用する**公費負担医療**にかかわる調剤報酬の点数を記入します。最後に、保険点数の記入を見てみましょう。

【保険点数の部分】

①**摘要欄**の記入は次のように書きます。

●要介護者または要支援者に対して、介護保険に相当するサービスを行った場合には、介 の記号を付けて居宅療養管理指導費および介護予防居宅療養管理指導費の合計算定回数を記入します。

●時間外・休日・深夜加算または時間外加算の特例を算定した場合は、処方箋を受け付けた月日および時刻を記載します。

170 ○ そのとおり。

●同日に複数の保険医療機関が交付した同一患者の処方箋を受け付けた際、2回目以降の受付に対して調剤基本料の減算規定を適用しない場合、受け付けた年月日と時刻をそれぞれ記載します。

●外来服薬支援料2（一包化）、自家製剤加算および計量混合調剤加算を算定した場合、「処方」欄の記載内容から加算事由が不明なときはその理由を記入します。例えば、<u>同一保険医療機関内で複数診療科の異なる医師により出された処方箋</u>において、加算を行った場合が該当します。

●配合禁忌等の理由により、内服薬を別剤とした場合は、「配合不適等調剤技術上の必要性から個別に調剤した場合」、「内服用固形剤（錠剤、カプセル剤、散剤等）と内服用液剤の場合」、「内服錠、チュアブル錠及び舌下錠等のように服用方法が異なる場合」または「その他」から最も当てはまる理由を1つ記載します。「その他」を選択した場合は、その理由を記載します。

●自家製剤加算を算定した理由が処方内容から不明のとき、明確となるよう記載します。

●重複投薬・相互作用等防止加算のイ、残薬調製以外に係る場合、処方医に行った内容の要点を記載します。

●長期の旅行等特殊な事情がある場合、14日分が限度とされている薬が必要であると認められ、14日を超えて投与された場合は、長期投与の理由について、「海外への渡航」、「年末年始の連休」、「その他」から最も当てはまるものを1つ記載します。「その他」を選択した場合は理由を記載します。

●「特定薬剤管理指導加算2」では、抗悪性腫瘍剤を注射している医療機関名と情報提供した年月日を記載します。

●「服用薬剤調整支援料1」では、減薬の提案を行った日、保険医療機関名および保険医療機関における調整前後の薬剤の種類数を記載します。「服用薬剤調製支援料2」は、提案を行ったすべての保険医療機関名を記載します。

●「吸入薬指導加算」算定時は、調剤年月日と吸入薬の名称を記載します。

●「調剤後薬剤管理指導料1・2」は、処方している医療機関名および情報提供した年月日を記載します。

●調剤を行っていない月に、「服薬情報等提供料」「在宅患者訪問薬剤管理指導料」「在宅患者緊急訪問薬剤管理指導料」「在宅患者緊急時等共同指導料」を算定した場合は、情報提供または訪問の対象となる調剤の年月日および投薬日数を記入します。

●「在宅患者訪問薬剤管理指導料」を算定している患者に、それとは別の疾患または負傷に対する臨時の投薬の「服薬管理指導料」「かかりつけ薬剤師指導料」または「かかりつけ薬剤師包括管理料」を算定する場合は、算定日を記入します。

●在宅基幹薬局（主に在宅患者の訪問薬剤管理指導を行う保険薬局）と連携する

Q かかりつけ薬剤師は、患者1人に対してその保険薬局に勤務する薬剤師全員のことをいう。

他の薬局（サポート薬局）が代わりに訪問し「在宅患者訪問薬剤管理指導料」または「在宅患者緊急訪問薬剤管理指導料」を算定した場合は、在宅基幹薬局は、実施日・サポート薬局名を記入します。

●在宅基幹薬局に代わってサポート薬局が訪問薬剤管理指導を実施し、処方箋が交付されていた場合は、サポート薬局は当該訪問薬剤管理指導を実施した日付を記入します。

●夜間・休日・深夜訪問加算を算定するときは、処方箋を受け付けた年月日・時刻、訪問指導した年月日・時刻を記載します。

このような場合、平成24年からサポート薬局は調剤技術料・薬剤料等をレセプト請求できるようになりました。

●外来服薬支援料1を算定する場合は、患者もしくは保険医療機関の求めに応じて服薬支援を行った場合は「外来服薬支援料：注1」、患者または家族が薬局に持参した服用薬の支援を行った場合は「外来服薬支援料：注2」と記載します。服薬管理を支援した日・服薬支援に係る薬剤を処方した保険医療機関の名称または情報提供した保険医療機関の名称を記入します。

●施設連携加算は、服薬支援を行うことが必要な理由を記載します。

●退院時共同指導料を算定する場合は、指導日・共同指導を行った保険医等の氏名・保険医療機関の名称を記入します。この場合、退院後の在宅医療を担う保険医療機関の名称も記入します。

●在宅移行初期管理料は、訪問した年月日と対象患者を記載します。

●一般名処方が行われた医薬品について、後発医薬品を調剤しなかった場合は、その理由について「患者の意向」「保険薬局の備蓄」「後発医薬品なし」「その他」から最も当てはまる理由を1つ記載します。

●63枚を超えて処方された湿布剤を調剤した場合は、その必要性の趣旨を処方箋の記載で確認、または疑義照会した旨を記載します。

●その他請求内容について特記する必要があれば、その事項を記入します。「摘要」欄に記入しきれない場合は「処方」欄の下部余白に記入してもOKです。

 　×　患者1人に対して、患者が選択した1人の薬剤師をいう。

2 **調剤基本料欄**には次のように記入します。

調剤基本料に処方箋**受付回数を乗じた点数**と区分「基A」から「基E」、「特基A」「特基B」の記号を記載します。区分は点数の上に書きます。

● 【調剤基本料】欄の書き方

枠内の上に「基A」と書き、その下に点数「45」を書きます。

```
調剤基本料    点
     基A
     45
```

ココを押さえる！

検定試験の場合は保険薬局の設定要件を見てください。
「調剤基本料1は45点」または「妥結率」等の記載がされています。
※調剤基本料1の薬局で妥結率が50％に満たない場合は所定点数45点×0.5＝23点となる

【地域支援体制加算の施設基準等の届出のある場合】
●地域支援体制加算1・2・3・4 地支A 地支B 地支C 地支D ・後発医薬品調剤体制加算1・2・3 後A 後B 後C を算定した場合は、調剤基本料に**(加算した点数×受付回数)**を記載します。
●長期投薬または後発医薬品に係る分割調剤を行った場合は、**(分割調剤の算定回数×5点)**を合算します。
●在宅薬学総合体制加算を行った場合は、加算した点数×在宅患者調剤の算定回数を合算します。 在総A 在総B
●医療DX推進体制整備加算を算定した場合には、 薬DX を記載します。
●複数の保険医療機関から交付された処方箋を同時に受け付けた場合の2回目以降の調剤基本料を80／100で算定するときは 同 と記入します。
●本欄に記載しきれない場合、「摘要」欄に算定する調剤基本料または加算の記号、回数を記載しても差し支えないが、合計点数は「調剤基本料」欄に記載します。

3 **時間外等加算欄**には次のように記入します。

調剤基本料に対して**時間外・休日・深夜**の加算もしくは時間外加算の特例または夜間・休日等加算（かかりつけ薬剤師包括管理料を基礎額とする場合を含む）がある場合は、「**保険**」の上段に 時・休・深・特 または 夜 の記号を記入します。

 服薬管理指導料について、手帳を用いる場合は、調剤日、投薬に係る薬剤の名称、用法、用量、その他用に関する注意事項を記載する。

●リフィル処方箋による調剤を行う場合は

総使用回数2回のうち1回目 リ1／2 ／2回目 リ2／2

総使用回数3回のうち1回目 リ1／3

2回目 リ2／3

3回目 リ3／3

●【時間外等加算】欄の書き方

「調剤基本料は45点」の保険薬局で**休日に調剤を1回実施した場合**の書き方は次の通りです。

時間外等加算	点
休	
63	

休日の加算点数は（調剤基本料× 1.4）

計算…45点× 1.4 = 63（小数点以下を四捨五入）

上段に「 **休** 」と書き、下段に「63」と書きます。

●【薬学管理料】欄の書き方

④**薬学管理料**欄は次のように記入します。

「保険」の**上段**に算定した薬学管理料の**略称**と**回数**を記入します。

薬学管理料	点
薬A 1	
45	

服薬管理指導料1を1回実施した場合の書き方は次のようになります。

薬学管理料の欄は、上段に略称と<u>実施回数</u>を書きます ⇒「 薬A 1」

下段に<u>点数</u>を書きます ⇒「45」

≪加算のある場合の書き方≫

服薬管理指導を2回実施し、麻薬管理指導加算を1回と特定薬剤管理指導加算1イを1回した場合の書き方は次のようになります。

薬学管理料		点
薬A2 麻1 特管Aイ1		
122		

①服薬管理指導1の実施回数を、上段の左に「**2**」と書きます。

②点数は45点× 2回 = 90点です。

③麻薬管理指導加算の略称と回数を書きます。「 麻 1」

A ○ そのとおり。

④点数は 22 点 × 1 回 = 22 点です。

⑤特定薬剤管理指導加算 1 の記号と回数を書きます。「 **特管Ａイ** 1 」

⑥点数は 10 点 × 1 回 = 10 点です。

⑦ 3 つの合計 122（90 ＋ 22 ＋ 10 ＝ 122）を下段に書きます。

●服薬管理指導料1（3ヵ月以内再来局、おくすり手帳あり）…… 薬A

　服薬管理指導料2（3ヵ月以内再来局、おくすり手帳なし）…… 薬B

　　　　　　　（3ヵ月以内再来局以外）…… 薬C

　服薬管理指導料3（3ヵ月以内再来局、おくすり手帳あり）…… 薬3A

　　　　　　　（3ヵ月以内再来局、おくすり手帳なし）…… 薬3B

　　　　　　　（3ヵ月以内再来局以外）…… 薬3C

　情報通信機器を用いた服薬指導(オンライン)

　　　　　　　（3ヵ月以内再来局、おくすり手帳あり）…… 薬オA

　　　　　　　（3ヵ月以内再来局、おくすり手帳なし）…… 薬オB

　　　　　　　（3ヵ月以内再来局以外）…… 薬オC

　と表記し、その回数を記入します。

　麻薬管理指導加算…… 麻

　医療情報取得加算1・2…… 医情A 医情B

　特定薬剤管理指導1のイ、1のロ、2、3のイ、3のロ…… 特管Aイ 特管Aロ
　 特管B 特管Cイ 特管Cロ

　乳幼児服薬指導加算…… 乳

　小児特定加算…… 小特

　吸入薬指導加算…… 吸

　調剤後薬剤管理指導加算1・2…… 調後A 調後B

　の記号とそれぞれの回数を記入します。

●かかりつけ薬剤師指導料… 薬指 と表記し、その回数を記入します。

　麻薬管理指導加算…… 麻

　特定薬剤管理指導1のイ、1のロ、2、3のイ、3のロ…… 特管Aイ 特管Aロ
　 特管B 特管Cイ 特管Cロ

　乳幼児服薬指導加算…… 乳

　小児特定加算…… 小特

　の記号とそれぞれの回数を記入します。

　かかりつけ薬剤師包括管理料…… 薬包 と表記し、その回数を記入します。

●外来服薬支援料1・2、施設連携加算…… 支A 支B 施連 の記号と回数を記
　入します。

●服用薬剤調整支援料1・2のイ・2のロ… 剤調A 剤調B 剤調C
　の記号と回数を記入します。

●在宅患者訪問薬剤管理指導料「1」「2」「3」…… 訪A 訪B 訪C

　在宅患者オンライン薬剤管理指導料… 在オ

　と表記しその回数を記入します。

　★麻薬管理指導加算、オンラインの場合…… 麻 麻オ

　　在宅患者医療用麻薬持続注射療法加算…… 医麻

Q 2歳の患者の場合、レセプト右上の保険種別欄は、1・1・4に〇をつける。 **175**

乳幼児加算、オンラインの場合…… 乳 乳オ
　　　小児特定加算、オンラインの場合…… 小特 小特オ
　　　在宅中心静脈栄養法加算…… 中静
　　の記号とそれぞれの回数を記入します。
●在宅患者緊急訪問薬剤管理指導料…… 緊訪A 緊訪B
　　と表記しその回数を記入します。
　　在宅患者緊急オンライン薬剤管理指導料… 緊訪オ
　　と表記しその回数を記入します。
　　加算については、★と同じ。
●在宅患者緊急時等共同指導料…… 緊共
　　と表記しその回数を記入します。
　　麻薬管理指導加算…… 麻
　　在宅患者医療用麻薬持続注射療法加算…… 医麻
　　乳幼児加算…… 乳
　　小児特定加算…… 小特
　　在宅中心静脈療法加算… 中静
　　と表記しその回数を記入します。
●退院時共同指導料…… 退共
●経管投薬支援料…… 経
●在宅移行初期管理料…… 在初
●服薬情報等提供料１・２・３…… 服A 服Bイ 服Bロ 服Bハ 服C
●在宅患者重複投薬・相互作用等防止管理料… 在防Aイ 在防Aロ 在防Bイ
　在防Bロ
　　の記号とその回数を記入します。
●調剤管理料の加算を算定した場合は、
　　重複投薬・相互作用等防止加算… 防A 防B
　　調剤管理加算…… 調管A 調管B
　　の記号とその回数を記入します。

⑤**請求欄**には次のように記入します。

　　請求点の欄には、合計請求点を書きます。

　　請求欄には、「保険」「公費①」および「公費②」の項にそれぞれ医療保険、第１公費および第２公費にかかる合計点数（「調剤報酬点数」欄、「調剤基本料」欄、「時間外等加算」欄、「薬学管理料」欄）の合計を記入します。

【その他・特記事項】

１．特例的に、生活保護法、感染症法による結核患者の適正医療および障害者総合支援法の３種の公費負担医療を併用している場合がありますが、この場合は、法別番号等によらず、次の記載をすることになっています。

○　そのとおり。家族外来は、６歳以上の被扶養者には⑥「家外」に、６歳未満には④「六外」に〇をつけます。

（ア）　生活保護法にかかわる公費負担者番号は「保険者番号」欄に、公費負担医療の受給者番号は「被保険者証・被保険者手帳等の記号・番号」欄に記載し、感染症法による結核患者の適正医療にかかわる分は「公費負担者番号①」欄に、障害者総合支援法にかかわる分は「公費負担者番号②」欄に記入します。

（イ）「職務上の事由」欄は記入しないことになっています。

（ウ）　生活保護法にかかわる処方箋受付回数は「受付回数」欄の「保険」の項に記入し、感染症法による結核患者の適正医療にかかわる分は「受付回数」欄の「公費①」の項に、障害者総合支援法にかかわる分は「受付回数」欄の「公費②」の項に記入します。

（エ）　生活保護法にかかわる調剤基本料は「調剤基本料」欄の「保険」の項に記入し、感染症法による結核患者の適正医療にかかわる分は「調剤基本料」欄の「公費①」の項に、障害者総合支援法にかかわる分は「調剤基本料」欄の「公費②」の項に記入します。

（オ）　生活保護法にかかわる調剤基本料の時間外等加算は「時間外等加算」欄の「保険」の項に記入し、感染症法による結核患者の適正医療にかかわる分は「時間外等加算」欄の「公費①」の項に、障害者総合支援法にかかわる分は「時間外等加算」欄の「公費②」に記入します。

（カ）　生活保護法にかかわる薬学管理料は「薬学管理料」欄の「保険」の項に記入し、感染症法による結核患者の適正医療にかかわる分は「薬学管理料」欄の「公費①」の項に、障害者総合支援法にかかわる分は「薬学管理料」欄の「公費②」の項に記入します。

（キ）「医師番号」欄から「加算料」欄までの該当欄には、生活保護法にかかわる医師番号等を記入します。

（ク）「公費分点数」欄は縦に2区分し、左欄に感染症法による結核患者の適正医療、右欄に障害者総合支援法にかかわる調剤報酬点数を記入することとしますが、生活保護法にかかわる調剤点数と同じものがある場合には、縦に2区分することおよびこの調剤報酬点数の記入を省略しても差し支えないことになっています。

Q　調剤録は、メモとしてあった方がよいので、できるだけ記入するとよい。

（ケ）生活保護法にかかわる合計点数は「請求」欄の「保険」の項に、感染症法による結核患者の適正医療にかかわる合計点数は「請求」欄の「公費①」の項に、障害者総合支援法にかかわる合計点数は「請求」欄の「公費②」の項に記入します。

2．厚生労働大臣の定める評価療養および選定療養第1条第5号または第7号に規定する医療機器を使用し、または支給した場合は「摘要」欄に「器評」と記入し、当該医療機器名を他の特定保険医療材料と区別して記入します。

3．高額療養費制度と高額長期疾病について

高額療養費制度とは、簡単にいうと「ここまで支払えばよい金額」、つまり救済制度のことです。

1ヵ月間に保険医療機関や保険薬局に支払う患者の支払金額（患者負担額）が高額になった場合の救済制度が高額療養費制度です。

その月内に、1つの医療機関で支払った金額が、ある一定の金額（年齢や所得によって異なる）を超えた場合に適用されるものです。

注意点は、複数の医療機関に支払った金額を合計、月をまたいでの合計、入院と外来を合計したものが高額になっても適用はされません。しかし、この条件に当てはまらない場合でも高額療養費制度には「世帯合算」や「多数回該当」といったしくみにより、最終的な自己負担額が軽減されます。

高額長期疾病とは、簡単にいうと長期治療者に対しさらに「支払金額の上限を低くしている」救済制度のことです。

高額療養費制度の対象の患者の中でも、長期間にわたる治療が必要な高額長期疾病患者（①人工透析が必要な慢性腎不全、②血液製剤に起因するHIV、③血友病の患者）への医療費救済制度です。1ヵ月の限度額1万円を超えた場合または2万円を超えた場合は特記事項に「長」または「長2」と記載します（健康保険法施行令第42条第9項）。

Ⓐ × 記入しなければならない。（P.53参照）

調剤録・レセプトの書き方

学習の ポイント！
- 設定条件をもとに調剤録を作成。
- レセプト作成の際には、調剤報酬点数早見表を手元に置いておく。
- 上書きも忘れずに記入する。

ここでは、調剤録とレセプトの書き方を解説します。算定に必要な資料は、「**保険薬局の設定条件**」「**処方箋**」「**調剤報酬点数早見表**」「**薬価基準**」の４つです。では、設定条件をもとに見ていきましょう。

【設定条件】
①調剤基本料１（妥結率50％超）
②薬剤服用歴管理指導料１の算定条件をすべて満たしている（おくすり手帳に記載、前回は３ヵ月以内に来局・持参あり）ただし、かかりつけ薬剤師ではない
③開局時間：月〜土　9時〜18時
④休業日：日曜・祝日

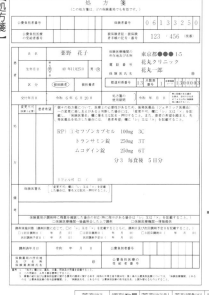

薬価表から金額を探します。
セフゾンカプセル 100mg
　　1C＝¥59.70
トランサミン錠　250mg
　　1T＝¥10.10
ムコダイン錠　　250mg
　　1T＝¥8.50

裏面

【調剤録】

薬剤料	調剤数量	薬剤料計	薬剤調製料	調剤管理料	加算	小　計	薬学管理料	調剤基本料	合計点数
①	②	③	④	⑤	⑥	⑦	⑧	⑨	⑩
							その他の特掲技術料	患者負担金	⑪　円
								請求金額	円

Q 調剤録には、算定点数の内訳、患者の負担金額を記録する。

第6章 調剤報酬明細書作成のしかた

179

【手順1】～【手順6】にしたがって、はじめに調剤録を作成してみましょう。

【手順1】 薬剤料を計算します（P.93 ～参照）。

セフゾンカプセル 100㎎ 3C	3C ×￥59.70 = 179.10
トランサミン錠 250㎎ 3T	3T ×￥10.10 = 30.30
ムコダイン錠 250㎎ 6T	6T ×￥8.50 = 51.0

合計金額
260.40 円

1．金額を点数に直します。点数に直す方法は、 金額÷ 10 ＝点数 です。
260.40 円÷ 10 = 26.04 点

2．小数点以下を整理します。

0.50 まで切り捨て、0.50 超切り上げ（五捨五超入）します。

26 .04 ⇒切り捨てます。 ⇒ 26 点……①に記入

・調剤数量は 5 日分……②に記入

・薬剤料計は ①×②＝③で求めます。
⇒（26 点× 5 日＝）130 点……③に記入

【手順2】 薬剤調製料と調剤管理料を計算します。

1．内服（液剤）・屯服・外用の見極めをしましょう。（P.94 ～参照）

2．服用時点は同じ毎食後なので1剤です。薬剤調製料は 24 点……④に記入

3．処方日数が 5 日の調剤管理料は 4 点……⑤に記入

【手順3】 小計を出します。

【③薬剤料計＋④薬剤調製料＋⑤調剤管理料（＋⑥加算）】＝小計です。
130 点 + 24 点+ 4 点+ 0 点＝ 158 点……⑦に記入

【手順4】 設定条件から薬学管理料と調剤技術料を計算します。

薬学管理料：薬学管理料の早見表から服薬管理指導料を選びます。
・服薬管理指導料の算定条件を満たしているときは算定できます。
薬 A 45 点…⑧に記入

調剤基本料：調剤基本料を算定します…調剤基本料1の薬局でかつ妥結率
50％超ですから、
早見表（P.115）から、「 基 A 」45 点を選ぶ……⑨に記入

【手順5】 合計点数を計算します。

合計点数は ⑦小計＋⑧薬学管理料＋⑨調剤基本料
⇒ 158 点＋ 45 点＋ 45 点 = 248 点…⑩に記入

【手順6】 患者負担金を計算しましょう。

1点 10 円です。点数は金額の1割に当たるので、
3 割負担の場合は 248 点× 3 = 744 → 740 円…⑪に記入（1円単位は四捨五入）

Ⓐ ○ そのとおり。（P.169 参照）

すべてを記入すると、次のように空欄が埋まっていきます。

| | | 早見表 | 早見表 | | | | 早見表 | 早見表 | |
① 薬剤料	② 調剤数量	③ 薬剤料計	④ 薬剤調製料	⑤ 調剤管理料	⑥ 加算	⑦ 小計	⑧ 薬学管理料	⑨ 調剤基本料	⑩ 合計点数
26	5	130 (①×②)	24	4	0	158 (③+④+⑤+⑥)	薬A 45	基A 45	248 (⑦+⑧+⑨)
							その他の特掲技術料	⑪ 患者負担金	740円
								請求金額	円

※本書では、わかりやすくするために調剤録にも記号が入っています。

では、次にレセプトを
作成してみましょう。

第6章で書き方の
確認をしましょう。

レセプト作成

【上書きの部分】

まずは上書きの部分から完成させましょう。

①調剤年月…令和6年6月分と書きます。

②**都道府県番号・保険薬局コード欄**…通常は印刷されています。

③保険種別、本人・家族…社保の本人なので、「1」「1」「2」を○で囲みます。

④保険者番号…06133250、と書きます。

⑤給付割合…記入なし（国保の時に○で囲みます）。

⑥記号・番号…123・456と書きます。

⑦公費…該当外のため記入なし。

⑧公費…該当外のため記入なし。

⑨患者氏名等の欄…患者氏名を記入し、該当性別に○、生年月日は該当元号を○で囲み、生まれた年月日を書きます。

⑩**保険薬局**の所在地・名称欄…通常は印刷されています。

 レセプトの「処方」欄には、調剤した医薬品名、剤形、容量、用法など記入するが、次の行との間を線で区切らなければならない。 **181**

【処方内容の部分】

次に処方内容の部分を完成させましょう。

❶処方箋を発行した保険医療機関の所在地・名称を書きます。

❷花丸クリニックの都道府県番号や点数表番号、医療機関コードを写します。

❸処方箋を発行した医師の氏名である、花丸一郎を書きます。処方医の数が10人を超えた場合は、「摘要」欄に番号と処方医の氏名を書きます。

❹受付回数1回を書きます。

❺処方欄の医師番号に保険医の番号を書きます。医師が1名のみの場合記入は不要です。

❻処方の月日6・20を書きます。

❼調剤した月日6・21を書きます。

❽処方された薬について「**内服**」と明記し、処方された薬剤の名称・規格・剤形・数量・服用のタイミングを書きます。**1剤**ごとに線で区切ります。

❾単位薬剤料の欄に**1剤**の薬剤料の計算結果を書きます。… **26点**

❿調剤数量を書きます。… **5日分**

⓫内服薬の薬剤調製料5日分を早見表から選んで書きます。… **24点**
調剤管理料5日分を早見表から選んで書きます。…**4点**
それぞれの点数を⓫に記入します。

⓬薬剤料を計算して書きます。　❾×❿＝⓬ … **130点**

⓭⓮は該当がないため空白。

【保険点数の部分】

次に保険点数を完成させましょう。

１該当する特記内容がないため、「摘要」欄は空白。

２調剤基本料は薬局の設定条件を確認して選びます。イ・ロに該当しない場合は、基Ａ 45で算定します。… **45点**

３時間外等加算…今回はないため空白。

４服薬管理指導料1の算定条件を満たしている条件下で、指導を行った場合は薬剤服用歴管理指導料は受付するたびに算定できます。

  ○　そのとおり。(P.182 参照)

指導＋手帳記入は 薬Ａ … **45点**

5 「**請求点**」を書きましょう。

請求点の出し方 は、	処方内容部分の【⑪＋⑫】	＋	保険点数部分の【2＋4】
248 ＝	28 ＋ 130		45 ＋ 45

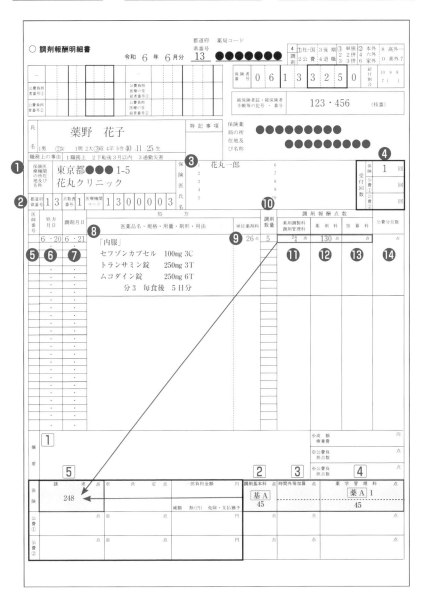

次の問いに○か×で答えなさい。

Q1 レセプトの保険薬局の都道府県番号は、都道府県番号にしたがい記入する。

Q2 調剤基本料をレセプトに記載する場合は「基A」から「基E」まであるが、調剤基本料1の場合は基Aと記入する。

Q3 レセプトの上書き（頭書）の「保険者番号」欄において、国民健康保険は左詰めで記載する。

Q4 レセプトの「給付割合」の欄は、国民健康保険および退職者医療の場合、該当する給付割合を○で囲むか、（　　）の中に給付割合を記載する。ただし、自県分の場合は記載を省略しても差し支えない。

Q5 レセプトの保険医氏名の欄には、処方した医師の氏名は、1医療機関1名の代表医師の氏名を記入しなければならない。

Q6 処方箋を受け付け、時間外等の加算をした場合は、レセプトの「摘要」欄に処方箋受付年月日と時刻を記載すること。

Q7 薬剤名、規格、数量等を記入する際は、薬剤区分の所定単位ごとに、間を線で区切るが、最終行は引かない。

解答＆解説

A1 ○ そのとおり。（P.15参照）
A2 ○ そのとおり。平成30年4月から改正された。（P.173参照）
A3 × 右詰めで記載する。（P.168上書きの部分④参照）
A4 ○ そのとおり。（P.168上書きの部分⑤参照）
A5 × （P.169処方内容の部分❸参照）
A6 ○ そのとおり。（P.170参照）
A7 × 最終行の下にも線を引く。（P.169参照）

Q8 レセプトの「処方月日」欄と「調剤月日」欄は同一月日を記入しなくてはならない。

Q9 「処方内容」の部分において剤形は、「内服」「内滴」「屯服」「浸煎」「湯」「注射」「外用」と記入する。

Q10 「A薬剤2錠　3回分」（1錠23.00円）とある場合、屯服薬なので、「単位薬剤料」欄には5×3と記入する。

Q11 自家製剤加算で錠剤を分割した場合の算定は、レセプトの「加算料」欄に 自 と記号を付して合計点数を記載する。

Q12 一般名処方の医薬品を後発医薬品で調剤する場合、その理由を記載しなければならない。

Q13 2種類の公費を併用している場合は、第1公費を優先し、公費負担者番号の①に記入する。

第6章　調剤報酬明細書作成のしかた

解答＆解説

A8 ×　「処方月日」には処方箋が交付された月日、「調剤月日」には、保険薬剤師が調剤した月日を記入する。
（P.169　処方内容の部分❻❼参照）

A9 ○　そのとおり。（P.169　「処方内容」の部分の❽枠内参照）

A10 ×　14×1。1調剤分で示す。1調剤分は、全量×1で計算すること。（P.182「処方内容」の部分の❽枠内、⓫参照）
2錠3回……全量は6錠　6錠×23円＝138円
金額を点数にする……138円÷10＝13.8（小数点以下は五捨五超入）⇒14点　14×1

A11 ×　分自 と記号を記載する。（P.170 記号参照）

A12 ×　後発医薬品を調剤しなかったときには、その理由をレセプトの摘要欄に記載する。（P.172 参照）

A13 ○　そのとおり。（P.168 参照）

索　引

186

187

188

資料および参考文献

【資料】

「診療報酬の算定方法の一部を改正する件（告示）」令和6年　厚生労働省告示第57号

「診療報酬請求書等の記載要領等について」等の一部改正について（通知）保医発0327 第5号　令和6年3月27日　厚生労働省

「医薬品、医療機器等の品質、有効性及び安全性の確保等に関する法律施行規則の一部を改正する省令の施行等について」平成28年2月　厚生労働省医薬・生活衛生局長

「診療報酬の算定方法の一部改正に伴う実施上の留意事項について（通知）」令和6年3月5日　保医発0305第4号

「処方箋の交付等に関連する法令の規定」厚生労働省　参考資料

「特定保険医療材料及びその材料価格（材料価格基準）の一部を改正する件（告示）」令和6年厚生労働省告示第61号

特掲診療料の施設基準等及びその届出に関する手続きの取扱いについて（通知）令和6年3月5日　保医発0305第6号

使用薬剤の薬価（薬価基準）の一部を改正する件　令和6年厚生労働省告示第60号

令和6年度診療報酬改定の概要［調剤］　令和6年3月5日版　厚生労働省保険局医療課

【参考文献】

安原一、小川勝司「わかりやすい薬理学」平成20年1月　ヌーヴェルヒロカワ

小山岩雄「超入門　新薬理学」2011年2月　照林社

中原保裕「薬が効くしくみ」2013年2月　ナツメ社

北海道医薬総合研究所「調剤報酬実務必携　2024年6月版」2024年6月　（株）北海道医薬総合研究所

薬事法規研究会「第5版　やさしい薬事法」平成20年4月　じほう

宮崎利夫、朝長文彌「薬の辞典」平成20年4月　朝倉書店

「薬価基準点数早見表」令和6年4月　社会保険研究所調査室

「保険調剤Q＆A」令和4年7月27日　じほう

青山美智子（あおやま　みちこ）
東北福祉大学大学院卒業後、岩手県立大学大学院博士後期課程にて人口減少社会を支える地域包括ケアのあり方に関する研究を行う。仙台青葉学院短期大学教授。
衆議院私設秘書、一般医療機関勤務を経た後、医療系専門学校で診療報酬請求事務、医事コンピュータならびに医療関連知識の教鞭をとる。その後、短期大学ならびに各専門学校等にて各種の講座や検定対策特別講義を担当する。また、東京都産業労働局の公的機関の講師ならびに試験問題の適正水準を図るため技能照査試験問題等の審査委員も務め、現在、職業訓練指導員として、短期大学において優秀なメディカルスタッフの輩出を行う。主な著書に『診療報酬・完全攻略マニュアル』（医学通信社）がある。

イラスト／宮下やすこ　　　　校閲協力／株式会社グローバルファーマシー
本文デザイン／提箸圭子　　　編集協力／有限会社ヴュー企画
DTP／有限会社中央制作社　　編集担当／山路和彦（ナツメ出版企画株式会社）

本書に関するお問い合わせは、書名・発行日・該当ページを明記の上、下記のいずれかの方法にてお送りください。電話でのお問い合わせはお受けしておりません。
・ナツメ社 web サイトの問い合わせフォーム
　https://www.natsume.co.jp/contact

ナツメ社Webサイト
https://www.natsume.co.jp
書籍の最新情報（正誤情報を含む）はナツメ社Webサイトをご覧ください。

・FAX（03-3291-1305）
・郵送（下記、ナツメ出版企画株式会社宛て）
なお、回答までに日にちをいただく場合があります。正誤のお問い合わせ以外の書籍内容に関する解説・個別の相談は行っておりません。あらかじめご了承ください。

'24−'25年版
ひとりで学べる調剤報酬事務&レセプト作例集
2024 年 10 月 4 日　初版発行

著　者／青山美智子　　　　　　　　　　　© Aoyama Michiko, 2024
発行者／田村正隆

発行所／株式会社ナツメ社
　　　　東京都千代田区神田神保町 1-52　ナツメ社ビル 1F（〒 101-0051）
　　　　電話　03（3291）1257（代表）　FAX　03（3291）5761
　　　　振替　00130-1-58661
制　作／ナツメ出版企画株式会社
　　　　東京都千代田区神田神保町 1-52　ナツメ社ビル 3F（〒 101-0051）
　　　　電話　03（3295）3921（代表）
印刷所／ラン印刷社

ISBN 978-4-8163-7620-7　　　　　　　　　　　　　　　Printed in Japan

＜定価はカバーに表示してあります＞　＜落丁・乱丁本はお取り替えします＞

本書の一部または全部を著作権法で定められている範囲を超え、ナツメ出版企画株式会社に無断で複写、複製、転載、データファイル化することを禁じます。

'24－'25 年版

ひとりで学べる

別冊

調剤報酬 事務&レセプト作例集

＜別冊＞ ケースで学ぶレセプト作成

ナツメ社

別　冊

ケースで学ぶレセプト作成

　この章では、レセプトの書き方をケースごとに学んでいきます。算定条件・処方箋・レセプト・調剤録・解説の順に掲載しています。特に指示がない限り、算定要件の基準はすべて満たしているものとします。

　なお、処方箋の投薬内容は調剤報酬算定方法の習得を目的にしたものであり、実際とは異なります。

　本書の調剤録は記号を明記し、点数の内訳がわかるようにしたオリジナルのものです。

レセプト作成に必要な資料

・保険薬局の設定条件

・処方箋

・調剤報酬点数早見表（P.4 参照）

・保険薬局で扱う主な公費負担医療制度（P.8 参照）

・薬価基準（抜粋）（P.9 参照）

・患者負担割合一覧（P.10 参照）

〈調剤報酬点数早見表〉（略語対応）

令和6年6月版

	施設基準等			略称	点数	留意点
	調剤基本料1	処方箋受付1回につき算定。調剤基本料2、調剤基本料3および特別基本料A・B以外		基A	45	23
	調剤基本料2	処方箋受付1回につき算定		基B	29	15
		①処方箋受付回数が月2,000回超	かつ集中率85%超			
		②処方箋受付回数が月4,000回超	かつ上位3医療機関合計受付回数の集中率70%超			
		③処方箋受付回数が月1,800回超	かつ集中率95%超			
		④特定の医療機関からの処方箋受付回数が月4,000回超				
	調剤基本料3－イ	処方箋受付1回につき算定		基C	24	12
		①同一グループで処方箋受付回数が月3万5千回超～4万回	かつ集中率95%超			
		②同一グループで処方箋受付回数が月4万回超～40万回	かつ集中率85%超			
		③ ①と②のほか特定の保険医療機関との間で不動産取引があるもの				
	調剤基本料3－ロ	処方箋受付1回につき算定		基D	19	10
		①同一グループで処方箋受付回数が月40万回超又は同一グループの保険調剤薬局の数が300以上	かつ集中率85%超			
		② ①のほか、特定の医療機関との間で不動産取引があるもの				
	調剤基本料3－ハ	処方箋受付1回につき算定		基E	35	18
		同一グループで処方箋受付が月40万回超又は同一グループの保険調剤薬局の数が300以上	かつ集中率85%以下			
	特別調剤基本料A	処方箋受付1回につき算定		特基A	5	
		保険医療機関と特別な関係（同一敷地内）	かつ集中率50%超			
	特別調剤基本料B	処方箋受付1回につき算定		特基B	3	
		調剤基本料に係る届出を行っていない				
①調剤基本料	分割調剤（長期投薬の場合）	1分割調剤につき／処方箋2回目以降		分	5（調剤管理料と外来服薬支援料2は算定可）	
	分割調剤（後発医薬品の試用）	1分割調剤につき／処方箋2回目のみ		試	5（調剤管理料、服薬管理指導料、外来服薬支援料2は算定可）	
	医師の指示による分割調剤	1分割調剤につき／処方箋2回目以降 2回目以降、調剤基本料およびその加算、薬剤調製料およびその加算、薬学管理料について、所定点数を分割回数で除した点数を1分割調剤につき算定		医	所定点数／分割回数	
	《加算》					
	地域支援体制加算　受付1回につき加算。特別調剤基本料Aを算定する薬局は10／100で算定。特別調剤基本料Bを算定する薬局は算定不可					
	地域支援体制加算1	調剤基本料1を算定している薬局。施設基準を満たした上で、かかりつけ薬剤師指導料実績含む、3項目以上算定要件を満たす必要あり		地支A	32	
	地域支援体制加算2	調剤基本料1を算定している薬局。施設基準を満たした上で、さらに8項目の必要要件を満たす必要あり		地支B	40	
	地域支援体制加算3	調剤基本料1以外を算定している薬局。施設基準を満たした上で、他に3項目の算定要件を満たす必要あり		地支C	10	
	地域支援体制加算4	調剤基本料1以外を算定している薬局。施設基準を満たした上で、さらに8項目の算定要件を満たす必要あり		地支D	32	
	連携強化加算	災害・新興感染症発生時等の対応体制等を整備		連強	5	
	後発医薬品調剤体制加算　受付1回につき加算					
	後発医薬品調剤体制加算1	後発医薬品の調剤した数量割合が80%以上の場合		後A	21	
	後発医薬品調剤体制加算2	後発医薬品の調剤した数量割合が85%以上の場合		後B	28	
	後発医薬品調剤体制加算3	後発医薬品の調剤した数量割合が90%以上の場合		後C	30	
	後発医薬品減算	後発医薬品調剤割合が50%以下（受付回数月600回以下は除く）			-5所定点数から減算	

4

	施設基準等		略称	点数	留意点
①調剤基本料	在宅薬学総合体制加算　特別調剤基本料Aを算定する薬局は10／100で算定。特別調剤基本料Bを算定する薬局は算定不可				
	在宅薬学総合体制加算1	在宅患者訪問管理指導料等算定回数24回以上、緊急時の在宅対応、医療・衛生材料の整備	在総A	15	
	在宅薬学総合体制加算2	1の算定要件他、医療麻薬(注射含む)備蓄、無菌製剤処理体制整備、高度管理医療機器販売業許可、かかりつけ薬剤師指導料24回他	在総B	50	
	医療DX推進体制整備加算	オンライン資格確認による薬剤情報取得・活用体制、電子処方箋応需体制、マイナ保険証利用実績が必要。月1回まで。特別調剤基本料Bは算定不可	薬DX	4	

注：複数の医療機関から交付された処方箋を同時に受け付けた場合、受付が2回目以降の調剤基本料は、処方箋受付1回につき所定点数の100分の80に相当する点数を算定する。同

留意点：妥結率が5割以下、妥結率を未報告、かかりつけ機能にかかる基本的な業務を1年間未実施のいずれかの場合、調剤基本料は所定点数の50%減算で算定する（処方箋受付回数が1月600回以下を除く）。妥減

	項　目	算定要件		備　考		略称	点数	留意点
②薬剤調製料	内服薬	受付1回につき	1剤につき、3剤まで(浸煎薬、湯薬除く)			「内服」	24	4剤以上の部分は算定しない
	屯服薬	受付1回につき	調剤数や回数に関わらず1処方につき			「屯服」	21	
	浸煎薬	1調剤につき	1調剤につき、3剤まで			「浸煎」	190	
	湯薬	1調剤につき	1調剤につき、3剤まで。7日分以下の場合			「湯薬」	190	
			8日～28日分以下の場合　8日目以上の部分(1日分につき)				+10	
			29日分以上				400	
	内服用滴剤	1調剤につき	わずかな量(1滴～数滴)1調剤につき			「内滴」	10	上記の「内服薬の3剤まで」とは別に算定できる
	外用薬	受付1回につき	1調剤につき、3剤まで			「外用」	10	
	注射薬	受付1回につき				「注射」	26	
	無菌製剤処理加算(注射薬のみ)	1日分につき	1日につき、中心静脈栄養法用輸液			菌	69	2種類以上の注射薬を無菌室で混合して製剤した場合に算定する。2名以上の保険薬剤師を要する(1名は常勤)
				(6歳未満)			137	
			抗悪性腫瘍剤				79	
				(6歳未満)			147	
			麻薬				69	
				(6歳未満)			137	
	麻薬・向精神薬・覚醒剤原料・毒薬加算	1調剤につき	麻薬を調剤した場合			麻	70	
			向精神薬・覚醒剤原料・毒薬を調剤した場合			向・毒　覚原	8	
	自家製剤加算	7日分ごとにつき	内服薬	錠剤、丸剤、カプセル剤、散剤、顆粒剤、エキス剤		自予製剤使用・予錠剤を分割した場合・分自	20	予製剤を使用、または錠剤を分割した場合は、20／100相当で算定
				液剤			45	
		1調剤につき	屯服薬	内服薬と同じ			90	
				液剤			45	
			外用薬	錠剤、トローチ剤、パップ剤、軟・硬膏剤、リニメント剤、坐剤			90	
				点眼剤、点鼻・点耳剤、浣腸剤			75	
				液剤			45	
	計量混合調剤加算	1調剤につき	内服屯服外用	液剤		計	35	予製剤を使用した場合は、20／100相当で算定
				散剤、顆粒剤			45	
				軟・硬膏剤			80	
	時間外加算	開局時間外。概ね午前6時～8時、午後6時～10時(休日、深夜除く)				時		(所定点数+加算)×1
	休日加算	日曜、祝日、12／29～1／3				休		(所定点数+加算)×1.4
	深夜加算	午後10時～午前6時				深		(所定点数+加算)×2
	夜間・休日加算	受付1回につき。午後7時(土曜日は午後1時)～午前8時まで。開局時間内の時間				夜	40	

※1　開局時間以外で受付の場合
　・所定点数は 麻 向 毒 覚原 自 計 支B 加算を含まない

5

項　目		算定単位・要件				点数	略称
調剤管理料		1.内服薬（内服用滴剤、浸煎薬および湯薬を除く）を調剤した場合（内服薬1剤につき）　受付1回につき（3剤まで）				左記参照	
		1～7日分以下	**4**点	15～28日分	**50**点		
		8～14日分	**28**点	29日分以上	**60**点		
		①固形剤（錠剤、カプセル、散剤など） ②液剤（シロップなど）　※①と②は分けること 2.1以外の場合（受付1回につき）　**4**点					
	重複投薬・相互作用等防止加算	処方変更が行われた場合　残薬調整以外 残薬調整の場合				+40 +20	防A 防B
	調剤管理加算	複数の医療機関から合計6種類以上の内服薬が処方されている患者　初来局時 2回目以降・処方変更、追加があった場合				+3 +3	調管A 調管B
	医療情報取得加算1	オンライン資格確認システム体制整備、6月に1回まで				+3	医情A
	医療情報取得加算2	オンライン資格確認により薬剤情報取得、6月に1回まで				+1	医情B
服薬管理指導料							
	服薬管理指導料1	受付1回につき 3ヵ月以内に再来局した患者・おくすり手帳による情報提供				45	薬A
	服薬管理指導料2	3ヵ月以内に再来局した患者・おくすり手帳による情報提供なし 3ヵ月以内に再来局なし				59 59	薬B 薬C
	服薬管理指導料3	介護老人福祉施設等入所者（ショートステイ含む）、老健・介護医療院の患者も算定可。オンライン服薬指導含む月4回まで				45	薬3
	服薬管理指導料4	情報通信機器による服薬指導（オンライン服薬指導） 　イ　原則3ヵ月以内に再度処方箋を提出した患者・おくすり手帳による情報提供 　ロ　「イ」以外　おくすり手帳による情報提供なし				45 59	薬オA 薬オB
	服薬管理指導料（特例）	・3ヵ月以内に再来局した患者のうち手帳持参率が50％以下の薬局の場合（加算算定不可） ・かかりつけ薬剤師と連携するほかの薬剤師が対応した場合				13 59	特1
③薬学管理料	加算						
	麻薬管理指導加算	麻薬を調剤、服薬指導をした場合				+22	麻
	特定薬剤管理指導加算1	イ．特に安全を要する医薬品（ハイリスク薬）の指導、新たに処方された時 ロ．用量変更や副作用発現等に伴い、指導が必要な時				+10 +5	特管Aイ 特管Aロ
	特定薬剤管理指導加算2	抗悪性腫瘍剤を注射かつ調剤（月1回まで）				+100	特管B
	特定薬剤管理指導加算3	イ．医薬品リスク管理計画に基づく指導、対象医薬品最初の処方時1回のみ（初回のみ） ロ．選定療養（長期収載品の選択）等の説明、対象薬最初の処方時1回のみ（初回のみ）				+5 +5	特管Cイ 特管Cロ
	乳幼児服薬指導加算	6歳未満に対し指導した時				+12	乳
	吸入薬指導加算	3ヵ月に1回まで				+30	吸
	小児特定加算	医療的ケア児に必要な服薬指導、手帳へ記載				+350	小特
	かかりつけ薬剤師指導料	受付1回につき　　服薬情報等提供料の併算定不可				76	薬指
	麻薬管理指導加算	麻薬を調剤、服薬指導をした場合				+22	麻
	特定薬剤管理指導加算1	イ．特に安全を要する医薬品の指導、新たに処方された時 ロ．用量変更や副作用発現等に伴い、指導が必要な時				+10 +5	特管Cイ 特管Cロ
	特定薬剤管理指導加算2	抗悪性腫瘍剤を注射かつ調剤（月1回まで）				+100	特管B
	特定薬剤管理指導加算3	イ．医薬品リスク管理計画に基づく指導、対象医薬品最初の処方時1回のみ ロ．選定療養（長期収載品の選択）等の説明、対象薬最初の処方1回のみ				+5 +5	特管Cイ 特管Cロ
	乳幼児服薬指導加算	6歳未満に対し指導した時				+12	乳
	小児特定加算	医療的ケア児に必要な服薬指導、手帳へ記載				+350	小特
	吸入薬指導加算	喘息または慢性閉塞性肺疾患の患者、3ヵ月に1回まで				+30	吸

項　目	算定単位・要件	点数	略称
かかりつけ薬剤師包括管理料	受付1回につき	291	薬包
外来服薬支援料1	月1回のみ、処方箋は必要としない	185	支A
外来服薬支援料2	**一包化支援　内服薬のみ**　　受付1回につき（7日分につき34点） 　1～7日分　　**34**点　29～35日分　**170**点 　8～14日分　**68**点　36～42日分　**204**点 　15～21日分　**102**点　43日以上　**240**点 　22～28日分　**136**点	左記 参照	支B
施設連携加算	介護施設入所患者を訪問、施設職員と協働して服薬管理、支援時、月1回まで	+50	施連
服用薬剤調整支援料1	月1回のみ・6種類以上→2種類以上に減少	125	剤調A
服用薬剤調整支援料2	イ. 6種類以上→処方医に減薬を提案、実績あり、3月に1回まで ロ. イ. 以外	110 90	剤調B 剤調C
調剤後薬剤管理指導料	地域支援体制加算の届出をしている保険薬局、月1回まで 1）新たに糖尿病用剤を処方、または処方内容変更 2）慢性心不全患者、心疾患による入院歴ありの患者に指導	 60 60	 調後A 調後B
服薬情報等提供料1	医療機関からの求めの場合、文書による情報提供（月1回まで）	30	服A
服薬情報等提供料2	薬剤師が必要性を認めた場合、文書による情報提供（月1回まで） イ）保険医療機関へ情報を提供した場合 ロ）リフィル処方箋の調剤後処方医に必要な情報を提供した場合 ハ）介護支援専門員に必要な情報を提供した場合	 20 20 20	 服Bイ 服Bロ 服Bハ
服薬情報等提供料3	医療機関からの求め、入院予定患者の服用薬整理、文書による情報提供（3月に1回まで）	50	服C
③薬学管理料　在宅患者訪問薬剤管理指導料 ①単一建物患者1人 ②単一建物患者2～9人 ③①および②以外 ④在宅患者オンライン薬剤管理指導料	患者と薬局の距離16km以内 月4回まで（がん末期患者、注射による麻薬投与が必要な患者、中心静脈栄養法の患者週2回、月8回まで） ※①（①～④合わせて）保険薬剤師1人につき週40回まで	650 320 290 59	訪A 訪B 訪C 在オ
麻薬管理指導加算	麻薬を調剤、服薬指導をした場合	+100	麻
	オンライン服薬指導の場合	+22	麻オ
在宅患者医療用麻薬持続注射療法加算	医療用麻薬持続注射療法について、薬学的管理及び指導をした場合（オンライン不可）	+250	医麻
乳幼児服薬指導加算	6歳未満に対し指導した時	+100	乳
	オンライン服薬指導の場合	+12	乳オ
小児特定加算	医療的ケア児に必要な服薬指導、手帳へ記載	+450	小特
	オンライン服薬指導の場合	+350	小特オ
在宅中心静脈栄養法加算	在宅中心静脈栄養法について、必要な薬学的管理及び指導をした場合（オンライン不可）	+150	中静
在宅患者緊急訪問薬剤管理指導料 ①計画的な訪問薬剤管理指導に係る疾患の急変に伴う場合 ②①以外の場合 ③在宅患者緊急オンライン薬剤管理指導料	在宅療養患者の状態急変等に伴う、医師の指示による対応、新興感染症対応 月4回まで（がん末期患者、注射による麻薬投与が必要な患者、中心静脈栄養法の患者原則月8回まで） ※①～③はオンライン服薬指導も合わせて保険薬剤師1人につき週40回まで	500 200 59	緊訪A 緊訪B 緊訪オ
麻薬管理指導加算	麻薬を調剤、服薬指導をした場合	+100	麻
	オンライン服薬指導の場合	+22	麻オ
在宅患者医療用麻薬持続注射法加算	医療用麻薬持続注射療法について、薬学的管理および指導をした場合（オンライン不可）	+250	医麻
乳幼児服薬指導加算	6歳未満に対し指導した時	+100	乳
	オンライン服薬指導の場合	+12	乳オ

7

項　目		算定単位・要件	点数	略称
③薬学管理料	小児特定加算	医療的ケア児に必要な服薬指導、手帳へ記載	+450	小特
		オンライン服薬指導の場合	+350	小特オ
	在宅中心静脈栄養法加算	在宅中心静脈栄養法について、必要な薬学的管理および指導をした場合（オンライン不可）	+150	中静
	夜間訪問加算 休日訪問加算 深夜訪問加算	末期がん患者、注射による麻薬投与が必要な患者に対し、開局時間以外に緊急に患者宅を訪問し、薬学的管理・服薬指導を行った場合にそれぞれ所定点数に加算する	夜間+400 休日+600 深夜+1000	夜訪 休訪 深訪
	在宅患者緊急時等共同指導料	月2回まで 主治医または連携する保険医との共同カンファレンスを行い、薬学的管理指導を行った場合	700	緊共
	麻薬管理指導加算	麻薬を調剤、服薬指導をした場合	+100	麻
	在宅患者医療用麻薬持続注射法加算	医療用麻薬持続注射療法について、薬学的管理および指導をした場合	+250	医麻
	乳幼児服薬指導加算	6歳未満に対し指導した時	+100	乳
	小児特定加算	医療的ケア児に必要な服薬指導、手帳へ記載	+450	小特
	在宅中心静脈栄養法加算	在宅中心静脈栄養法について、必要な薬学的管理および指導をした場合	+150	中静
	在宅患者重複投薬・相互作用等防止管理料	1) 疑義照会に伴う処方変更　　　　　イ. 残薬調整以外	40	在防Aイ
		ロ. 残薬調整の場合	20	在防Aロ
		2) 処方箋交付前の処方提案に伴う処方箋受付　イ. 残薬調整以外	40	在防Bイ
		ロ. 残薬調整の場合	20	在防Bロ
	経管投薬支援料	初回のみ	100	経
	在宅移行初期管理料	在宅療養が予定されている患者に、保険医と連携して開始前の薬学管理指導をした場合、在宅患者訪問薬剤管理指導料等の初回に算定	230	在初
	退院時共同指導料	入院中1回（末期がん患者等の場合入院中2回まで）	600	退共

④ 薬剤料

薬剤料の計算のしかた

所定単位分の薬剤の合計金額 ÷ 10 = 点数 …… 小数点以下は**五捨五超入**

> .50 まで切り捨て
> .50 超は繰り上げ

＊薬剤料は最低1点から算定できます。

＊特別調剤基本料AとBの薬局で、7種類以上の内服薬を調剤した場合は10%減で算定します。

＊R6.10.1～選定療養（先発と後発の差額の1／4を自費扱い）が導入されます。

　　例　3.5円 ÷ 10 = 0.35 → 五捨五超入すると、0ですが、最低1点は算定できます。

【薬剤料の所定単位】

区　分	所定単位　投与単位		区　分	所定単位　投与単位
内服薬	1剤1日分×日数		屯服薬	1調剤分
内服用滴剤	1調剤分×調剤数		外用剤	1調剤分×調剤数
浸煎薬	1調剤分×調剤数		注射薬	1調剤分
湯薬	1剤1日分×日数			

⑤ 特定保険医療材料料

特定保険医療材料料の計算のしかた

特定保険医療材料の価格 ÷ 10 = 点数 …… 小数点以下は**四捨五入**

＊薬剤以外はすべて小数点以下を「四捨五入」します。

〈保険薬局で扱う主な公費負担医療制度〉

制　　度	法別番号	備　　考
戦傷病者特別援護法	13（療養の給付）	公傷病については全額公費（自己負担0）
	14（更生医療）	それ以外は医療保険適用
原子爆弾被爆者に対する援護に関する法律	18（認定疾病）	認定疾病については全額公費（自己負担0）
	19（一般疾病）	一般疾病は医療保険の自己負担分に公費適用（自己負担0）
感染症の予防及び感染症の患者に対する医療に関する法律	10（適正医療）	公費負担95%（医療保険優先、残りを公費で）、自己負担5%
心神喪失者の医療・観察法	30	自己負担0

制　　度	法別番号	備　　考
障害者総合支援法	21（精神通院） 16（育成医療） 15（更生医療） 24（療養介護医療）	保険優先、自己負担は原則 10% 別に「病院分＋薬局分＝合計」に対する負担上限月額の設定あり
児童福祉法	17（療育の給付） 79（入所医療） 52（小児慢性） 53（措置）	保険優先、保護者の所得に応じ自己負担の可能性あり 保険優先、自己負担は2割 自己負担0
母子保健法	23（養育医療）	保険優先、自己負担分を都道府県または市町村が負担
特定疾患治療研究事業等	51	保険優先、自己負担分は2割
石綿による健康被害の救済に関する法律	66	保険優先、自己負担分を公費適用（自己負担 0）
肝炎治療特別促進事業	38	世帯の課税額により当月合計額が 1 万円または 2 万円世帯の生計中心者が 市町村民税非課税の場合は自己負担は 0
中国残留邦人等の円滑な帰国の促進および 永住帰国後の自立の支援に関する法律	25	保険優先、自己負担分を公費適用（自己負担 0）
生活保護法	12（医療扶助）	保険優先、自己負担分を公費適用（自己負担 0） ただし、医療扶助単給世帯は所得により自己負担の可能性あり

薬価基準（抜粋）（令和 6 年 4 月版）

【内用薬】

（★印＝後発医薬品）

品　　名	規格・単位	薬　価	備　　考
アーチスト錠 2.5mg	2.5mg　1 錠	12.90	慢性心不全治療剤
アスベリン散 10%	10%　1g	11.90	鎮咳剤
アスベリンシロップ 0.5%	0.5%　1ml	1.97	鎮咳剤
★アトルバスタチン錠 10mg「サワイ」	10mg　1 錠	15.80	HMG-CoA 還元酵素阻害剤
★アリピプラゾール錠 6mg「トーワ」	6mg　1 錠	12.30	抗精神病薬
★エチゾラム錠 0.5mg「EMEC」	0.5mg　1 錠	向 6.40	精神安定剤
エリキュース錠 2.5mg	2.5mg　1 錠	117.50	経口 FXa 阻害剤
★オルメサルタンOD錠 20mg「トーワ」	20mg　1 錠	20.20	高親和性 AT1 レセプターブロッカー
ガスター錠 10mg	10mg　1 錠	13.70	H2 受容体拮抗剤
ガストローム顆粒 66.7%	66.7%　1g	12.20	胃炎・胃潰瘍治療剤
★カルボシステイン DS50%「タカタ」	50%　1g	12.50	気道粘液調整・粘膜正常化剤
★カルボシステイン錠 250mg「トーワ」	250mg　1 錠	6.70	気道粘液調整・粘膜正常化剤
★カロナール錠 300mg	300mg　1 錠	7.00	解熱鎮痛剤
★クエチアピン錠 25mg「DSEP」	25mg　1 錠	劇 10.10	抗精神病剤
★クラリスロマイシン錠 200mg「NP」	200mg　1 錠	19.20	マクロライド系抗生物質製剤
サイレース錠 1mg	1mg　1 錠	向 8.40	不眠症治療剤
★酸化マグネシウム錠 250mg「ヨシダ」	250mg　1 錠	5.70	制酸・緩下剤
★ジアゼパム錠 2mg「アメル」	2mg　1 錠	向 5.70	マイナートランキライザー
★シベンゾリンコハク酸塩錠 100mg「サワイ」	100mg　1 錠	劇 17.20	不整脈治療剤
ジャディアンス錠 10mg	10mg　1 錠	188.90	選択的 SGLT2 阻害剤
小児用ムコソルバン DS1.5%	1.5%　1g	20.80	気道潤滑去痰剤
★スルピリド錠 50mg「サワイ」	50mg　1 錠	6.40	抗潰瘍・精神用剤
セフジニル錠 50mg「サワイ」	50mg　1 錠	40.20	経口用セフェム系抗生物質製剤
セルベックスカプセル 50mg	500mg　1 カプセル	9.60	胃炎・胃潰瘍治療剤
★テオフィリン徐放ドライシロップ小児用 20%「サワイ」	20%　1g	劇 32.00	キサンチン系気管支拡張剤
★トラネキサム酸錠 250mg「YD」	250mg　1 錠	10.10	抗プラスミン剤
ニューロタン錠 25mg	25mg　1 錠	26.90	アンジオテンシン II 受容体拮抗薬
★ニフェジピン L 錠 10mg「サワイ」	10g　1 錠	劇 5.70	持続性 Ca 拮抗剤　高血圧・狭心症治療剤
バルトレックス錠 500mg	500mg　1 錠	170.20	抗ウイルス化学療法
★バルプロ酸ナトリウム錠 100mg「アメル」	100mg　1 錠	9.30	抗てんかん剤、躁病・躁状態治療剤、片頭痛治療剤
ヒルナミン錠 50mg	50mg　1 錠	劇 8.90	精神神経用剤
★ファモチジン OD 錠 10mg「Me」	10mg　1 錠	10.10	H2 受容体拮抗剤
★ファモチジン錠 20mg「杏林」	20mg　1 錠	10.10	H2 受容体拮抗剤
★フェキソフェナジン塩酸塩錠 60mg「ケミファ」	60mg　1 錠	23.10	アレルギー性疾患治療剤
★フェブキソスタット錠 10mg「明治」	10mg　1 錠	6.20	高尿酸血症治療剤
★プレガバリン OD 錠 75mg「サンド」	75mg　1 錠	13.30	疼痛治療剤
★ブロチゾラム錠 0.25mg「サワイ」	0.25mg　1 錠	向 10.10	向睡眠導入剤
★プロピベリン塩酸塩錠 20mg「YD」	20mg　1 錠	27.20	尿失禁・頻尿治療剤
プロプレス錠 8mg	8mg　1 錠	48.90	持続性アンジオテンシンII受容体拮抗剤
ベシケア OD 錠 5mg	5mg　1 錠	94.60	過活動膀胱治療剤

9

品　　名	規格・単位	薬　価	備　　考
ペリアクチンシロップ 0.04%	0.04%　1ml	1.55	抗アレルギー剤
ベルソムラ錠 10mg	10mg　1錠	69.30	オレキシン受容体拮抗薬
ミネブロ錠 2.5mg	2.5mg　1錠	91.60	選択的ミネラルコルチコイド受容体ブロッカー
ムコダインシロップ 5%	5%　1ml	6.10	気道粘液調整・粘膜正常化剤
メイアクト MS 錠 100mg	100mg　1錠	56.60	経口用セフェム系抗生物質製剤
メジコン錠 15mg	15mg　1錠	5.70	鎮咳剤
メチコバール錠 500μg	500μg　1錠	10.10	末梢性神経障害治療剤
メトホルミン塩酸塩錠 250mgMT「ニプロ」	250mg　1錠	劇 10.10	ビグアナイド系経口血糖降下剤
メプチンドライシロップ 0.005%	0.005%　1g	36.60	気管支拡張剤
ラキソベロン内用液 0.75%	0.75%　1ml	16.00	滴加型緩下剤
レバミピド錠 100mg「TCK」	100mg　1錠	10.10	胃炎・胃潰瘍治療剤
ロキソニン錠 60mg	60mg　1錠	10.10	鎮痛・抗炎症・解熱剤
★ロスバスタチン錠 5mg「NIG」	5mg　1錠	10.10	HMG-CoA 還元酵素阻害剤

【外用薬】

品　　名	規格・単位	薬　価	備　　考
★アセトアミノフェン坐剤小児用 100mg「JG」	100mg　1個	19.70	小児用解熱鎮痛剤
アンテベート軟膏 0.05%	0.05%　1g	劇 18.90	外用副腎皮質ホルモン剤
アンヒバ坐剤小児用 100mg	100mg　1個	19.70	小児用解熱鎮痛剤
★ケトプロフェンテープ 20mg「パテル」	20mg　1枚	12.30	経皮吸収型鎮痛消炎剤
スタデルム軟膏 5%	5%　1g	12.30	非ステロイド系消炎・鎮痛外用剤
ヒルドイドソフト軟膏 0.3%	0.3%　1g	18.50	血行促進・皮膚保湿剤
フルメトロン点眼液 0.02%	0.02%　1ml	26.30	抗炎症ステロイド水性懸濁点眼剤
ホクナリンテープ 1mg	1mg　1枚	29.10	経皮吸収型・気管支拡張剤
リドメックスコーワ軟膏 0.3%	0.3%　1g	14.70	外用副腎皮質ホルモン剤
リンデロン V 軟膏 0.12%	0.12%　1g	18.60	皮膚外用合成副腎皮質ホルモン剤

〈患者負担割合一覧〉

区分	患者負担割合
75 歳以上（後期高齢者）	1 割 ・一定以上の所得者は 2 割 ・現役並み所得者は 3 割
70 歳〜 74 歳（高齢受給者）	2 割 ・現役並み所得者は 3 割
6 歳（義務教育就学以降）〜 69 歳	3 割
0 歳〜 6 歳（義務教育就学前）	2 割

ケース1 内服・屯服・外用薬の調剤の入った基本パターン

次の処方箋をもとにして、調剤レセプトを作成しなさい。

【算定条件】①調剤基本料1の保険薬局、妥結率50%超
②服薬管理指導料1を実施（3ヵ月以内に再来局、おくすり手帳に記載・持参あり）
③開局時間：月～土　9時～18時
④休業日：日曜・祝日

処 方 箋
（この処方箋は、どの保険薬局でも有効です。）

公費負担者番号		保険者番号	1 3 4 5 6 9
公費負担医療の受給者番号		被保険者証・被保険者手帳の記号・番号	110・119　（枝番）

患者	氏 名	代々木　まつり	保険医療機関の所在地及び名称	東京都○○○ 1-2-1 浅草病院
	生年月日	明 大 昭 平 令　60年5月26日　男・女	電話番号	
			保険医氏名	木村　進一　㊞
	区分	被保険者　　被扶養者	都道府県番号 13　点数表番号 1　医療機関コード 06○○○○○	

交付年月日	令和 6 年 6 月 16 日	処方箋の使用期間	令和　年　月　日	特に記載のある場合を除き、交付の日を含めて4日以内に保険薬局に提出すること。

処方	変更不可（医療上必要）	患者希望	個々の処方薬について、医療上の必要性があるため、後発医薬品（ジェネリック医薬品）への変更に差し支えがあると判断した場合には、「変更不可」欄に「レ」又は「×」を記載し、「保険医署名」欄に署名又は記名・押印すること。また、患者の希望を踏まえ、先発医薬品を処方した場合には、「患者希望」欄に「レ」又は「×」を記載すること。
			Rp）①バルトレックス錠500mg　3T セルベックスカプセル50mg　3C 　分3　　毎食後　　7日分 ②ロキソニン錠60mg　1T 　疼痛時（1日3回まで、6時間あける） 　10回分 ③スタデルム軟膏5%　10g 　1日適量　　患部に塗布 リフィル可 □ （　　回）

備考	保険医署名	「変更不可」欄に「レ」又は「×」を記載した場合は、署名又は記名・押印すること。

保険薬局が調剤時に残薬を確認した場合の対応（特に指示がある場合は「レ」又は「×」を記載すること。） □保険医療機関へ疑義照会した上で調剤　　　　　□保険医療機関へ情報提供

調剤実施回数（調剤回数に応じて、□に「レ」又は「×」を記載するとともに、調剤日及び次回調剤予定日を記載すること。）
□1回目調剤日（　　年　月　日）　□2回目調剤日（　　年　月　日）　□3回目調剤日（　　年　月　日）
次回調剤予定日（　　年　月　日）　次回調剤予定日（　　年　月　日）

調剤済年月日	令和　年　月　日	公費負担者番号	
保険薬局の所在地及び名称保険薬剤師氏名	㊞	公費負担医療の受給者番号	

備考　1．「処方」欄には、薬名、分量、用法及び用量を記載すること。
　　　2．この用紙は、A列5番を標準とすること。
　　　3．療養の給付及び公費負担医療に関する費用の請求に関する命令（昭和51年厚生省令第36号）第1条の公費負担医療については、「保険医療機関」とあるのは「公費負担医療の担当医療機関」と、「保険医氏名」とあるのは「公費負担医療の担当医師氏名」と読み替えるものとすること。

○ 調剤報酬明細書

令和 6 年 6月分

都道府県番号 薬局コード 13

| 4 調剤 | ①社・国 2公費 | 3後期 4退職 | ①単独 2 2併 3 3併 | ②本外 4六外 6家外 | 8高外一 0 高外7 |

| 保険者番号 | 1 3 4 5 6 9 | 給付割合 | 10 9 8 ⑦（ ） |

被保険者証・被保険者手帳等の記号・番号 110・119 （枝番）

| 公費負担者番号① | | | | | 公費負担医療の受給者番号① | | | |
| 公費負担者番号② | | | | | 公費負担医療の受給者番号② | | | |

氏名 代々木 まつり

1男 ②女 1明 2大 ③昭 4平 5令 60.5.26生

特記事項

保険薬局の所在地及び名称

職務上の事由 1職務上 2下船後3月以内 3通勤災害

保険医療機関の所在地及び名称 東京都○○○ 1-2-1 浅草病院

都道府県番号 13 点数表番号 1 医療機関コード 0 6 ○○○○○○

保険医氏名		
1	木村 進一	6
2		7
3		8
4		9
5		10

受付回数 保険 1 回 公費① 回 公費② 回

医師処方月日	調剤月日	処方 医薬品名・規格・用量・剤形・用法	単位薬剤料	調剤数量	薬剤調製料調剤管理料	薬剤料	加算料	公費分点数
6・16	6・16	「内服」 バルトレックス錠500mg 3T	54 点	7	24 4	378 点	点	点
・	・	セルベックスカプセル50mg 3C						
・	・	分3 毎食後						
6・16	6・16	「屯服」 ロキソニン錠60mg 1錠	10	1	21 0	10		
・	・	疼痛時 10回分						
・	・	（1日3回まで 6時間あける）						
6・16	6・16	「外用」 スタデルム軟膏5% 10g	12	1	10 0	12		
・	・	（1日適量患部塗布）						
・	・							
・	・							
・	・							
・	・							
・	・							
・	・							
・	・							
・	・							
・	・							
・	・							

摘要

※高額療養費 円
※公費負担点数 点
※公費負担点数 点

保険	請求 点 549	※ 決定 点	一部負担金額 円	調剤基本料 点 基A 45	時間外等加算 点	薬学管理料 点 薬A 1 45
			減額 割（円） 免除・支払猶予			
公費①	点	※ 点	円	点	点	点
公費②	点	※ 点	円	点	点	点

12

〈調剤録〉

	薬剤料	調剤数量	薬剤料計	薬剤調製料	調剤管理料	加算料	小計	薬学管理料	調剤基本料	合計点数
①	54	7	378	24	4		406	薬A 45	基A 45	549
②	10	1	10	21	0		31			
③	12	1	12	10	0		22	その他の特掲技術料	患者負担金	1650 円
									請求金額	円

解説

POINT

- 薬剤料の計算、薬剤調製料・調剤管理料のとり方、調剤基本料の選び方、薬学管理料の算定のしかたのベーシックパターンです。早見表を見ながらしっかりと算定手順を覚えましょう。
- **調剤数量**は、内服薬・湯薬については**投与日数**を書きます。
- 内服用滴剤・浸煎薬・屯服薬・注射薬・外用薬は調剤**数**を書きます。
- 薬学管理料を算定するときは設定条件を確認します。
  ・服薬管理指導1 薬A が算定できます。
- 調剤基本料を算定するときは設定条件を確認します。
  ・調剤基本料1 基A が算定できます。

●薬剤料、薬剤調製料・調剤管理料

❶薬価に数量をかけて、金額を計算します。（薬価基準P.9）

❷金額を点数に直します。金額÷10 ＝ 点数

❸小数点以下の処理をします。

> .50まで切り捨て
> .50超は繰り上げ

【Rp ①…内服】

❶単位薬剤料　バルトレックス錠 500mg
　　　　　　　¥170.20 × 3T＝¥510.60
　　　　　　　セルベックスカプセル 50mg
　　　　　　　¥9.60 × 3C ＝ ¥28.8

> 合計 ¥539.40
> 金額を点数にする
> →539.40÷10＝
> 53.94(五捨五超入)
> ⇒ **54点**

❷調剤数量　　**7 日分**

❸薬剤料　　　❶×❷ → 54 点× 7 日分 ＝ **378 点**

❹薬剤調製料　早見表から、内服薬 1 剤につき　⇒**24 点**

　調剤管理料　早見表から、内服薬 7 日分を確認 ⇒ **4 点**

> 早見表
> 28点

❺加算料　　　なし

【Rp ②…屯服】

❶単位薬剤料　ロキソニン錠 60mg ¥10.10 × 10T ＝ ¥101.0
　　　　　　　金額を点数にする

13

$$→ 101.0 ÷ 10 = 10.10（五捨五超入）⇒ \textbf{10 点}$$

❷調剤数量　　屯服は 1（屯服は全量で計算し、1 調剤として考える）

❸薬剤料　　　❶×❷ → 10 点×1 調剤 = **10 点**

❹薬剤調製料　早見表から、屯服を確認 ⇒ **21 点** ◁ 早見表

　調剤管理料　なし

❺加算料　　　なし

【Rp ③…外用】

❶単位薬剤料　スタデルム軟膏 5%　¥12.30 × 10 g = ¥123.0

　　　　　　　金額を点数にする

$$→ 123.0 ÷ 10 = 12.30（五捨五超入）⇒ \textbf{12 点}$$

❷調剤数量　　外用は 1（外用は全量で計算し、1 調剤として考える）

❸薬剤料　　　❶×❷ → 12 点×1 調剤 = **12 点**

❹薬剤調製料　早見表から、外用を確認 ⇒ **10 点** ◁ 早見表

　調剤管理料　なし

❺加算料　　　なし

レセプトに、①〜③ごと線で区切って、調剤月日・投薬内容・単位薬剤料・調剤数量・薬剤調製料・調剤管理料・薬剤料を書きます。

●薬学管理料

早見表

算定条件（3 ヵ月以内の再来局かつ手帳による情報提供がある）を確認します。服薬管理指導料 1 を実施 1 回→ 45 点

〈レセプトの書き方〉
薬学管理料

薬Ａ	1
45	

レセプトの薬学管理料の欄に 薬Ａ 1、**45 点**と書きます。

上の段に回数、下の段に点数を書きます。

●調剤基本料

算定条件を確認します。

早見表

調剤基本料 1 の保険薬局で、妥結率 50% 超→ 基Ａ 45 点

> 調剤基本料は調剤基本料 1 の保険薬局（届）→「 基Ａ 」45 点となる

早見表を参照し、基Ａ 45 点とレセプトの調剤基本料の欄に書きます。

●患者負担金

調剤録の合計点数に負担割合（P.10 参照）をかけて、患者負担金を計算します。549 点×3 割 = 1,647(四捨五入) ⇒ **1,650 円**

ケース2 緊急受付（時間外）、計量混合調剤を行ったケース

次の処方箋をもとにして、調剤レセプトを作成しなさい。

【算定条件】 ①処方箋の受付回数：1月3,400回（特定医療機関集中率63%）、妥結率50%超
②服薬管理指導料2を実施（3ヵ月以内に再来局なし、おくすり手帳に記載・持参あり）乳幼児服薬指導加算を実施
③開局時間：月〜土　9時〜18時
④休業日：日曜・祝日

処　方　箋

（この処方箋は、どの保険薬局でも有効です。）

公費負担者番号		保険者番号	3 4 0 7 0 6 0 7
公費負担医療 の受給者番号		被保険者証・被保険 者手帳の記号・番号	公立福・1234 （枝番）

患者	氏　名	白川　ひとみ	保険医療機関の 所在地及び名称	福島県○○○ 4-5-6 会津病院
	生年月日	明大昭平令 2年10月16日 男・女	電話番号 保険医氏名	中通　直子　　㊞
	区　分	被保険者　　被扶養者	都道府県番号 07 点数表番号 1 医療機関コード 23○○○○	

交付年月日	令和 6 年 6 月 14 日	処方箋の 使用期間	令和　年　月　日	特に記載のある場合を除き、交付の日を含めて4日以内に保険薬局に提出すること。

処方	変更不可 （医療上必要）	患者希望	個々の処方薬について、医療上の必要性があるため、後発医薬品（ジェネリック医薬品）への変更に差し支えがあると判断した場合には、「変更不可」欄に「レ」又は「×」を記載し、「保険医署名」欄に署名又は記名・押印すること。また、患者の希望を踏まえ、先発医薬品を処方した場合には、「患者希望」欄に「レ」又は「×」を記載すること。
			Rp）①ムコダインシロップ5%　6ml 　　　アスベリンシロップ0.5%　3ml 　　　ペリアクチンシロップ0.04%　3ml 　　　　　分3　毎食後　3日分 　　②アンヒバ坐剤小児用100mg 　　　発熱時1回1個（6時間あけて）3回分 リフィル可 □　（　　　回）

備考	保険医署名	「変更不可」欄に「レ」又は「×」を記載した場合は、署名又は記名・押印すること。

6／14 PM7:30　緊急受付　6歳未満の幼児に対し、適切な服薬・誤飲防止などの指導（乳幼児服薬指導加算）を実施
液剤は計量して混合調剤する

保険薬局が調剤時に残薬を確認した場合の対応（特に指示がある場合は「レ」又は「×」を記載すること。）
□保険医療機関へ疑義照会した上で調剤　　　　　□保険医療機関へ情報提供

調剤実施回数（調剤回数に応じて、□に「レ」又は「×」を記載するとともに、調剤日及び次回調剤予定日を記載すること。）
□1回目調剤日（　　年　月　日）　□2回目調剤日（　　年　月　日）　□3回目調剤日（　　年　月　日）
次回調剤予定日（　年　月　日）　　次回調剤予定日（　年　月　日）

調剤済年月日	令和　年　月　日	公費負担者番号	
保険薬局の所在地及び名称 保険薬剤師氏名	㊞	公費負担医療の 受給者番号	

備考 1．「処方」欄には、薬名、分量、用法及び用量を記載すること。
　　 2．この用紙は、A列5番を標準とすること。
　　 3．療養の給付及び公費負担医療に関する費用の請求に関する命令（昭和51年厚生省令第36号）第1条の公費負担医療については、「保険医療機関」とあるのは「公費負担医療の担当医療機関」と、「保険医氏名」とあるのは「公費負担医療の担当医師氏名」と読み替えるものとすること。

○ 調剤報酬明細書

令和 6 年 6月分　　都道府県番号 07

| 4 調剤 | ①社・国 2公費 | 3後期 4退職 | ①②③ 単独 2併 3併 | 2本外 6外 家外 | 8 高外一 0 高外7 |

保険者番号 3 4 0 7 0 6 0 7　給付割合 10 9 ⑧ 7( )

被保険者証・被保険者手帳等の記号・番号　公立福・1234 （枝番）

公費負担者番号①			公費負担医療の受給者番号①		
公費負担者番号②			公費負担医療の受給者番号②		

氏名　白川　ひとみ

特記事項

保険薬局の所在地及び名称

名 1男 ②女 1明 2大 3昭 4平 ⑤令 2.10.16 生

職務上の事由 1職務上 2下船後3月以内 3通勤災害

保険医療機関の所在地及び名称　福島県○○○ 4-5-6　会津病院

都道府県番号 0 7　点数表番号 1　医療機関コード 2 3 ○○○○○

保険医氏名

1	中通 直子	6
2		7
3		8
4		9
5		10

受付回数　保険 1 回　公費① 回　公費② 回

医師番号	処方月日	調剤月日	処　方　医薬品名・規格・用量・剤形・用法	単位薬剤料	調剤数量	調剤報酬点数 薬剤調製料調剤管理料	薬剤料	加算料	公費分点数
	6・14	6・14	［内服］	5 点	3	24点 4	15点	薬時 調 28 計 35	点
	・	・	ムコダインシロップ5%　6ml						
	・	・	アスベリンシロップ0.5%　3ml						
	・	・	ペリアクチンシロップ0.04%　3ml						
	・	・	分3 毎食後 3日分						
	6・14	6・14	「外用」	6	1	10 0	6	薬時10	
	・	・	アンヒバ坐剤小児用 100mg						
	・	・	3個						
	・	・	発熱時 1回1個 6時間あけて 3回分						

摘要　6／14 PM7:30 緊急受付　　液剤は計量して混合調剤する

※高額療養費　　円
※公費負担点数　　点
※公費負担点数　　点

保険	請　求 293 点	※	決　定 点	一部負担金額 円	調剤基本料 基A 45 点	時間外等加算 時 45 点	薬学管理料 薬C1 乳1 71 点
				減額 割(円) 免除・支払猶予			
公費①	点	※	点	円	点		点
公費②	点	※	点	円	点		点

16

〈調剤録〉

	薬剤料	調剤数量	薬剤料計	薬剤調製料	調剤管理料	加算料	小計	薬学管理料	調剤基本料	合計点数
①	5	3	15	24	4	薬時 調時28 計35	106	薬C 59 乳12	基A 45 時45	293
②	6	1	6	10	0	薬時10	26			
								その他の特掲技術料	患者負担金	590 円
									請求金額	円

解説

POINT

- 服薬管理指導料２の実施（３ヵ月以内に来局なし、手帳に記載あり）の算定です。
- 薬学管理料を算定するときは設定条件を確認します。
  - ・６歳未満の患者に適切な服薬指導をした場合は、**乳幼児服薬指導加算** 乳 12 点が算定できます。
- 調剤基本料を算定するときは設定条件を確認します。
  - ・時間外加算 時 が算定できます。
- 時間外等に緊急受付を行い調剤した場合は、「調剤基本料」と「薬剤調製料」、「調剤管理料」に対して時間外等の加算が算定できます。時間外（所定点数×１）、休日（所定点数×1.4）、深夜（所定点数×２）を加算します。時間外なので、レセプトの調剤報酬点数の「時間外等加算」欄には 時 を書きます。

●薬剤料、薬剤調製料・調剤管理料

【Rp ①…内服】

❶単位薬剤料　ムコダインシロップ 5%
　　　　　　　¥6.10×6ml ＝¥36.60
　　　　　　　アスベリンシロップ 0.5%
　　　　　　　¥1.97×3ml ＝¥5.91
　　　　　　　ペリアクチンシロップ 0.04%
　　　　　　　¥1.55×3ml ＝¥4.65

合計金額¥47.16
金額を点数にする
→ 47.16 ÷ 10 ＝
4.716（5捨5超入）
⇒ **5点**

❷調剤数量　　**3日分**

❸薬剤料　　　❶×❷ → ５点×３日分＝ **15点**

❹薬剤調製料　早見表から、内服薬 1 剤につき ⇒ **24点**
　調剤管理料　早見表から、内服薬３日分を確認 ⇒ **4点**
　　　　　　　早見表 28点

❺加算料　　　**63点** 薬時 調時 計 　時間外を加算（薬剤調製料24点・調剤管理料４点の所定点数×１）
　　　　　　　→ 28 ×１⇒ 薬時 調時 **28点**
　　　　　　　計量混合調剤加算（液剤）早見表の計量混合調剤加算

17

から液剤を確認 ⇒ 計 35点

【Rp②…外用】

❶単位薬剤料　アンヒバ坐剤小児用 100mg

　　　　　　 ￥19.70×3個 = ￥59.10

　　　　　　 金額を点数にする

　　　　　　 → 59.10 ÷ 10 = 5.91（五捨五超入）⇒ 6点

❷調剤数量　外用は1（外用は全量で計算し、1調剤として考える）

❸薬剤料　　 ❶×❷ → 6点×1調剤 = 6点

❹薬剤調製料　早見表から、外用を確認 ⇒ 10点 ◁ 早見表

　調剤管理料　なし

❺加算料　　 時間外を加算（薬剤調製料・調剤管理料の所定点数×1）

　　　　　　 → 10×1 ⇒ 薬時 10点

● 薬学管理料

算定条件を確認します。

服薬管理指導（3ヵ月以内再来局なし、おくすり手帳
に記載あり）を実施1回　　　　早見表

　= 「服薬管理指導料2」 → 薬C 1 59点

乳幼児服薬指導加算を実施1回 → 乳 1 12点 ⎤ 71点

上の段に略称と回数、下の段に点数を書きます。

〈レセプトの書き方〉
薬学管理料

薬C 1	乳 1
71	

● 調剤基本料

算定条件を確認します。

受付回数：1月3,400回・集中率63%、　　早見表

妥結率50%超 = 調剤基本料1 ⇒「基A」45点

加算：時間外を加算します 時 →

（調剤基本料の所定点数×1） = 時 45点

〈レセプトの書き方〉
調剤基本料　時間外等加算

基A	時
45	45

● 患者負担金

調剤録の合計点数に負担割合（P.10参照）をかけて、患者負担金を
計算します。6歳未満なので、負担割合は2割。

293点×2割 = 586（四捨五入）⇒ 590円

ケース❸ 向精神薬等の薬剤の調剤を行ったケース

次の処方箋をもとにして、調剤レセプトを作成しなさい。

【算定条件】①処方箋の受付回数：1月3,800回（集中率48%）、妥結率50%超
地域支援体制加算1（届）後発医薬品調剤体制加算1
②服薬管理指導2を実施（3ヵ月以内に再来局なし、おくすり手帳持参なし）
医療情報取得加算1を実施
③開局時間：月〜土 9時〜18時 ④休業日：日曜・祝日

処 方 箋

（この処方箋は、どの保険薬局でも有効です。）

公費負担者番号		保険者番号	0 6 0 1 0 2 0 1
公費負担医療の受給者番号		被保険者証・被保険者手帳の記号・番号	123・456 （枝番）

患者	氏 名	大山 陽子	保険医療機関の所在地及び名称	北海道○○○ 1-2-3 雪国病院
	生年月日	明大昭(令) 45年10月15日 男・(女)	電話番号 保険医氏名	白井 光一 ㊞
	区 分	(被保険者) 被扶養者	都道府県番号 01 点数表番号 1 医療機関コード 01 ○○○○	

交付年月日	令和 6 年 8 月 3 日	処方箋の使用期間	令和 年 月 日	特に記載のある場合を除き、交付の日を含めて4日以内に保険薬局に提出すること。

変更不可（医療上必要）	患者希望	個々の処方薬について、医療上の必要性があるため、後発医薬品（ジェネリック医薬品）への変更に差し支えがあると判断した場合には、「変更不可」欄に「レ」又は「×」を記載し、「保険医署名」欄に署名又は記名・押印すること。また、患者の希望を踏まえ、先発医薬品を処方した場合には、「患者希望」欄に「レ」又は「×」を記載すること。

処方

Rp) ①スルピリド錠50mg「サワイ」3T
エチゾラム錠0.5mg「EMEC」3T
分3 毎食後 14日分

②ベルソムラ錠10mg 1T
分1 就寝前 14日分

リフィル可 □ （ 回）

保険医署名	「変更不可」欄に「レ」又は「×」を記載した場合は、署名又は記名・押印すること。	

備考

保険薬局が調剤時に残薬を確認した場合の対応（特に指示がある場合は「レ」又は「×」を記載すること。）
□保険医療機関へ疑義照会した上で調剤 □保険医療機関へ情報提供

調剤実施回数（調剤回数に応じて、□に「レ」又は「×」を記載するとともに、調剤日及び次回調剤予定日を記載すること。）
□1回目調剤日（ 年 月 日） □2回目調剤日（ 年 月 日） □3回目調剤日（ 年 月 日）
次回調剤予定日（ 年 月 日） 次回調剤予定日（ 年 月 日）

調剤済年月日	令和 年 月 日	公費負担者番号	
保険薬局の所在地及び名称保険薬剤師氏名	㊞	公費負担医療の受給者番号	

備考 1．「処方」欄には、薬名、分量、用法及び用量を記載すること。
2．この用紙は、A列5番を標準とすること。
3．療養の給付及び公費負担医療に関する費用の請求に関する命令（昭和51年厚生省令第36号）第1条の公費負担医療については、「保険医療機関」とあるのは「公費負担医療の担当医療機関」と、「保険医氏名」とあるのは「公費負担医療の担当医氏名」と読み替えるものとすること。

○ **調剤報酬明細書**

令和　6　年　8月分

都道府県番号　薬局コード　01

4 調剤	①社・国　3後期　①単独　②本外　8 高外一
	2公費　4退職　②2併　④六外　0 高外7
	3　　　③3併　⑥家外

保険者番号　0 6 0 1 0 2 0 1　給付割合　10 9 8　⑦（　）

被保険者証・被保険者手帳等の記号・番号　123・456　（枝番）

| 公費負担者番号① | | 公費負担医療の受給者番号① | |
| 公費負担者番号② | | 公費負担医療の受給者番号② | |

氏名　大山　陽子
1男　②女　1明 2大 ③昭 4平 5令　45.10.15 生

特記事項

保険薬局の所在地及び名称

職務上の事由　1職務上　2下船後3月以内　3通勤災害

保険医療機関の所在地及び名称	北海道○○○ 1-2-3　雪国病院	保険医氏名	1　白井　光一　　6 2　　　　　　7 3　　　　　　8 4　　　　　　9 5　　　　　　10	保険	受付回数	1 回
				公費①		回
				公費②		回

都道府県番号　0 1　点数表番号　1　医療機関コード　0 1 ○ ○ ○ ○ ○ ○

医師番号	処方月日	調剤月日	処方			調剤数量	調剤報酬点数				公費分点数
			医薬品名・規格・用量・剤形・用法		単位薬剤料		薬剤調製料 調剤管理料	薬剤料	加算料	
	8・3	8・3	「内服」 スルピリド錠50mg「サワイ」3T エチゾラム錠0.5mg「EMEC」3T 分3　毎食後		4点	14	24 28点	56点	回 8点	点
	・	・								
	・	・								
	8・3	8・3	「内服」 ベルソムラ錠10mg　1 T 分1　就寝前		7	14	24 28	98		
	・	・								
	・	・								
	・	・								
	・	・								
	・	・								
	・	・								
	・	・								
	・	・								
	・	・								
	・	・								
	・	・								
	・	・								
	・	・								

摘要

※高額療養費	円
※公費負担点数	点
※公費負担点数	点

	請求 点	※ 決定 点	一部負担金額 円	調剤基本料	時間外等加算 点	薬学管理料 点
保険	426			基 A		薬 C 1　医情 A 1
			減額 割(円) 免除・支払猶予	地支 A・後 A 98		62
公費①	点	※ 点	円	点	点	点
公費②	点	※ 点	円	点	点	点

〈調剤録〉

	薬剤料	調剤数量	薬剤料計	薬剤調製料	調剤管理料	加算料	小計	薬学管理料	調剤基本料	合計点数
①	4	14	56	24	28	向 8	116	薬C 59	基A 45	
②	7	14	98	24	28		150	医情A 3	地支A 32	426
									後A 21	
								その他の	患者負担金	1,280 円
								特掲技術料	請求金額	円

解説

POINT

- 「**向精神薬・覚せい剤原料・毒薬**」を調剤した場合は、薬剤調製料の加算として **8点**、「**麻薬**」を調剤した場合は、薬剤調製料の加算として **70点** が1調剤につき算定できます。
  - ・「**向精神薬**」のエチゾラム錠を調剤しています。
  - ・レセプトの調剤報酬点数欄の「加算料」には 向 8点と書きます。
- 薬学管理料を算定するときは設定条件を確認します。
  - ・医療情報取得加算1 医情A が加算できます。
- 調剤基本料を算定するときは、設定条件を確認します。
  - ・地域支援体制加算1 地支A
  - ・後発医薬品調剤体制加算1 後A ── が加算できます。

●薬剤料、薬剤調製料・調剤管理料

【Rp ①…内服】

❶単位薬剤料　スルピリド錠50mg「サワイ」
　　　　　　　¥6.40 × 3C = ¥19.20
　　　　　　　向 エチゾラム錠0.5mg「EMEC」
　　　　　　　¥6.40 × 3T = ¥19.20

合計金額　¥38.40
金額を点数にする
→ 38.40 ÷ 10 = 3.84（五捨五超入）
⇒ **4点**

❷調剤数量　**14日分**

❸薬剤料　　❶×❷ → 4点× 14日分= **56点**

❹薬剤調製料　早見表から、内服薬1剤につき　⇒**24点**　[早見表]
　調剤管理料　早見表から、内服薬14日分を確認 ⇒**28点** ── **52点**

❺加算料　　向精神薬の薬剤調製料を加算
　　　　　　早見表の麻薬等加算から
　　　　　　向精神薬を確認 ⇒ 向 **8点**
　　　　　　　　　　　　　　　[早見表]

【Rp ②…内服】

❶単位薬剤料　ベルソムラ錠10mg ¥69.30 × 1T = ¥69.30
　　　　　　　金額を点数にする

→ 69.30 ÷ 10 = 6.93（五捨五超入）

⇒ **7 点**

❷調剤数量　　**14 日分**

❸薬剤料　　　❶×❷ → 7 点× 14 日分＝ **98 点**

❹薬剤調製料　早見表から、内服薬 1 剤につき　⇒ **24 点**　┐
　　　　　　　　　　　　　　　　　　　　　　　　　　　　早見表
　調剤管理料　早見表から、内服薬 14 日分を確認 ⇒ **28 点**　┘ **52 点**

❺加算料　　　なし

●薬学管理料

算定条件（3 ヵ月以内に再来局なし、おくすり手帳持参なし）を確認
します。

服薬管理指導料 2 を実施 1 回 → ｜ 薬 C ｜ 1、**59 点** ┐
　　　　　　　　　　　　　　　　　　　　　　　　早見表
医療情報取得加算 1 を実施 1 回 → ｜ 医情 A ｜ 1、**3 点** ┘ **62 点**

上の段に略称と回数、下の段に点数を書きます。

〈レセプトの書き方〉
薬学管理料

薬C 1	医情A 1
62	

●調剤基本料

算定条件を確認します。

受付回数：1 月 3,800 回・集中率 48%、妥結率 50% 超

＝調剤基本料 1 → 「 基 A 」 **45 点** 早見表

地域支援体制加算 1（届）「 地支 A 」→ **32 点** 早見表

後発医薬品調剤体制加算1「 後 A 」→ **21 点** 早見表

合わせて、**98 点**（45 点＋ 32 点＋ 21 点）

〈レセプトの書き方〉
調剤基本料

●患者負担金

調剤録の合計点数に負担割合（P.10 参照）をかけて、患者負担金を
計算します。426 点× 3 割＝ 1,278（四捨五入）⇒ **1,280 円**

ケース4 一包化の調剤を行ったケース

次の処方箋をもとにして、調剤レセプトを作成しなさい。

【算定条件】 ①処方箋の受付回数：1月4,100回(集中率75%)、妥結率55%　後発医薬品体制加算2
②服薬管理指導1を実施（3ヵ月以内に再来局、おくすり手帳に記載・持参あり）
③開局時間：月～土　9時～18時
④休業日：日曜・祝日

処 方 箋

(この処方箋は、どの保険薬局でも有効です。)

公費負担者番号		保険者番号	0 6 1 2 3 4 5 9
公費負担医療の受給者番号		被保険者証・被保険者手帳の記号・番号	678・910 （枝番）

患者	氏名	船橋　一郎	保険医療機関の所在地及び名称	千葉県○○○ 1-3-5 浦安医院
	生年月日	明大昭平令 40年9月5日 男・女	電話番号 保険医氏名	高橋　三千男　㊞
	区分	被保険者　被扶養者	都道府県番号 1 2　点数表番号 1　医療機関コード 1 9 ○○○○○	

交付年月日	令和 6 年 7 月 9 日	処方箋の使用期間	令和　年　月　日	特に記載のある場合を除き、交付の日を含めて4日以内に保険薬局に提出すること。

処方	変更不可（医療上必要）	患者希望	個々の処方薬について、医療上の必要性があるため、後発医薬品（ジェネリック医薬品）への変更に差し支えがあると判断した場合には、「変更不可」欄に「レ」又は「×」を記載し、「保険医署名」欄に署名又は記名・押印すること。また、患者の希望を踏まえ、先発医薬品を処方した場合には、「患者希望」欄に「レ」又は「×」を記載すること。
			Rp）①メトホルミン塩酸塩錠250mgMT「ニプロ」3T 　　　分3　毎食後　14日分 ②ガスター錠10mg　2T アーチスト錠2.5mg　2T 　　　分2　朝・夕食後　14日分 ③ニューロタン錠25mg　1T 　　　分1　朝食後　14日分 ④メチコン錠15mg　1T 　　　分1　就寝前　7日分 ⑤リドメックスコーワ軟膏　0.3%　5g 　　　痒部塗布　1日1回（1回1gまで） リフィル可 □ （　　回）

備考	保険医署名	「変更不可」欄に「レ」又は「×」を記載した場合は、署名又は記名・押印すること。
	①～③は一包化	
	保険薬局が調剤時に残薬を確認した場合の対応（特に指示がある場合は「レ」又は「×」を記載すること。） □保険医療機関へ疑義照会した上で調剤　　　□保険医療機関へ情報提供	

調剤実施回数（調剤回数に応じて、□に「レ」又は「×」を記載するとともに、調剤日及び次回調剤予定日を記載すること。）
□1回目調剤日（　　年　月　日）　□2回目調剤日（　　年　月　日）　□3回目調剤日（　　年　月　日）
次回調剤予定日（　年　月　日）　次回調剤予定日（　年　月　日）

調剤済年月日	令和　年　月　日	公費負担者番号	
保険薬局の所在地及び名称保険薬剤師氏名	㊞	公費負担医療の受給者番号	

備考　1．「処方」欄には、薬名、分量、用法及び用量を記載すること。
2．この用紙は、A列5番を標準とすること。
3．療養の給付及び公費負担医療に関する費用の請求に関する命令（昭和51年厚生省令第36号）第1条の公費負担医療については、「保険医療機関」とあるのは「公費負担医療の担当医療機関」と、「保険医氏名」とあるのは「公費負担医療の担当医氏名」と読み替えるものとすること。

○ 調剤報酬明細書

令和 6 年 7 月分

都道府県番号 薬局コード 12

4 調剤	①社・国 3後期	①単独 ②2併 ③3併	②2 6	本外 8 高外一
	2公費 4退職		4 家外	0 高外7

保険者番号 0 6 1 2 3 4 5 9　給付割合 10 9 8 ⑦( )

被保険者証・被保険者手帳等の記号・番号 678・910 （枝番）

| 公費負担者番号① | | 公費負担医療の受給者番号① | |
| 公費負担者番号② | | 公費負担医療の受給者番号② | |

氏名 　船橋　一郎

①男 2女　1明 2大 ③昭 4平 5令　40. 9 . 5 生

職務上の事由　1職務上　2下船後3月以内　3通勤災害

特記事項

保険薬局の所在地及び名称

保険医療機関の所在地及び名称　千葉県○○○ 1-3-5　浦安医院

保険医氏名 　高橋三千男

	1	6
	2	7
	3	8
	4	9
	5	10

都道府県番号 1 2　点数表番号 1　医療機関コード 1 9 ○○○○○

受付回数　保険 1 回　公費① 回　公費② 回

医師番号	処方月日	調剤月日	処 方		調剤数量	調剤報酬点数				公費分点数
			医薬品名・規格・用量・剤形・用法	単位薬剤料		薬剤調製料 調剤管理料	薬剤料	加算料		
	7・9	7・9	「内服」 メトホルミン塩酸塩錠250mgMT「ニプロ」 3 T 分3 毎食後	3点	14	24 28点	42点	支B 68		点
	7・9	7・9	「内服」 ガスター錠10mg 2 T アーチスト錠2.5mg 2 T 分2 朝・夕食後	5	14	24 28	70	支B		
	7・9	7・9	「内服」 ニューロタン錠25mg 1 T 分1 朝食後	3	14	24 28	42	支B		
	7・9	7・9	「内服」 メジコン錠15mg 1 T 分1 就寝前	1	7	0 0	7			
	7・9	7・9	「外用」 リドメックスコーワ軟膏 0.3% 5 g 痒部塗布 1日1回（1回1 g まで）	7	1	10 0	7			

摘要

※高額療養費						円
※公費負担点数						点
※公費負担点数						点

保険	請 求 504 点	※ 決 定 点	一部負担金額 円 減額 割(円) 免除・支払猶予	調剤基本料 点 基B 後B 57	時間外等加算 点	薬学管理料 点 薬A 1 45
公費①	点	※ 点	円	点		点
公費②	点	※ 点	円	点		点

24

〈調剤録〉

	薬剤料	調剤数量	薬剤料計	薬剤調製料	調剤管理料	加算料	小計	薬学管理料	調剤基本料	合計点数
①	3	14	42	24	28	支B 68	162	薬A 45	基B 29	504
②	5	14	70	24	28	支B	122		後B 28	
③	3	14	42	24	28	支B	94	その他の	患者負担金	1,510 円
④	1	7	7	0	0		7	特掲技術料	請求金額	円
⑤	7	1	7	10	0		17			

解説

POINT

- 内服薬が4剤以上あるときは、投薬日数が長いものや加算があるものから3剤選びます。
- 調剤管理料を算定するときは、選んだ3剤の中で、最も長い日数で計算します。
- 一包化調剤は、患者の薬の飲み間違い等を防ぐ目的で、医師の了解の上で服用時点が同じタイミングのものをあらかじめ1つにまとめて包装（一包化）した場合に、外来服薬支援料2を算定できます。ケース4では、①②③の薬が一包化されています。
- ※本書ではすでに一包化（外来服薬支援料2）の一覧表があります（本冊 P.148 参照）。一包化する薬剤が重なり合う最も長い日で確認します。下記が早見表の計算式です。

> 加算の点数は、投与日数が43日以上の場合は240点、投与日数が42日以下の場合は（**投与日数÷7）×34点**で計算します。投与日数は一包化で重なり合っている一番長い日数を7で割ります。端数があれば繰り上げます。

- 一包化した薬剤は「加算料」欄に 支B の記号を付けます。

●薬剤料、薬剤調製料・調剤管理料

【Rp ①…内服】

❶単位薬剤料 メトホルミン塩酸塩錠 250mg MT「ニプロ」
¥10.10 × 3T ＝ ¥30.30　金額を点数にする
→ 30.30 ÷ 10 ＝ 3.03（五捨五超入）⇒ **3 点**

❷調剤数量 **14日分**

❸薬剤料 ❶×❷ → 3 点× 14 日分＝ **42 点**

❹薬剤調製料 早見表から、内服薬1剤につき ⇒ **24 点** ｜ 早見表
調剤管理料 早見表から、内服薬 14 日分を確認 ⇒ **28 点** ｜ **52 点**

❺加算料 外来服薬支援料2 ｜ 早見表
早見表から 14 日分を確認 ⇒ 支B **68 点**

【Rp ②…内服】

25

❶単位薬剤料	ガスター錠 10mg	合計 ￥53.20
	￥13.70 × 2T = ￥27.40	金額を点数にする
	アーチスト錠 2.5mg	→ 53.20 ÷ 10 =
	￥12.90 × 2T = ￥25.80	5.32 ⇒ **5点**

❷調剤数量　**14日分**

❸薬剤料　❶×❷ → 5点 × 14日分 = **70点**

❹薬剤調製料　早見表から、 内服薬1剤につき　⇒**24点**　[早見表]

　調剤管理料　早見表から、 内服薬14日分を確認 ⇒**28点**　⎱ **52点**

❺加算料　外来服薬支援料2(Rp①で計上済み) **支B** の記号のみ書く

【Rp ③…内服】

❶単位薬剤料　ニューロタン錠 25mg ￥26.90 × 1T = ￥26.90

　　金額を点数にする

　　→ 26.90 ÷ 10 = 2.69 （五捨五超入） ⇒ **3点**

❷調剤数量　**14日分**

❸薬剤料　❶×❷ → 3点 × 14日分 = **42点**

❹薬剤調製料　早見表から、 内服薬1剤につき　⇒**24点**　[早見表]

　調剤管理料　早見表から、 内服薬14日分を確認 ⇒**28点**　⎱ **52点**

❺加算料　外来服薬支援料2(Rp①で計上済み) **支B** の記号のみ書く

【Rp ④…内服】

❶単位薬剤料　メジコン錠 15mg ￥5.70 × 1T = ￥5.7

　　金額を点数にする→ 5.7 ÷ 10 = 0.57

　　最低限1点は算定できるので ⇒ **1点** ◁ [早見表]

❷調剤数量　**7日分**

❸薬剤料　❶×❷ → 1点 × 7日分 = **7点**

❹薬剤調製料　早見表から、内服の薬剤調製料・調剤管理料は**3剤まで**

　調剤管理料　薬剤調製料・調剤管理料の高いものから3つ選ぶ⇒**0点** ◁ [早見表]

❺加算料　なし（服用時点が他と異なるので一包化されない）

【Rp ⑤…外用】

❶単位薬剤料　リドメックスコーワ軟膏 0.3% ￥14.70 × 5 g = ￥73.50

　　金額を点数にする

　　→ 73.50 ÷ 10 = 7.35 （五捨五超入） ⇒ **7点**

❷調剤数量　外用は **1** （外用は全量で計算し、1調剤として考える）

❸薬剤料　　　❶×❷ → 7 点× 1 日分＝ **7 点**

❹薬剤調整料　早見表から、**外用を確認** ⇒ **10 点**〈 早見表 〉

　　調剤管理料　**0 点**

❺加算料　　　なし

●薬学管理料

算定条件（3 ヵ月以内に再来局、おくすり手帳による情報提供あり）を確認します。

服薬管理指導料 1 を実施 1 回→早見表を参照し、 薬 A 　**45 点**　← 早見表

●調剤基本料

算定条件を確認します。

受付回数：1 月 4,100 回・集中率 75%、妥結率 55%

＝調剤基本料 2 →早見表を参照し、「 基 B 」**29 点**

後発医薬品体制加算 2 →早見表を参照し、「 後 B 」**28 点** ⎤ **57 点**

合わせて、**57 点**（29 点＋ 28 点）

●患者負担金

調剤録の合計点数に負担割合（P.10 参照）をかけて、患者負担金を計算します。504 点× 3 割＝ 1,512(四捨五入) ⇒ **1,510 円**

Check!【一包化の考え方】

　同じタイミングで一緒に飲める薬を 1 つの袋に入れた、と考えます。

		朝	昼	夕	就寝前	投与日数	一包化の点数（外来服薬支援料加算）
Rp ①	毎食後	●	●	●		14 日	この中で重なり合った一番長い日数を計算に使う（14 ÷ 7）× 34＝68 **68 点**
Rp ②	朝夕食後	●		●		14 日	
Rp ③	朝食後	●				14 日	
		●					
Rp ④	就寝前				●	7 日	← Rp ④は服用時点が異なるので対象外

一包化　　一包化

【外来服薬支援料 2 算定の手順】

手順①　一包化された薬の中で重なり合った一番長い日数を選ぶ。

手順②　本冊 P.148 にある一包化（外来服薬支援料 2）の一覧表の中で、該当する日数（手順①で選んだ日数）で点数を探す。

手順③　レセプトの記入は、一番長い日数の薬剤の「加算料」欄に 支 B の記号と点数を書く。

　　　　※一包化された薬には 支 B の記号のみ書く。

次の処方箋をもとにして、調剤レセプトを作成しなさい。

【算定条件】①処方箋の受付回数：（同一グループ薬局の処方箋受付回数の合計月40万回
超かつ集中率98％）、妥結率50％超　後発医薬品体制加算3
②服薬管理指導1を実施（3ヵ月以内に再来局、おくすり手帳に記載・持参あり）
③開局時間：月～土　9時～18時
④休業日：日曜・祝日

処　方　箋

（この処方箋は、どの保険薬局でも有効です。）

公費負担者番号			保険者番号	0 6 0 4 3 4 5 9
公費負担医療 の受給者番号			被保険者証・被保険 者手帳の記号・番号	123・456　（枝番）

患者	氏　名	仙台　若葉	保険医療機関の 所在地及び名称	宮城県○○○ 1-2-4 青葉クリニック
	生年月日	明大昭平令　56年5月6日　男・女	電話番号 保険医氏名	松島　美樹　㊞
	区　分	被保険者　被扶養者	都道府県番号 04　点数表番号 1　医療機関コード 5 1 ○○○○○

交付年月日	令和6年7月15日	処方箋の 使用期間	令和　年　月　日	特に記載のある場合を除き、交付の日を含めて4日以内に保険薬局に提出すること。

処方	変更不可 （医療上必要）　患者希望	個々の処方薬について、医療上の必要性があるため、後発医薬品（ジェネリック医薬品）への変更に差し支えがあると判断した場合には、「変更不可」欄に「レ」又は「×」を記載し、「保険医署名」欄に署名又は記名・押印すること。また、患者の希望を踏まえ、先発医薬品を処方した場合には、「患者希望」欄に「レ」又は「×」を記載すること。

Rp）①ニフェジピンL10mg「サワイ」　2T
　　　　　分2　朝・夕食後 14日分
　　②酸化マグネシウム錠250mg「ヨシダ」3T
　　　　　分3　毎食後　14日分
　　③フェブキソスタット錠10mg「明治」1T
　　　ロスバスタチン錠5mg「NIG」1T
　　　　　分1　朝食後　14日分
　　④ラキソベロン内用液0.75%　10ml
　　　　　1日1回5～10滴

リフィル可　□　（　　回）

保険医署名	「変更不可」欄に「レ」又は「×」を記載した場合は、署名又は記名・押印すること。

【備考】

①～③一包化
7／15（祝日）午前9:30 緊急受付

保険薬局が調剤時に残薬を確認した場合の対応（特に指示がある場合は「レ」又は「×」を記載すること。）
□保険医療機関へ疑義照会した上で調剤　　□保険医療機関へ情報提供

調剤実施回数（調剤回数に応じて、□に「レ」又は「×」を記載するとともに、調剤日及び次回調剤予定日を記載すること。）
□1回目調剤日（　年　月　日）　□2回目調剤日（　年　月　日）　□3回目調剤日（　年　月　日）
次回調剤予定日（　年　月　日）　次回調剤予定日（　年　月　日）

調剤済年月日	令和　年　月　日	公費負担者番号	
保険薬局の所在地 及び名称 保険薬剤師氏名	㊞	公費負担医療の 受給者番号	

備考　1.「処方」欄には、薬名、分量、用法及び用量を記載すること。
　　　2.この用紙は、A列5番を標準とすること。
　　　3.療養の給付及び公費負担医療に関する費用の請求に関する命令（昭和51年厚生省令第36号）第1条の公費負担医療については、「保険医療機関」とあるのは「公費負担医療の担当医療機関」と、「保険医氏名」とあるのは「公費負担医療の担当医師氏名」と読み替えるものとすること。

○ **調剤報酬明細書**　　令和 6 年 7 月分

都道府県番号 04　薬局コード _____

| 4 調剤 | 1社・国 2公費 | 3後期 4退職 | ①単独 2併 3併 | ②外 4外 6 | 8 高外一 0 高外7 |
給付割合 10 9 8 ⑦( )

保険者番号 0 6 0 4 3 4 5 9

被保険者証・被保険者手帳等の記号・番号　123・456　　(枝番)

| 公費負担者番号① | | 公費負担医療の受給者番号① | |
| 公費負担者番号② | | 公費負担医療の受給者番号② | |

氏名 **仙台 若葉**　1男 ②女　1明 2大 ③昭 4平 5令 56.5.6 生

特記事項

保険薬局の所在地及び名称

職務上の事由　1 職務上　2 下船後3月以内　3 通勤災害

保険医療機関の所在地及び名称　宮城県○○○ 1-2-4　青葉クリニック

都道府県番号 04　点数表番号 1　医療機関コード 51○○○○○○

保険医氏名 松島 美樹

受付回数　保険 1 回　公費① 回　公費② 回

医師番号	処方月日	調剤月日	医薬品名・規格・用量・剤形・用法	単位薬剤料	調剤数量	薬剤調製料 調剤管理料	薬剤料	加算料	公費分点数
	7・15	7・15	「内服」ニフェジピンL10mg「サワイ」 2T 分2 朝・夕食後	1点	14	24 28点	14点	薬休 調休 支B 141	点
	7・15	7・15	「内服」酸化マグネシウム錠250mg「ヨシダ」3T 分3 毎食後	2	14	24 28	28	薬休 調休 支B 73	
	7・15	7・15	「内服」フェブキソスタット錠10mg「明治」1T ロスバスタチン錠5mg「NIG」1T 分1 朝食後	2	14	24 28	28	薬休 調休 支B 73	
	7・15	7・15	「内滴」ラキソベロン内用液0.75% 10ml（1日1回5〜10滴）	16	1	10 0	16	薬休 14	

摘要　**7/15（祝日）午前9:30 緊急受付**

※高額療養費 円
※公費負担点数 点
※公費負担点数 点

保険	請求点 716	※決定点	一部負担金額 円			調剤基本料 点 基D・後C 49	時間外等加算 点 休 69	薬学管理料 点 薬A 1 45
			減額 割(円) 免除・支払猶予					
公費①	点	※ 点	円	点	点	点		
公費②	点	※ 点	円	点	点	点		

〈調剤録〉

	薬剤料	調剤数量	薬剤料計	薬剤調製料	調剤管理料	加算料	小計	薬学管理料	調剤基本料	合計点数
①	1	14	14	24	28	薬休 調休73 支B 68	207	薬A 45	基D 19 後C 30	716
②	2	14	28	24	28	薬休 調休73 支B	153		休69	
③	2	14	28	24	28	薬休 調休73 支B	153	その他の特掲技術料	患者負担金	2,150 円
④	16	1	16	10	0	薬休 14	40		請求金額	円

解説

POINT

- ケース2休日加算とケース4一包化調剤がある調剤算定です。
  時間外等に緊急受付をして調剤を行った場合は、
  ①調剤基本料に対して ┐
  ②薬剤調製料・調剤管理料に対して ┘ **時間外等の加算**を算定します。
  ↳1調剤で**3剤**まで。①②に対して、**休日加算**を算定します。
- 内服薬の一包化は外来服薬支援料で算定します。1回の受付に対しての算定となるので、レセプトの調剤報酬点数欄の「加算料」の欄に 支B と**点数**を書きます。
- 一包化は内服用固形剤（浸煎薬・湯薬は除く）が対象です。

●薬剤料、薬剤調製料・調剤管理料

【Rp ①…内服】

❶単位薬剤料　ニフェジピンＬ10mg「サワイ」
　　　　　　　¥5.70 × 2T = ¥11.40
　　　　　　　金額を点数にする
　　　　　　　→ 11.40 ÷ 10 = 1.14（五捨五超入）⇒ **1点**

❷調剤数量　**14日分**

❸薬剤料　　❶×❷ → 1点× 14日分 = **14点**

❹薬剤調製料　早見表から、内服薬1剤につき　⇒**24点** ┐
　調剤管理料　早見表から、内服薬14日分を確認 ⇒**28点** ┘ **52点** 〔早見表〕

❺加算料　　休日加算（薬剤調製料・調剤管理料の
　　　　　　所定点数× 1.4）→
　　　　　　52点× 1.4 = **73点**
　　　　　　外来服薬支援料2　支B
　　　　　　早見表から 14日分を確認 ⇒ **68点** ◁〔早見表〕

加算合計 薬休 調休 **73点**

【Rp ②…内服】

❶単位薬剤料　酸化マグネシウム錠 250mg「ヨシダ」

¥5.70 × 3T= ¥17.10
金額を点数にする
→ 17.10 ÷ 10 = 1.71（五捨五超入）⇒ **2点**

❷調剤数量　**14日分**
❸薬剤料　　❶×❷ → 2点× 14日分 = **28点**
❹薬剤調製料　早見表から、内服薬1剤につき　⇒ **24点**┐
　調剤管理料　早見表から、内服薬14日分を確認 ⇒ **28点**┘ ⎱早見表 **52点**
❺加算料　　休日加算（薬剤調製料・調剤管理料の所定点数 ×1.4) →
52点× 1.4 = 薬休 調休 **73点**
外来服薬支援料2（Rp ①で計上済み）
支B の記号のみ書く

【Rp ③…内服】
❶単位薬剤料　フェブキソスタット錠 10mg「明治」
¥6.20 × 1T = ¥6.20
ロスバスタチン錠 5mg「NIG」
¥10.10 × 1T = ¥10.10
合計　￥16.30
金額を点数にする
→ 16.30 ÷ 10 = 1.63（五捨五超入）⇒ **2点**

❷調剤数量　**14日分**
❸薬剤料　　❶×❷ → 2点× 14日分 = **28点**
❹薬剤調製料　早見表から、内服薬1剤につき　⇒ **24点**┐ ⎱早見表 **52点**
　調剤管理料　早見表から、内服薬14日分を確認 ⇒ **28点**┘
❺加算料　　休日加算（薬剤調製料・調剤管理料の所定点数 ×1.4) →
52点× 1.4 = 薬休 調休 **73点**
外来服薬支援料2（Rp ①で計上済み）
支B の記号のみ書く

【Rp ④…内滴】
❶単位薬剤料　ラキソベロン内用液 0.75%10ml
¥16.00 × 10ml = ¥160.0
金額を点数にする
→ 160.0 ÷ 10 = 16.0 ⇒ **16点**

❷調剤数量　**1調剤**
❸薬剤料　　❶×❷ → 16点×1調剤 = **16点**　早見表
❹薬剤調製料　早見表から、内滴の薬剤調製料を確認 ⇒ **10点**

調剤管理料　なし

❺加算料　　　休日加算（薬剤調製料の所定点数 × 1.4）→

10点× 1.4 ＝ 薬休 14点

●薬学管理料

算定条件（3 ヵ月以内に再来局、おくすり手帳による情報提供あり）
を確認します。服薬管理指導料 1 を実施 1 回 → 薬A 45点

早見表

●調剤基本料

算定条件を確認します。

受付回数：同一グループの合計月40万回超かつ 集中率98% 、妥
結率50%超　後発医薬品体制加算3

早見表

＝調剤基本料3-ロ →「 基D 」19点 ⎱ 49点

後発医薬品体制加算3→「 後C 」30点 ⎰

合わせて、**49点**（19点＋ 30点）

加算：休日加算をする。（49 点 × 1.4）を算定します → 休 69点

〈レセプトの書き方〉
調剤基本料 時間外等加算

基D	後C	休
49		69

●患者負担金

調剤録の合計点数に負担割合（P.10 参照）をかけて、患者負担金を
計算します。716 点×3割＝ 2,148(四捨五入) ⇒ **2,150 円**

Check! 【一包化の考え方】

同じタイミングで一緒に飲める薬を 1 つの袋に入れた、と考えます。

		朝	昼	夕	投与日数	一包化（外来服薬支援料加算）
Rp ①	朝夕食後	●		●	14日	この中で重なり合った一番長い日数を
Rp ②	毎食後	●	●	●	14日	計算に使う
Rp ③	朝食後	●			14日	（14÷7）× 32=64 **64点**
Rp ④	1日1回	↑		↑		← Rp ④は内滴なので対象外

一包化　一包化

次の処方箋をもとにして、調剤レセプトを作成しなさい。

【算定条件】①処方箋の受付回数：1月3,500回（特定医療機関集中率63%）、妥結率50%超
地域支援体制加算1（届）　後発医薬品調剤体制加算2
②服薬管理指導1を実施（3ヵ月以内に再来局、おくすり手帳に記載・持参あり）
③開局時間：月〜土　9時〜18時　④休業日：日曜・祝日

処　方　箋

（この処方箋は、どの保険薬局でも有効です。）

公費負担者番号		保険者番号	0 1 2 0 0 0 1 3
公費負担医療の受給者番号		被保険者証・被保険者手帳の記号・番号	456・7890 （枝番）

患者	氏名	木曽　雄馬	保険医療機関の所在地及び名称	長野県○○○ 1-7-20 松本クリニック
	生年月日	明大昭平令 10年3月7日 男・女	電話番号 保険医氏名	上田　誠　㊞
	区分	被保険者 （被扶養者）	都道府県番号 20 点数表番号 1 医療機関コード 80○○○○	

交付年月日	令和6年6月4日	処方箋の使用期間	令和　年　月　日	特に記載のある場合を除き、交付の日を含めて4日以内に保険薬局に提出すること。

処方	変更不可（医療上必要）／患者希望	個々の処方薬について、医療上の必要性があるため、後発医薬品（ジェネリック医薬品）への変更に差し支えがあると判断した場合には、「変更不可」欄に「レ」又は「×」を記載し、「保険医署名」欄に署名又は記名・押印すること。また、患者の希望を踏まえ、先発医薬品を処方した場合には、「患者希望」欄に「レ」又は「×」を記載すること。
		Rp）①アリピプラゾール錠6mg「トーワ」　1T 　　ヒルナミン錠50mg　1T 　　サイレース錠1mg　1T 　　　分1　就寝前　14日分 ②バルプロ酸ナトリウム錠100mg「アメル」　6T 　　クエチアピン錠25mg「DSEP」　6T 　　　分3　毎食後　5日分 ③セフジニル錠50mg「サワイ」　3C 　　レバミピド錠100mg「TCK」　3T 　　　分3　毎食後　5日分 リフィル可　□　（　　回）

備考	保険医署名	「変更不可」欄に「レ」又は「×」を記載した場合は、署名又は記名・押印すること。

初回処方のアリピプラゾール錠（抗精神病薬）のハイリスク薬について詳細な説明と指導（特定薬剤管理指導加算1）を十分行う

保険薬局が調剤時に残薬を確認した場合の対応（特に指示がある場合は「レ」又は「×」を記載すること。）
□保険医療機関へ疑義照会した上で調剤　　□保険医療機関へ情報提供

調剤実施回数（調剤回数に応じて、□に「レ」又は「×」を記載するとともに、調剤日及び次回調剤予定日を記載すること。）
□1回目調剤日（　年　月　日）　□2回目調剤日（　年　月　日）　□3回目調剤日（　年　月　日）
次回調剤予定日（　年　月　日）　　次回調剤予定日（　年　月　日）

調剤済年月日	令和　年　月　日	公費負担者番号	
保険薬局の所在地及び名称 保険薬剤師氏名	㊞	公費負担医療の受給者番号	

備考　1．「処方」欄には、薬名、分量、用法及び用量を記載すること。
　　　2．この用紙は、A列5番を標準とすること。
　　　3．療養の給付及び公費負担医療に関する費用の請求に関する命令（昭和51年厚生省令第36号）第1条の公費負担医療については、「保険医療機関」とあるのは「公費負担医療の担当医療機関」と、「保険医氏名」とあるのは「公費負担医療の担当医氏名」と読み替えるものとすること。

○ 調剤報酬明細書

令和 6 年 6 月分

都道府県番号	薬局コード	20

4 調剤	①社・国 3後期	①単独	2本外	8高外一
	2公費 4退職	②2併	4六外	0高外7
		③3併	6家外	

保険者番号 　0 1 2 0 0 0 1 3　給付割合 10 9 8 ⑦ ( )

被保険者証・被保険者手帳等の記号・番号　456・7890　(枝番)

| 公費負担者番号① | | 公費負担医療の受給者番号① | |
| 公費負担者番号② | | 公費負担医療の受給者番号② | |

氏名　**木曽　雄馬**

①男　2女　1明 2大 3昭 ④平 5令　10.3.7 生

職務上の事由　1職務上　2下船後3月以内　3通勤災害

特記事項

保険薬局の所在地及び名称

保険医療機関の所在地及び名称　**長野県○○○ 1-7-20　松本クリニック**

都道府県番号 2 0　点数表番号 1　医療機関コード 8 0 ○○○○○

保険医氏名
1	上田 誠	6
2		7
3		8
4		9
5		10

受付回数	保険	1 回
	公費①	回
	公費②	回

医師番号	処方月日	調剤月日	処方 医薬品名・規格・用量・剤形・用法	単位薬剤料	調剤数量	薬剤調製料調剤管理料	薬剤料	加算料	公費分点数
	6・4	6・4	「内服」	3 点	14	24 28 点	42 点	回 8 点	点
	・	・	アリピプラゾール錠6mg「トーワ」　1T						
	・	・	ヒルナミン錠50mg　1T						
	・	・	サイレース錠1mg　1T						
			分1　就寝前						
	6・4	6・4	「内服」	27	5	24 4	135		
	・	・	バルプロ酸ナトリウム錠100mg「アメル」　6T						
	・	・	クエチアピン錠25mg「DSEP」　6T						
	・	・	セフジニル錠50mg「サワイ」　3C						
	・	・	レバミピド錠100mg「TCK」　3T						
			分3　毎食後						
	・	・							
	・	・							
	・	・							
	・	・							
	・	・							
	・	・							
	・	・							
	・	・							
	・	・							
	・	・							

摘要

安全管理が必要な医薬品（アリピプラゾール錠）について、詳細説明と指導を行う

※高額療養費	円
※公費負担点数	点
※公費負担点数	点

	請求 点	※ 決定 点	一部負担金額 円	調剤基本料 点	時間外等加算 点	薬学管理料 点
保険	425			基A 通支A・後B 105		薬A 1　特管A イ 1　55
			減額 割(円) 免除・支払猶予			
公費①	点	※ 点	円	点	点	点
公費②	点	※ 点	円	点	点	点

34

〈調剤録〉

	薬剤料	調剤数量	薬剤料計	薬剤調製料	調剤管理料	加算料	小計	薬学管理料	調剤基本料	合計点数
①	3	14	42	24	28	向 8	102	薬 A 45	基 A 45	
②③	27	5	135	24	4		163	特管 A イ 10	地支 A 32 後 B 28	425
								その他の 特掲技術料	患者負担金	1,280 円
									請求金額	円

解説

POINT

- 処方箋上の Rp ①〜③のうち、②と③は服用時点がすべて同じなので 1 剤として薬剤料や薬剤調製料・調剤管理料を算定します。
- サイレース錠（向精神薬）は薬剤調製料に 向 **8 点**加算できます。
- 特定薬剤管理指導加算は、特に安全管理が必要な医薬品（ハイリスク薬）が処方されており、患者やその家族等に対して、そのことを伝え、服用に際しての適切な指導を行った場合に算定します。

【特に安全管理が必要な医薬品（ハイリスク薬）】
抗悪性腫瘍薬、免疫抑制剤、抗不整脈薬、抗てんかん薬、抗凝固薬、ジギタリス製剤、テオフィリン製剤、カリウム製剤（注射剤に限る）、精神神経用薬、糖尿病用薬、膵臓ホルモン剤、抗 HIV 薬

- 今回、新たに処方されたアリピプラゾール錠（精神神経用薬）のハイリスク薬について、「詳細な説明と指導を実施」とあるので**特定薬剤管理指導 1 イ**を行い、加算します。

●薬剤料、薬剤調製料・調剤管理料

Rp ②・③は、服用時点が同じであるため 1 剤にまとめます。

【Rp ①…内服】

❶単位薬剤料　アリピプラゾール錠 6mg「トーワ」

¥12.30 × 1T = ¥12.30

ヒルナミン錠 50㎎

¥8.90 × 1T = ¥8.90

向 サイレース錠 1mg

¥8.40 × 1T = ¥8.40

合計金額　¥29.60
金額を点数にする
→ 29.60 ÷ 10 =
2.96（五捨五超入）
⇒ **3 点**

❷調剤数量　**14 日分**

❸薬剤料　❶×❷ → 3 点× 14 日分= **42 点**

❹薬剤調製料　早見表から、内服薬 1 剤につき　⇒**24 点**　早見表
調剤管理料　早見表から、内服薬 14 日分を確認 ⇒**28 点**　**52 点**

❺加算料　麻薬等加算（サイレース錠）は向精神薬を確認 ⇒
向 **8 点** 早見表

【Rp ②＋③…内服】

❶単位薬剤料　バルプロ酸ナトリウム錠 100mg「アメル」

　　　　　　　¥9.30 × 6T ＝ ¥55.80

　　　　　　　クエチアピン錠 25mg「DSEP」

　　　　　　　¥10.10 × 6T ＝ ¥60.60

　　　　　　　セフジニル錠 50mg「サワイ」

　　　　　　　¥40.20 × 3C ＝ ¥120.60

　　　　　　　レバミピド錠 100mg「TCK」

　　　　　　　¥10.10 × 3T ＝ ¥30.30

合計金額 ¥267.30
金額を点数にする
→ 267.30 ÷ 10 ＝
26.73（五捨五超入）
⇒ **27 点**

❷調剤数量　　**5日分**

❸薬剤料　　　❶×❷ → 27 点×5日分＝ **135 点**

❹薬剤調製料　早見表から、内服薬 1 剤につき　⇒ **24 点**　｜早見表
　調剤管理料　早見表から、内服薬 5 日分を確認 ⇒　 **4 点**　└ **28 点**

❺加算料　　　なし

●薬学管理料

算定条件（3 ヵ月以内に再来局、おくすり手帳による情報提供あり）
を確認します。

服薬管理指導 1 を実施 1 回 → ｜薬 A｜ **45 点**　｜早見表
特定薬剤管理指導 1 イを実施 1 回 → ｜特管 A イ｜ **10 点**　└ **55 点**
　　　　　　　　　　　　　　　　　　　　　｜早見表

●調剤基本料

算定条件を確認します。

受付回数：1 月 3,500 回・集中率 63% 、妥結率 50% 超　｜早見表
＝「調剤基本料 1」→「｜基 A｜」45 点 ←｜早見表
地域支援体制加算 1（届）「｜地支 A｜」→ 32 点 ←｜早見表
後発医薬品調剤体制加算 2「｜後 B｜」→ 28 点 ←｜早見表
合わせて、**105 点**（45 点＋32 点＋28 点）

〈レセプトの書き方〉

調剤基本料	時間外等加算	薬学管理料			
基 A		薬 A	1	特管 A イ	1
地支 A・後 B					
105		55			

●患者負担金

調剤録の合計点数に負担割合（P.10 参照）をかけて、患者負担金を
計算します。425 点×3 割＝ 1,275（四捨五入）⇒ **1,280 円**

ケース7 同一患者の複数回受付の調剤を行ったケース

次の処方箋をもとにして、調剤レセプトを作成しなさい。

【算定条件】①処方箋の受付回数：1月2,000回（集中率15%）、妥結率50%超
②服薬管理指導1を実施（3ヵ月以内に再来局、おくすり手帳に記載・持参あり）
③開局時間：月～土　9時～18時
④休業日：日曜・祝日

処　方　箋

（この処方箋は、どの保険薬局でも有効です。）

公費負担者番号		保険者番号	3 3 2 7 1 0 0 8
公費負担医療の受給者番号		被保険者証・被保険者手帳の記号・番号	123・456 （枝番）

患者	氏　名	池田　沙織		保険医療機関の所在地及び名称	大阪府○○○ 3-4-5 守口クリニック
	生年月日	明大昭㊝令 29年9月1日 男・㊛		電話番号	
				保険医氏名	高石　賢一　　㊞
	区　分	被保険者　（被扶養者）		都道府県番号 27 点数表番号 1 医療機関コード 9 1 ○○○○○	

交付年月日	令和 6 年 11 月 3 日	処方箋の使用期間	令和　年　月　日	特に記載のある場合を除き、交付の日を含めて4日以内に保険薬局に提出すること。

処方	変更不可（医療上必要）	患者希望	個々の処方薬について、医療上の必要性があるため、後発医薬品（ジェネリック医薬品）への変更に差し支えがあると判断した場合には、「変更不可」欄に「レ」又は「×」を記載し、「保険医署名」欄に署名又は記名・押印すること。また、患者の希望を踏まえ、先発医薬品を処方した場合には、「患者希望」欄に「レ」又は「×」を記載すること。
			Rp) ①小児用ムコソルバン DS　1.5%　0.6g 　　　メプチンドライシロップ 0.005%　0.6g 　　　カルボシステイン DS50%「タカタ」　0.6g 　　　　分3　朝・夕・就寝前　2日分 　　②テオフィリン徐放ドライシロップ小児用 20%「サワイ」4.0g 　　　　分2　朝・夕食後　2日分 　　③アセトアミノフェン坐剤小児用 100mg「JG」　2個 　　　　発熱時　1回1個　2回分 リフィル可 □　（　　回）

備考	保険医署名	「変更不可」欄に「レ」又は「×」を記載した場合は、署名又は記名・押印すること。
	11／3（祝日）緊急受付　Rp①計量混合調剤 テオフィリン徐放ドライシロップ小児用 20%「サワイ」についてテオフィル製剤のハイリスク薬剤について詳細な説明と指導（特定薬剤管理指導加算1）を十分行う	
	保険薬局が調剤時に残薬を確認した場合の対応（特に指示がある場合は「レ」又は「×」を記載すること。） 　　□保険医療機関へ疑義照会した上で調剤　　　　　　　□保険医療機関へ情報提供	
	調剤実施回数（調剤回数に応じて、□に「レ」又は「×」を記載するとともに、調剤日及び次回調剤予定日を記載すること。） □1回目調剤日（　年　月　日）　□2回目調剤日（　年　月　日）　□3回目調剤日（　年　月　日） 次回調剤予定日（　年　月　日）　次回調剤予定日（　年　月　日）	

調剤済年月日	令和　年　月　日	公費負担者番号	
保険薬局の所在地及び名称保険薬剤師氏名	㊞	公費負担医療の受給者番号	

備考　1．「処方」欄には、薬名、分量、用法及び用量を記載すること。
　　　2．この用紙は、A列5番を標準とすること。
　　　3．療養の給付及び公費負担医療に関する費用の請求に関する命令（昭和51年厚生省令第36号）第1条の公費負担医療については、「保険医療機関」とあるのは「公費負担医療の担当医療機関」と、「保険医氏名」とあるのは「公費負担医療の担当医氏名」と読み替えるものとすること。

処 方 箋

(この処方箋は、どの保険薬局でも有効です。)

公費負担者番号		保険者番号	3 3 2 7 1 0 0 8
公費負担医療 の受給者番号		被保険者証・被保険 者手帳の記号・番号	123 · 456　　（枝番）

患者	氏　名	**池田　沙織**	保険医療機関の 所在地及び名称	大阪府○○○ 3-4-5 守口クリニック
	生年月日	明 大 昭 平 令　29年9月1日　男・女	電　話　番　号 保険医氏名	 高石　賢一　　　　㊞
	区　分	被保険者　　被扶養者	都道府県番号 27 点数表番号 1 医療機関コード 9 1 ○○○○○

交付年月日	令和 6 年 11 月 5 日	処方箋の 使用期間	令和　年　月　日	特に記載のある場合を除き、交付の日を含めて4日以内に保険薬局に提出すること。

処 方	変更不可 （医療上必要）	患者希望	個々の処方薬について、医療上の必要性があるため、後発医薬品（ジェネリック医薬品）への変更に差し支えがあると判断した場合には、「変更不可」欄に「レ」又は「×」を記載し、「保険医署名」欄に署名又は記名・押印すること。また、患者の希望を踏まえ、先発医薬品を処方した場合には、「患者希望」欄に「レ」又は「×」を記載すること。

Rp) ①小児用ムコソルバン DS　1.5%　0.6g
　　　メプチンドライシロップ 0.005%　0.6g
　　　カルボシステイン DS50%「タカタ」　0.6g
　　　　　　　　　　　分3　朝・夕・就寝前　3日分

　　②ホクナリンテープ 1mg　3枚
　　　　　　　　　1日1回　1枚のみ使用　胸部に貼付

リフィル可 □ （　　回）

備 考	保険医署名	「変更不可」欄に「レ」又は「×」を記載した場合は、署名又は記名・押印すること。

Rp) ①計量混合調剤

保険薬局が調剤時に残薬を確認した場合の対応（特に指示がある場合は「レ」又は「×」を記載すること。）
□保険医療機関へ疑義照会した上で調剤　　　　　　□保険医療機関へ情報提供

調剤実施回数（調剤回数に応じて、□に「レ」又は「×」を記載するとともに、調剤日及び次回調剤予定日を記載すること。）
□1回目調剤日（　年　月　日）　□2回目調剤日（　年　月　日）　□3回目調剤日（　年　月　日）
次回調剤予定日（　年　月　日）　次回調剤予定日（　年　月　日）

調剤済年月日	令和　年　月　日	公費負担者番号	
保険薬局の所在地 及 び 名 称 保険薬剤師氏名	㊞	公費負担医療の 受給者番号	

備考　1.「処方」欄には、薬名、分量、用法及び用量を記載すること。
　　　2. この用紙は、A列5番を標準とすること。
　　　3. 療養の給付及び公費負担医療に関する費用の請求に関する命令（昭和51年厚生省令第36号）第1条の公費負担医療については、「保険医療機関」とあるのは「公費負担医療の担当医療機関」と、「保険医氏名」とあるのは「公費負担医療の担当医氏名」と読み替えるものとすること。

処　方　箋

（この処方箋は、どの保険薬局でも有効です。）

公費負担者番号							保険者番号	3 3 2 7 1 0 0 8
公費負担医療 の受給者番号							被保険者証・被保険 者手帳の記号・番号	123・456　　（枝番）

患者	氏　名	**池田　沙織**		保険医療機関の 所在地及び名称	大阪府○○○ 3-4-5 守口クリニック
	生年月日	明大昭平令　29年9月1日　男・⊛		電　話　番　号 保険医氏名	**高石　賢一**　　　㊞
	区　分	被保険者　　被扶養者		都道府県番号 27　点数表番号 1　医療機関コード 91○○○○○	

交付年月日	令和 6 年 11 月 8 日	処方箋の 使用期間	令和　年　月　日	特に記載のある場合を除き、交付の日を含めて4日以内に保険薬局に提出すること。

処方	変更不可 （医療上必要）	患者希望	個々の処方薬について、医療上の必要性があるため、後発医薬品（ジェネリック医薬品）への変更に差し支えがあると判断した場合には、「変更不可」欄に「レ」又は「×」を記載し、「保険医署名」欄に署名又は記名・押印すること。また、患者の希望を踏まえ、先発医薬品を処方した場合には、「患者希望」欄に「レ」又は「×」を記載すること。
			Rp）①アスベリン散10%　0.3g 　　　　　　分3　毎食後　3日分 リフィル可 □　（　　　回）
	保険医署名		「変更不可」欄に「レ」又は「×」を記載 した場合は、署名又は記名・押印すること。

備考	保険薬局が調剤時に残薬を確認した場合の対応（特に指示がある場合は「レ」又は「×」を記載すること。） □保険医療機関へ疑義照会した上で調剤　　　　　□保険医療機関へ情報提供

調剤実施回数（調剤回数に応じて、□に「レ」又は「×」を記載するとともに、調剤日及び次回調剤予定日を記載すること。）
□1回目調剤日（　　年　月　日）　□2回目調剤日（　　年　月　日）　□3回目調剤日（　　年　月　日）
次回調剤予定日（　　年　月　日）　　　次回調剤予定日（　　年　月　日）

調剤済年月日	令和　年　月　日	公費負担者番号	
保険薬局の所在地 及 び 名 称 保 険 薬 剤 師 氏 名	㊞	公費負担医療の 受給者番号	

備考　1．「処方」欄には、薬名、分量、用法及び用量を記載すること。
　　　2．この用紙は、A列5番を標準とすること。
　　　3．療養の給付及び公費負担医療に関する費用の請求に関する命令（昭和51年厚生省令第36号）第1条の公費負担医療については、「保険医療機関」とあるのは「公費負担医療の担当医療機関」と、「保険医氏名」とあるのは「公費負担医療の担当医師氏名」と読み替えるものとすること。

○ 調剤報酬明細書

令和 6 年 11 月分

都道府県番号 27　薬局コード

4調剤	①社・国 3後期	①単独 2本外 8高外一
	2公費 4退職	2 2併 六外 0高外7
		3 3併 家外 ©高外7

保険者番号 3 3 2 7 1 0 0 8　給付割合 10 9 8 ⑦( )

被保険者証・被保険者手帳等の記号・番号　123・456　(枝番)

公費負担者番号① 　公費負担医療の受給者番号①
公費負担者番号② 　公費負担医療の受給者番号②

氏名　池田　沙織
1男 ②女　1明 2大 3昭 ④平 5令 29.9.1 生

職務上の事由　1職務上　2下船後3月以内　3通勤災害

特記事項

保険薬局の所在地及び名称

保険医療機関の所在地及び名称　大阪府○○○ 3-4-5　守口クリニック

都道府県番号 2 7　点数表番号 1　医療機関コード 9 1 ○○○○○

保険医氏名
1 高石 賢一　6
2　7
3　8
4　9
5　10

受付回数　保険 3 回　公費① 回　公費② 回

医師番号	処方月日	調剤月日	処方 医薬品名・規格・用量・剤形・用法	単位薬剤料	調剤数量	薬剤調製料 調剤管理料	薬剤料	加算料	公費分点数
	11・3	11・3	「内服」	4 点	2	24/4 点	8 点	薬休 調休 計 84	点
	11・5	11・5	小児用ムコソルバン DS 1.5% 0.6g		3	24/4	12	計 45	
	・	・	メプチンドライシロップ 0.005% 0.6g						
	・	・	カルボシステイン DS50%「タカタ」 0.6g						
	・	・	分3　朝・夕・就寝前						
	11・3	11・3	「内服」	13	2	24/4	26	薬休 調休 39	
	・	・	テオフィリン徐放ドライシロップ小児用20%「サワイ」						
	・	・	4.0g						
	・	・	分2　朝・夕食後						
	11・3	11・3	「外用」	4	1	10/0	4	薬休 14	
	・	・	アセトアミノフェン坐剤小児用100mg「JG」 2個						
	・	・	発熱時						
	11・5	11・5	「外用」	9	1	10/0	9		
	・	・	ホクナリンテープ1mg　3枚						
	・	・	1日1枚のみ使用　胸部に貼付						
	11・8	11・8	「内服」	1	3	24/4	3		
	・	・	アスベリン散10% 0.3g						
	・	・	分3　毎食後						

摘要
11／3（祝日）緊急受付
安全管理が必要な医薬品（テオフィリン製剤）について詳細説明と指導を行う

※高額療養費 　円
※公費負担点数 　点
※公費負担点数 　点

保険	請　求　点	※	決　定　点	一部負担金額 円	調剤基本料 点	時間外等加算 点	薬　学　管　理　料 点
	719		点	減額 割(円) 免除・支払猶予	基A 135	休 63	薬A3 特管Aイ1 145
公費①	点	※	点	円	点	点	点
公費②	点	※	点	円	点	点	点

〈調剤録〉

1（11／3祝日）

	薬剤料	調剤数量	薬剤料計	薬剤調製料	調剤管理料	加算料	小計	薬学管理料	調剤基本料	合計点数
①	4	2	8	24	4	薬休 調休39 計45	120	薬A 45 特管Aイ 10	基A 45 休63	404
②	13	2	26	24	4	薬休 調休39	93			
③	4	1	4	10	0	薬休14	28	その他の特掲技術料	患者負担金	1,210 円
									請求金額	円

2（11／5）

	薬剤料	調剤数量	薬剤料計	薬剤調製料	調剤管理料	加算料	小計	薬学管理料	調剤基本料	合計点数
①	4	3	12	24	4	計45	85	薬A 45	基A 45	194
②	9	1	9	10	0		19			
								その他の特掲技術料	患者負担金	580 円
									請求金額	円

3（11／8）

	薬剤料	調剤数量	薬剤料計	薬剤調製料	調剤管理料	加算料	小計	薬学管理料	調剤基本料	合計点数
①	1	3	3	24	4		31	薬A 45	基A 45	121
								その他の特掲技術料	患者負担金	360 円
									請求金額	円

解説

POINT

- 祝日に緊急受付をして調剤を行い、その後も2回処方箋を受け付けています。計3回の処方箋に対する調剤報酬請求の算定をしてみましょう。
- 1回目は、祝日の緊急受付で休日加算が算定できます。「調剤基本料」と「薬剤調整料」、「薬剤管理料」に対して、休日は（所定点数×1.4）が加算できます。
- Rp1は散剤のため、計量混合調剤加算 計 が算定できます。
- 投薬にテオフィリン製剤（ハイリスク薬）が含まれており、初回処方で詳細な説明と指導を実施したので 特管Aイ が算定できます。

11／3（祝）

●薬剤料、薬剤調製料・調剤管理料

【Rp ①…内服】

❶単位薬剤料 小児用ムコソルバン DS　1.5%

¥20.80 × 0.6 g＝¥12.48

メプチンドライシロップ 0.005%

¥36.60 × 0.6 g＝¥21.96

カルボシステイン DS50%「タカタ」

¥12.50 × 0.6 g＝¥7.50

合計 ¥41.94
金額を点数にする
→ 41.94 ÷ 10 ＝ 4.194（五捨五超入）⇒ **4点**

❷調剤数量 **2日分**

❸薬剤料 ❶×❷ → 4点×2日分 ＝ **8点**

❹薬剤調製料 早見表から、内服薬 1 剤につき　⇒ **24点**　┐ 早見表

調剤管理料 早見表から、内服薬 2 日分を確認 ⇒ **4点**　┘ **28点**

❺加算料 休日加算（薬剤調製料・調剤管理料の所定点数×1.4）

→28 点 × 1.4 ＝ 薬休 調休 **39点**　早見表

計量混合調剤加算　散剤・顆粒剤を確認 ⇒ 計 **45点**

【Rp ②…内服】

❶単位薬剤料 テオフィリン徐放ドライシロップ小児用 20%「サワイ」

¥32.00 × 4g ＝ ¥128.00　金額を点数にする

→ 128.00 ÷ 10 ＝ 12.80（五捨五超入）⇒ **13点**

❷調剤数量 **2日分**

❸薬剤料 ❶×❷　→　13点×2日分＝ **26点**

❹薬剤調製料 早見表から、内服薬 1 剤につき　⇒ **24点**　┐ 早見表

調剤管理料 早見表から、内服薬 2 日分を確認 ⇒ **4点**　┘ **28点**

❺加算料 休日加算　薬剤調製料・調剤管理料の所定点数 × 1.4

⇒ 28 点× 1.4 ＝ 薬休 調休 **39点**

【Rp ③…外用】

❶単位薬剤料 アセトアミノフェン坐剤小児用 100㎎「JG」

¥19.70×2 個 ＝ ¥39.4　金額を点数にする

→ 39.4 ÷ 10 ＝ 3.94（五捨五超入）⇒ **4点**

❷調剤数量 外用は **1**（外用は全量で計算し、1 調剤として考える）

❸薬剤料 ❶×❷ → 4点×1 調剤＝ **4点**

❹薬剤調製料 早見表から、外用を確認 ⇒ **10点** 早見表

調剤管理料 **0点**

❺加算料 休日加算（薬剤調製料の所定点数 × 1.4）

⇒ 10 点 × 1.4 = 薬休 14 点

●薬学管理料

算定条件（3ヵ月以内に再来局、おくすり手帳による情報提供あり）を確認します。服薬管理指導料1 → 薬A 45 点 ◁ 早見表　　早見表

特定薬剤管理指導加算1 11／3（テオフィリン製剤）→ 特管Aイ 10 点

●調剤基本料

算定条件を確認します。

受付回数：1月2,000回・集中率15%、妥結率50%超

=「調剤基本料1」→「 基A 」45 点 ◁ 早見表

休日加算（調剤基本料の所定点数×1.4）

⇒ 45 × 1.4 = 63（四捨五入）→ 休 63 点

●患者負担金

調剤録の合計点数に負担割合（P.10参照）をかけて、患者負担金を計算します。404 点×3割= 1,212(四捨五入)⇒ 1,210 円

11／5

●薬剤料、薬剤調製料・調剤管理料加算

【Rp ①…内服（11/3 ①参照）】

❶単位薬剤料　**4 点**

❷調剤数量　**3日分**

❸薬剤料　❶×❷ → 4 点×3日分= **12 点**

❹薬剤調製料　早見表から、内服薬1剤につき ⇒ **24 点** ┐
　調剤管理料　早見表から、内服薬3日分を確認 ⇒ 　**4 点** ┘ 早見表 **28点**

❺加算料　計量混合調剤加算　早見表から
　　　　　散剤・顆粒剤を確認 ⇒ 計 45 点 ◁ 早見表

【Rp ②…外用】

❶単位薬剤料　ホクナリンテープ1mg ¥29.10×3枚= ¥87.30
　　　　　　　金額を点数にする
　　　　　　　→ 87.30 ÷ 10 = 8.73（五捨五超入）⇒ **9 点**

❷調剤数量　外用は**1**（外用は全量で計算し、1調剤として考える）

❸薬剤料　❶×❷ → 9 点×1調剤= **9 点**

❹薬剤調製料　早見表から、外用を確認 ⇒ **10 点** ◁ 早見表
　調剤管理料　**0 点**

❺加算料　　なし

●薬学管理料

算定条件（3ヵ月以内に再来局、おくすり手帳による情報提供あり）を確認します。服薬管理指導料 1 → 薬A 45点 ◁ 早見表

●調剤基本料

算定条件を確認します。

受付回数：1月2,000回・集中率15%、妥結率50%超

=「調剤基本料1」⇒「 基A 」45点 ◁ 早見表

●患者負担金

調剤録の合計点数に負担割合（P.10参照）をかけて、患者負担金を計算する。194点×3割=582(四捨五入)⇒ **580円**

11／8

●薬剤料、薬剤調製料・調剤管理料

【Rp ①…内服】

❶単位薬剤料　アスベリン散 10% ¥11.90 × 0.3g ＝ ¥3.57

金額を点数にする→ 3.57 ÷ 10 = 0.357

五捨五超入で 1.50円以下（薬価15円以下）は **1点**

❷調剤数量　**3日分**

❸薬剤料　❶×❷ → 1点×3日分 = **3点**

❹薬剤調製料　早見表から、内服薬1剤につき　⇒ **24点** ┐ 早見表

　調剤管理料　早見表から、内服薬3日分を確認 ⇒ **4点** ┘ 28点

❺加算料　　なし

●薬学管理料

算定条件（3ヵ月以内に再来局、おくすり手帳による情報提供あり）を確認します。服薬管理指導料 1 → 薬A 45点 ◁ 早見表

●調剤基本料

算定条件を確認します。

受付回数：1月2,000回・集中率15%、妥結率50%超

=「調剤基本料1」⇒「 基A 」45点 ◁ 早見表

●患者負担金

調剤録の合計点数に負担割合（P.10参照）をかけて、患者負担金を計算します。121点×3割=363(四捨五入)⇒ **360円**

ケース 8 妥結率が 50% 以下の保険調剤薬局のケース

次の処方箋をもとにして、調剤レセプトを作成しなさい。

【算定条件】①処方箋の受付回数：1月680回（集中率30%）妥結率30%
後発医薬品調剤体制加算2
②服薬管理指導1を実施（3ヵ月以内に再来局、おくすり手帳に記載・持参あり）
③開局時間：月～土　9時～19時
④休業日：日曜・祝日

処　方　箋

（この処方箋は、どの保険薬局でも有効です。）

公費負担者番号			保険者番号	0 1 4 7 0 0 1 2
公費負担医療 の受給者番号			被保険者証・被保険 者手帳の記号・番号	123・456　　（枝番）

患者	氏　名	名護　ひとみ		保険医療機関の 所在地及び名称	沖縄県○○○ 345 石垣病院
	生年月日	明大昭平令 2年9月10日 男・⼥		電　話　番　号 保険医氏名	宮古　達也　　　㊞
	区　分	被保険者　　被扶養者		都道府県番号 47　点数表番号 1　医療機関コード 0 7 ○○○○○	

交付年月日	令和 6 年 6 月 6 日	処方箋の 使用期間	令和　年　月　日	特に記載のある場合を除き、交付の日を含めて4日以内に保険薬局に提出すること。

処 方	変更不可 （医療上必要）	患者希望	個々の処方薬について、医療上の必要性があるため、後発医薬品（ジェネリック医薬品）への変更に差し支えがあると判断した場合には、「変更不可」欄に「レ」又は「×」を記載し、「保険医署名」欄に署名又は記名・押印すること。また、患者の希望を踏まえ、先発医薬品を処方した場合には、「患者希望」欄に「レ」又は「×」を記載すること。
			Rp）①メチコバール錠 500μg　0.5mg　3 T 　　　　　　　分 3　毎食後　14日分 ②プレガバリン OD 錠 75mg「サンド」2T 　　　　　　　分 2　朝・夕食後　14日分 ③ケトプロフェンテープ 20mg「パテル」(7cm × 10cm) 14 枚 　　　　　　　1 日 1 回　右膝貼付（14日分） リフィル可 □（　　回）

備 考	保険医署名	「変更不可」欄に「レ」又は「×」を記載した場合は、署名又は記名・押印すること。	
	保険薬局が調剤時に残薬を確認した場合の対応（特に指示がある場合は「レ」又は「×」を記載すること。） □保険医療機関へ疑義照会した上で調剤　　　　□保険医療機関へ情報提供		

調剤実施回数（調剤回数に応じて、□に「レ」又は「×」を記載するとともに、調剤日及び次回調剤予定日を記載すること。）		
□1回目調剤日（　年　月　日）　　□2回目調剤日（　年　月　日）　　□3回目調剤日（　年　月　日） 次回調剤予定日（　年　月　日）　　　次回調剤予定日（　年　月　日）		

調剤済年月日	令和　年　月　日	公費負担者番号	
保険薬局の所在地 及 び 名 称 保険薬剤師氏名	㊞	公費負担医療の 受給者番号	

備考　1．「処方」欄には、薬品、分量、用法及び用量を記載すること。
　　　2．この用紙は、A列5番を標準とすること。
　　　3．療養の給付及び公費負担医療に関する費用の請求に関する命令（昭和51年厚生省令第36号）第1条の公費負担医療については、「保険医療機関」とあるのは「公費負担医療の担当医療機関」と、「保険医氏名」とあるのは「公費負担医療の担当医氏名」と読み替えるものとすること。

処　方　箋

（この処方箋は、どの保険薬局でも有効です。）

公費負担者番号							保険者番号	0 1 4 7 0 0 1 2
公費負担医療 の受給者番号							被保険者証・被保険 者手帳の記号・番号	123・456　（枝番）

	氏　名	名護　ひとみ		保険医療機関の 所在地及び名称	沖縄県○○○ 345 石垣病院
患者	生年月日	明大昭⑩令　2年9月10日	男・⑨	電話番号 保険医氏名	宮古　達也　　　　㊞
	区　分	被保険者	被扶養者	都道府県番号 4 7　点数表番号 1　医療機関コード 0 7 ○○○○○	

交付年月日	令和 6 年 6 月 19 日	処方箋の 使用期間	令和　年　月　日	特に記載のある場合を除き、交付の日を含めて4日以内に保険薬局に提出すること。

	変更不可 （医療上必要）	患者希望	個々の処方薬について、医療上の必要性があるため、後発医薬品（ジェネリック医薬品）への変更に差し支えがあると判断した場合には、「変更不可」欄に「レ」又は「×」を記載し、「保険医署名」欄に署名又は記名・押印すること。また、患者の希望を踏まえ、先発医薬品を処方した場合には、「患者希望」欄に「レ」又は「×」を記載すること。
処 方			Rp) ①ファモチジン OD 錠 10mg「Me」2T 　　　　分2　朝・夕食後　7日分 ②オルメサルタン OD 錠 20mg「トーワ」1T 　アトルバスタチン錠 10mg「サワイ」1T 　　　　分1　朝食後　7日分 ③ジアゼパム錠 2mg「アメル」　2T 　　　　分2　朝・夕食後　14日分 リフィル可 □　（　　回）

備 考	保険医署名	「変更不可」欄に「レ」又は「×」を記載した場合は、署名又は記名・押印すること。	
	ジアゼパム錠　向精神薬		
	保険薬局が調剤時に残薬を確認した場合の対応（特に指示がある場合は「レ」又は「×」を記載すること。） □保険医療機関へ疑義照会した上で調剤　　　　□保険医療機関へ情報提供		

調剤実施回数（調剤回数に応じて、□に「レ」又は「×」を記載するとともに、調剤日及び次回調剤予定日を記載すること。） □1回目調剤日（　年　月　日）　　□2回目調剤日（　年　月　日）　　□3回目調剤日（　年　月　日） 次回調剤予定日（　年　月　日）　　次回調剤予定日（　年　月　日）

調剤済年月日	令和　年　月　日	公費負担者番号	
保険薬局の所在地 及 び 名 称 保険薬剤師氏名	㊞	公費負担医療の 受給者番号	

備考　1．「処方」欄には、薬名、分量、用法及び用量を記載すること。
　　　2．この用紙は、Ａ列5番を標準とすること。
　　　3．療養の給付及び公費負担医療に関する費用の請求に関する命令（昭和51年厚生省令第36号）第1条の公費負担医療については、「保険医療機関」とあるのは「公費負担医療の担当医療機関」と、「保険医氏名」とあるのは「公費負担医療の担当医氏名」と読み替えるものとすること。

処方箋

（この処方箋は、どの保険薬局でも有効です。）

公費負担者番号							保険者番号	0 1 4 7 0 0 1 2
公費負担医療の受給者番号							被保険者証・被保険者手帳の記号・番号	123・456　（枝番）

患者	氏名	名護　ひとみ	保険医療機関の所在地及び名称	沖縄県○○○ 345 石垣病院
	生年月日	明大昭平令 2年9月10日 男・女	電話番号	
			保険医氏名	宮古　達也　㊞
	区分	被保険者　被扶養者	都道府県番号 47　点数表番号 1　医療機関コード 07○○○○○	

交付年月日	令和 6 年 6 月 26 日	処方箋の使用期間	令和　年　月　日	特に記載のある場合を除き、交付の日を含めて4日以内に保険薬局に提出すること。

処方	変更不可（医療上必要）	患者希望	個々の処方薬について、医療上の必要性があるため、後発医薬品（ジェネリック医薬品）への変更に差し支えがあると判断した場合には、「変更不可」欄に「レ」又は「×」を記載し、「保険医署名」欄に署名又は記名・押印すること。また、患者の希望を踏まえ、先発医薬品を処方した場合には、「患者希望」欄に「レ」又は「×」を記載すること。

Rp）①メチコバール錠 500μg 0.5mg　3 T
　　　　　　　分3　毎食後　28日分

　　　②エチゾラム錠 0.5mg「EMEC」3T
　　　　　　　分3　毎食後　14日分

リフィル可　□　（　　回）

備考	保険医署名	「変更不可」欄に「レ」又は「×」を記載した場合は、署名又は記名・押印すること。

エチゾラム錠　向精神薬

保険薬局が調剤時に残薬を確認した場合の対応（特に指示がある場合は「レ」又は「×」を記載すること。）
□保険医療機関へ疑義照会した上で調剤　　　□保険医療機関へ情報提供

調剤実施回数（調剤回数に応じて、□に「レ」又は「×」を記載するとともに、調剤日及び次回調剤予定日を記載すること。）
□1回目調剤日（　年　月　日）　□2回目調剤日（　年　月　日）　□3回目調剤日（　年　月　日）
次回調剤予定日（　年　月　日）　次回調剤予定日（　年　月　日）

調剤済年月日	令和　年　月　日	公費負担者番号	
保険薬局の所在地及び名称 保険薬剤師氏名	㊞	公費負担医療の受給者番号	

備考　1．「処方」欄には、薬名、分量、用法及び用量を記載すること。
　　　2．この用紙は、A列5番を標準とすること。
　　　3．療養の給付及び公費負担医療に関する費用の請求に関する命令（昭和51年厚生省令第36号）第1条の公費負担医療については、「保険医療機関」とあるのは「公費負担医療の担当医療機関」と、「保険医氏名」とあるのは「公費負担医療の担当医氏名」と読み替えるものとすること。

○ **調剤報酬明細書**

都道府県番号 薬局コード　47

令和 6 年 6 月分

| 4 調剤 | ①社・国 2公費 | 3後期 4退職 | 期 ①2 3 | 単独 2併 3併 | 2本外 4六外 6家外 | 8高外一 0高外7 |

| 保険者番号 | 0 1 4 7 0 0 1 2 | 給付割合 | 10 9 8 ⑦ ( ) |

| 被保険者証・被保険者手帳等の記号・番号 | 123・456 （枝番） |

| 公費負担者番号① | | 公費負担医療の受給者番号① | |
| 公費負担者番号② | | 公費負担医療の受給者番号② | |

氏名　**名護　ひとみ**　　特記事項

1男 ②女　1明 2大 3昭④平 5令 2・9・10 生

職務上の事由　1職務上　2下船後3月以内　3通勤災害

保険薬局の所在地及び名称

保険医療機関の所在地及び名称　沖縄県○○○ 345　石垣病院

都道府県番号 4 7　点数表番号 1　医療機関コード 0 7 ○○○○○

保険医氏名
1 宮古 達也　　6
2　　　　　　　7
3　　　　　　　8
4　　　　　　　9
5　　　　　　 10

受付回数	保険	3 回
	公費①	回
	公費②	回

医師番号	処方月日	調剤月日	処方（医薬品名・規格・用量・剤形・用法）	単位薬剤料	調剤数量	薬剤調製料 調剤管理料	薬剤料	加算料	公費分点数
	6・6	6・6	[内服] メチコバール錠 500μg 0.5mg 3T 分3 毎食後	3点 14	14 28	24 28 24 50	42点 84	点	点
	6・26	6・26							
	6・6	6・6	[外用] プレガバリン OD 錠 75mg「サンド」2T 分2 朝・夕食後	3 14	14	24 28	42		
	6・6	6・6	[外用] ケトプロフェンテープ 20mg「パテル」(7cm×10cm) 14枚 1日2回 右膝貼付 (14日分)	17 1	1	10 0	17		
	6・19	6・19	[内服] ファモチジン OD 錠 10mg「Me」2T 分2 朝・夕食後	2 7	7	0 0	14		
	6・19	6・19	[内服] オルメサルタン OD 錠 20mg「トーワ」1T アトルバスタチン錠 10mg「サワイ」1T 分1 朝食後	4 7	7	24 4	28		
	6・19	6・19	[内服] ジアゼパム錠 2mg「アメル」 2T 分2 朝・夕食後	1 14	14	24 28	14	自 8	
	6・26	6・26	[内服] エチゾラム錠 0.5mg「EMEC」3T 分3 毎食後	2 14	14	0 0	28	自 8	

摘要	※高額療養費	円
	※公費負担点数	点
	※公費負担点数	点

保険	請求点 841	※ 決定点	一部負担金額 円 減額 割(円) 免除・支払猶予	調剤基本料 点 基A 妥減 後B 153	時間外等加算 点	薬学管理料 点 薬A 3 135
公費①	点	※ 点	円	点	点	点
公費②	点	※ 点	円	点	点	点

〈調剤録〉
1（6／6）

	薬剤料	調剤数量	薬剤料計	薬剤調製料	調剤管理料	加算料	小計	薬学管理料	調剤基本料	合計点数
①	3	14	42	24	28		94	薬A 45	基A 妥減23 後B 28	311
②	3	14	42	24	28		94			
③	17	1	17	10	0		27	その他の特掲技術料	患者負担金	930円
									請求金額	円

2（6／19）

	薬剤料	調剤数量	薬剤料計	薬剤調製料	調剤管理料	加算料	小計	薬学管理料	調剤基本料	合計点数
①	2	7	14	0	0		14	薬A 45	基A 妥減23 後B 28	240
②	4	7	28	24	4		56			
③	1	14	14	24	28	向8	74	その他の特掲技術料	患者負担金	720円
									請求金額	円

3（6／26）

	薬剤料	調剤数量	薬剤料計	薬剤調製料	調剤管理料	加算料	小計	薬学管理料	調剤基本料	合計点数
①	3	28	84	24	50		158	薬A 45	基A 妥減23 後B 28	290
②	2	14	28	0	0	向8	36			
								その他の特掲技術料	患者負担金	870円
									請求金額	円

解説

POINT

- 薬剤取引価格の**妥結率**が30%の保険調剤薬局の算定方法を覚えましょう。
- 通常は価格の合意があって取引開始ですが、医療業界では生命第一優先の考えから、価格の妥結前に薬剤が納品されることがあります。低妥結率は避けるべきとの見方から、妥結率が50％以下の保険調剤薬局は、調剤基本料は区分変更して算定します。
- 6/19、6/26の処方は服用タイミングが同じ複数の薬剤で、投与日数がそれぞれ異なります。この場合の算定の仕方を学びましょう。
- 「向精神薬」のジアゼパム錠（6／19）、エチゾラム錠（6／26）を調剤しています。

6／6

●薬剤料、薬剤調製料・調剤管理料加算

　Rp①は「分3　14日分」Rp②は「分2　14日分」と記載されているので内服薬、Rp③は「14枚、貼付」と記載されているので外用薬です。

【Rp ①…内服】
　❶単位薬剤料　メチコバール錠 500 μg　0.5mg

　　　　　　　　¥10.10 × 3T ＝ ¥30.30　金額を点数にする

　　　　　　　　¥30.30 ÷ 10 ＝ 3.03（五捨五超入）⇒ **3点**

　❷調剤数量　　**14日分**

　❸薬剤料　　　❶×❷→3点× 14 日分 ＝ **42点**

　❹薬剤調製料　早見表から、内服薬 1 剤につき　　⇒ **24点**　┐早見表
　　調剤管理料　早見表から、内服薬 14 日分を確認 ⇒ **28点**　┘**52点**

　❺加算料　　　なし

[Rp ②…内服]
　❶単位薬剤料　プレガバリン OD 錠 75mg「サンド」

　　　　　　　　¥13.30 × 2T ＝ ¥26.60　金額を点数にする

　　　　　　　　¥26.60 ÷ 10 ＝ 2.66（五捨五超入）⇒ **3点**

　❷調剤数量　　**14日分**

　❸薬剤料　　　❶×❷→ 3点× 14 日分＝ **42点**

　❹薬剤調製料　早見表から、内服薬 1 剤につき　　⇒ **24点**　┐早見表
　　調剤管理料　早見表から、内服薬 14 日分を確認 ⇒ **28点**　┘**52点**

　❺加算料　　　なし

【Rp ③…外用】
　❶単位薬剤料　ケトプロフェンテープ 20mg「パテル」(7cm × 10cm)

　　　　　　　　¥12.30 × 14 枚＝¥172.2　金額→点数

　　　　　　　　¥172.2 ÷ 10 ＝ 17.22（五捨五超入）点数 **17 点**

　❷調剤数量　　1 調剤分

　❸薬剤料　　　❶×❷ → 17 点×1 調剤 ＝ **17点**

　❹薬剤調製料　外用薬の薬剤調製料を確認 ⇒ **10 点** ◁早見表
　　調剤管理料　**0 点**

　❺加算料　　　なし

● **薬学管理料**

　算定条件（3 ヵ月以内に再来局、おくすり手帳による情報提供あり）

　を確認します。服薬管理指導料 1 → 薬A 45 点 ◁早見表

● **調剤基本料**

　算定条件を確認します。受付回数：1月 680 回・集中率 30% 、妥

結率 30％ ＝調剤基本料 1 → 50％ 減算のため **23 点**（45 × 0.5）

…調剤基本料 1「 基A 」 妥減 ◁ 早見表   留意点確認

加算：後発医薬品調剤体制加算 2 → 後B 28 点

合わせて、**51 点**（23 点 +28 点）

●患者負担金

調剤録の合計点数に負担割合（P.10 参照）をかけて、患者負担金を計算します。311 点× 3 割＝ 933(四捨五入) ⇒ **930 円**

6 ／ 19

●薬剤料、薬剤調製料・調剤管理料加算

処方箋に記載されている Rp ①②③は内服薬です。すべて内服固形剤ですが服用時点が異なります。①と③は服用時点が同じなので 1 剤とし、全部で 2 剤になります。調剤管理料を算定する時は、同一服用時点の①と③は日数の長い 14 日で算定します。

Rp ①7日分　Rp ③ 14 日分

薬剤料は、①②③それぞれ計算します。

【Rp ①…内服】

❶単位薬剤料　ファモチジン OD 錠 10mg「Me」

　　　　　　　¥10.10 × 2T ＝ ¥20.20　金額を点数にする

　　　　　　　¥20.20 ÷ 10=2.02（五捨五超入）⇒ **2 点**

❷調剤数量　**7日分**

❸薬剤料　❶×❷→ 2 点×7日分 ＝ **14 点**

❹薬剤調製料　**0 点**

　調剤管理料　**0 点**

❺加算料　なし

【Rp ②…内服】

❶単位薬剤料　オルメサルタン OD 錠 20mg「トーワ」

　　　　　　　¥20.20 × 1T ＝ ¥20.20

　　　　　　　アトルバスタチン錠 10mg「サワイ」

　　　　　　　¥15.80 × 1T ＝ ¥15.80

　　合計金額　¥36.00　金額を点数にする ¥36.00 ÷ 10=3.60（五捨五超入）⇒ **4 点**

❷調剤数量　**7日分**

❸薬剤料　❶×❷ → 4 点×7日分 ＝ **28 点**

❹薬剤調製料　早見表より、内服薬 1 剤につき　⇒ **24 点** ┐
　調剤管理料　早見表より、内服薬 7 日分を確認 ⇒ **4 点** ┘ **28 点**

51

❺加算料　　　　なし

【Rp ③…内服】

❶単位薬剤料　[向] ジアゼパム錠 2mg「アメル」

¥5.70 × 2T = ¥11.40　金額 → 点数

¥11.40 ÷ 10 = 1.14（五捨五超入）⇒ **1 点**

❷調剤数量　**14 日分**

❸薬剤料　　❶×❷→ 1 点 × 14 日分 = **14 点**

❹薬剤調製料　早見表より、内服薬 1 剤につき　⇒ **24 点** ← 早見表
　調剤管理料　早見表より、内服薬 14 日分を確認 ⇒ **28 点** } **52 点**

❺加算料　　麻薬等加算（ジアゼパム錠）向精神薬を確認 ⇒
　　　　　　[向] **8 点** ← 早見表

●薬学管理料

算定条件（3 ヵ月以内に再来局、おくすり手帳による情報提供あり）
を確認します。服薬管理指導料 1 → [薬A] **45 点** ← 早見表

●調剤基本料

算定条件を確認します。

受付回数：1 月 680 回・集中率 30%、妥結率が 30%　留意点確認

＝調剤基本料 1 → 50% 減算のため 23 点（45 × 0.5）

…調剤基本料 1「[基A]」妥減 **23 点** ← 早見表

加算：後発医薬品調剤体制加算 2 → [後B] **28 点**

合わせて、**51 点**（23 点 +28 点）

●患者負担金

調剤録の合計点数に負担割合（P.10 参照）をかけて、患者負担金を
計算します。240 点× 3 割 = 720(四捨五入) ⇒ **720 円**

6 ／ 26

●薬剤料、薬剤調製料・調剤管理料

Rp ①②はどちらも「分3　毎食後」と記載されているので、合わせ
て 1 剤ですが、投与日数が異なるため、1 剤で 2 調剤となります。
薬剤料はそれぞれ算定します。

薬剤調製料と調剤管理料は、Rp ① 28 日分　Rp ② 14 日分の中で、
長い日数 **28 日**で算定します。

【Rp ①…内服薬】

❶単位薬剤料　メチコバール錠 500μg　0.5mg

　　　　　　¥10.10 × 3T ＝ ¥30.30　金額 → 点数

　　　　　　¥30.30 ÷ 10 ＝ 3.03（五捨五超入）点数 **3点**

❷調剤数量　**28日分**

❸薬剤料　　❶×❷ → 3点× 28日分 ＝ **84点**

❹薬剤調製料　内服薬 1剤につき　⇒ **24点** ┐早見表
　調剤管理料　内服薬 28日分を確認 ⇒ **50点** ┘**74点**

❺加算料　　なし

【Rp ②…内服薬】

❶単位薬剤料　エチゾラム錠 0.5mg「EMEC」

　　　　　　¥6.40 × 3T ＝ ¥19.20　金額 → 点数

　　　　　　¥19.20 ÷ 10 ＝ 1.92（五捨五超入）点数 **2点**

❷調剤数量　**14日分**

❸薬剤料　　❶×❷ → 2点× 14日分 ＝ **28点**

❹薬剤調製料　**0点**

　調剤管理料　**0点**

❺加算料　　麻薬等加算　向精神薬を確認 ⇒ 向 **8点**

●**薬学管理料**

算定条件（3ヵ月以内に再来局、おくすり手帳による情報提供あり）を確認します。服薬管理指導料 1 → 薬A **45点** ◁早見表

●**調剤基本料**

算定条件を確認します。受付回数：1月 680 回・集中率 30% 、妥結率が 30% ＝調剤基本料 1 → 50% 減算のため 23 点（45 × 0.5）…調剤基本料1「基A」妥減 **23点** ◁早見表

留意点確認

加算：後発医薬品調剤体制加算2→ 後B **28点**

合わせて、**51点**（23点＋28点）

〈レセプトの書き方〉

調剤基本料	時間外等加算	薬学管理料
基A 妥減		薬A 3
後B		
153		135

●**患者負担金**

調剤録の合計点数に負担割合（P.10 参照）をかけて、患者負担金を計算します。290 点×3割＝ 870(四捨五入) ⇒ **870 円**

ケース 8

53

次の処方箋をもとにして、調剤レセプトを作成しなさい。

【算定条件】①処方箋の受付回数：1月 3,500 回（集中率 80%）、妥結率 50% 超
　　　　　　　地域支援体制加算 1（届）
　　　　　　②服薬管理指導 2 を実施（3ヵ月以内に再来局なし、おくすり手帳持参なし）医療情報取得加算 1 を実施
　　　　　　③開局時間：月～土　9 時～ 19 時　④休業日：日曜・祝日

処　方　箋

（この処方箋は、どの保険薬局でも有効です。）

公費負担者番号		保険者番号	0 1 2 6 0 0 1 7
公費負担医療の受給者番号		被保険者証・被保険者手帳の記号・番号	789・101　（枝番）

患者	氏　名	右京　景子	保険医療機関の所在地及び名称	京都府○○○ 4-8　嵐山診療所
	生年月日	明・大・昭・平・令　53年9月10日　男・女	電話番号	
			保険医氏名	寺野　正　　　㊞
	区　分	被保険者　　被扶養者	都道府県番号 26　点数表番号 1　医療機関コード 0 7 ○○○○○

交付年月日	令和 6 年 6 月 9 日	処方箋の使用期間	令和　年　月　日	特に記載のある場合を除き、交付の日を含めて4日以内に保険薬局に提出すること。

変更不可（医療上必要）	患者希望	個々の処方薬について、医療上の必要性があるため、後発医薬品（ジェネリック医薬品）への変更に差し支えがあると判断した場合には、「変更不可」欄に「レ」又は「×」を記載し、「保険医署名」欄に署名又は記名・押印すること。また、患者の希望を踏まえ、先発医薬品を処方した場合には、「患者希望」欄に「レ」又は「×」を記載すること。

処　方

Rp）①ロキソニン錠 60mg　3 T
　　　カルボシステイン錠 250mg「トーワ」　3 T
　　　メジコン錠 15mg　3 T
　　　分 3　毎食後　3 日分

　　②メイアクト MS 錠 100mg　2 C
　　　分 2　朝・夕食後　3 日分

リフィル可 □　（　　回）

備考	保険医署名	「変更不可」欄に「レ」又は「×」を記載した場合は、署名又は記名・押印すること。

6/9 日曜日、緊急に受付を行う
AM11：00

保険薬局が調剤時に残薬を確認した場合の対応（特に指示がある場合は「レ」又は「×」を記載すること。）
□保険医療機関へ疑義照会した上で調剤　　　　　□保険医療機関へ情報提供

調剤実施回数（調剤回数に応じて、□に「レ」又は「×」を記載するとともに、調剤日及び次回調剤予定日を記載すること。）
□1回目調剤日（　年　月　日）　　□2回目調剤日（　年　月　日）　　□3回目調剤日（　年　月　日）
次回調剤予定日（　年　月　日）　　次回調剤予定日（　年　月　日）

調剤済年月日	令和　年　月　日	公費負担者番号	
保険薬局の所在地及び名称保険薬剤師氏名	㊞	公費負担医療の受給者番号	

備考 1．「処方」欄には、薬名、分量、用法及び用量を記載すること。
　　2．この用紙は、A 列 5 番を標準とすること。
　　3．療養の給付及び公費負担医療に関する費用の請求に関する命令（昭和51年厚生省令第36号）第1条の公費負担医療については、「保険医療機関」とあるのは「公費負担医療の担当医療機関」と、「保険医氏名」とあるのは「公費負担医療の担当医師氏名」と読み替えるものとすること。

処 方 箋

(この処方箋は、どの保険薬局でも有効です。)

公費負担者番号								保険者番号	0	1	2	6	0	0	1	7
公費負担医療 の受給者番号								被保険者証・被保険 者手帳の記号・番号			789・101				（枝番）	

患者	氏 名	右京　景子		保険医療機関の 所在地及び名称	京都府○○○ 4-8 嵐山診療所	
	生年月日	明大昭平令　53年9月10日	男・⼥	電 話 番 号		
				保険医氏名	渡月　桂子　　　⑪	
	区 分	被保険者	被扶養者	都道府県番号 26　点数表番号 1　医療機関コード 07○○○○○		

交付年月日	令和 6 年 6 月 13 日	処方箋の 使用期間	令和　年　月　日	特に記載のある場合を除き、交付の日を含めて4日以内に保険薬局に提出すること。

処 方	変更不可 （医療上必要）	患者希望	個々の処方薬について、医療上の必要性があるため、後発医薬品（ジェネリック医薬品）への変更に差し支えがあると判断した場合には、「変更不可」欄に「レ」又は「×」を記載し、「保険医署名」欄に署名又は記名・押印すること。また、患者の希望を踏まえ、先発医薬品を処方した場合には、「患者希望」欄に「レ」又は「×」を記載すること。
			Rp) ①ロキソニン錠60mg　3 T 　　　カルボシステイン錠250mg「トーワ」3T 　　　メジコン錠15mg　3T 　　　　分3　毎食後　3日分 　　②クラリスロマイシン錠200mg「NP」　2 T 　　　　分2　朝・夕食後　3日分 　　リフィル可 □　（　　回）

備 考	保険医署名	「変更不可」欄に「レ」又は「×」を記載した場合は、署名又は記名・押印すること。	
	保険薬局が調剤時に残薬を確認した場合の対応(特に指示がある場合は「レ」又は「×」を記載すること。) □保険医療機関へ疑義照会した上で調剤　　　　　　　□保険医療機関へ情報提供		

調剤実施回数（調剤回数に応じて、□に「レ」又は「×」を記載するとともに、調剤日及び次回調剤予定日を記載すること。）
□1回目調剤日（　年　月　日）　□2回目調剤日（　年　月　日）　□3回目調剤日（　年　月　日） 次回調剤予定日（　年　月　日）　　次回調剤予定日（　年　月　日）

調剤済年月日	令和　年　月　日	公費負担者番号	
保険薬局の所在地 及 び 名 称 保険薬剤師氏名	⑪	公費負担医療の 受給者番号	

備考　1．「処方」欄には、薬名、分量、用法及び用量を記載すること。
　　　2．この用紙は、A列5番を標準とすること。
　　　3．療養の給付及び公費負担医療に関する費用の請求に関する命令（昭和51年厚生省令第36号）第1条の公費負担医療については、「保険医療機関」とあるのは「公費負担医療の担当医療機関」と、「保険医氏名」とあるのは「公費負担医療の担当医氏名」と読み替えるものとすること。

処　方　箋

(この処方箋は、どの保険薬局でも有効です。)

公費負担者番号								保険者番号	0	1	2	6	0	0	1	7
公費負担医療 の受給者番号								被保険者証・被保険 者手帳の記号・番号			789・101			(枝番)		

患者	氏　名	**右京　景子**		保険医療機関の 所在地及び名称	京都府○○○ 4-8 嵐山診療所
	生年月日	明大昭平令 53年9月10日	男・⊛	電話番号	
				保険医氏名	寺野　正　　　　㊞
	区　分	⟨被保険者⟩	被扶養者	都道府県番号 26 点数表番号 1 医療機関コード 0 7 ○○○○	

交付年月日	令和 6 年 6 月 21 日	処方箋の 使用期間	令和　年　月　日	特に記載のある場合を除き、交付の日を含めて4日以内に保険薬局に提出すること。

処方	変更不可 (医療上必要)	患者希望	個々の処方薬について、医療上の必要性があるため、後発医薬品（ジェネリック医薬品）への変更に差し支えがあると判断した場合には、「変更不可」欄に「レ」又は「×」を記載し、「保険医署名」欄に署名又は記名・押印すること。また、患者の希望を踏まえ、先発医薬品を処方した場合には、「患者希望」欄に「レ」又は「×」を記載すること。

Rp）①ミネブロ錠 2.5mg　1T
　　アトルバスタチン錠 10mg「サワイ」1T
　　　分1　朝食後　7日分

　　②フェキソフェナジン塩酸塩錠 60mg「ケミファ」2T
　　　分2　朝・夕食後　14日分

　　③フルメトロン点眼液 0.02%　5ml
　　　1日2～4回点眼

リフィル可　□　（　　回）

備考	保険医署名	「変更不可」欄に「レ」又は「×」を記載した場合は、署名又は記名・押印すること。

	保険薬局が調剤時に残薬を確認した場合の対応（特に指示がある場合は「レ」又は「×」を記載すること。） □保険医療機関へ疑義照会した上で調剤　　　　　　□保険医療機関へ情報提供

調剤実施回数（調剤回数に応じて、□に「レ」又は「×」を記載するとともに、調剤日及び次回調剤予定日を記載すること。）
□1回目調剤日（　年　月　日）　　□2回目調剤日（　年　月　日）　　□3回目調剤日（　年　月　日）
次回調剤予定日（　年　月　日）　　次回調剤予定日（　年　月　日）

調剤済年月日	令和　年　月　日	公費負担者番号	
保険薬局の所在地 及　び　名　称 保険薬剤師氏名	㊞	公費負担医療の 受給者番号	

備考　1．「処方」欄には、薬名、分量、用法及び用量を記載すること。
　　　2．この用紙は、A列5番を標準とすること。
　　　3．療養の給付及び公費負担医療に関する費用の請求に関する命令（昭和51年厚生省令第36号）第1条の公費負担医療については、「保険医療機関」とあるのは「公費負担医療の担当医療機関」と、「保険医氏名」とあるのは「公費負担医療の担当医氏名」と読み替えるものとすること。

処　方　箋

（この処方箋は、どの保険薬局でも有効です。）

公費負担者番号		保険者番号	0 1 2 6 0 0 1 7
公費負担医療 の受給者番号		被保険者証・被保険 者手帳の記号・番号	789・101 （枝番）

	氏　名	**右京　景子**	保険医療機関の 所在地及び名称	京都府○○○ 4-8 嵐山診療所
患者	生年月日	明・大・昭・平・令 53年9月10日 男・女	電話番号 保険医氏名　**寺野　正**　　㊞	
	区　分	被保険者 ／ 被扶養者	都道府県番号 2 6　点数表番号 1　医療機関コード 0 7 ○○○○○	

交付年月日	令和 6 年 6 月 30 日	処方箋の 使用期間	令和　年　月　日	特に記載のある場合を除き、交付の日を含めて4日以内に保険薬局に提出すること。

処方	変更不可 （医療上必要）	患者希望	個々の処方薬について、医療上の必要性があるため、後発医薬品（ジェネリック医薬品）への変更に差し支えがあると判断した場合には、「変更不可」欄に「レ」又は「×」を記載し、「保険医署名」欄に署名又は記名・押印すること。また、患者の希望を踏まえ、先発医薬品を処方した場合には、「患者希望」欄に「レ」又は「×」を記載すること。
			Rp) ①ミネブロ 2.5mg　1T アトルバスタチン錠 10mg「サワイ」1T 分1　朝食後　7日分 ②カロナール錠 300　1 T 頭痛時　1回1錠（1日2回まで）　3回分 リフィル可 □ （　　　回）

備考	保険医署名	「変更不可」欄に「レ」又は「×」を記載 した場合は、署名又は記名・押印すること。
	保険薬局が調剤時に残薬を確認した場合の対応（特に指示がある場合は「レ」又は「×」を記載すること。） □保険医療機関へ疑義照会した上で調剤　　　　　　□保険医療機関へ情報提供	

調剤実施回数（調剤回数に応じて、□に「レ」又は「×」を記載するとともに、調剤日及び次回調剤予定日を記載すること。）
□1回目調剤日（　年　月　日）　　□2回目調剤日（　年　月　日）　　□3回目調剤日（　年　月　日）
次回調剤予定日（　年　月　日）　　　　次回調剤予定日（　年　月　日）

調剤済年月日	令和　年　月　日	公費負担者番号	
保険薬局の所在地 及　び　名　称 保険薬剤師氏名	㊞	公費負担医療の 受給者番号	

備考　1．「処方」欄には、薬名、分量、用法及び用量を記載すること。
　　　2．この用紙は、A列5番を標準とすること。
　　　3．療養の給付及び公費負担医療に関する費用の請求に関する命令（昭和51年厚生省令第36号）第1条の公費負担医療については、「保険医療機関」とあるのは「公費負担医療の担当医療機関」と、「保険医氏名」とあるのは「公費負担医療の担当医氏名」と読み替えるものとすること。

○ 調剤報酬明細書　　令和 6 年 6 月分

	都道府県番号 26	薬局コード		4 調剤	①社・国 2公費	3後期 4退職	①単独 2 2併 3 3併	②本外 4六外 6家外	8 高外 0 高外7

					保険者番号	0 1 2 6 0 0 1 7	給付割合	10 9 8 ②（ ）

公費負担者番号①
公費負担者番号②
公費負担医療の受給者番号①
公費負担医療の受給者番号②

被保険者証・被保険者手帳等の記号・番号　789・101　（枝番）

氏名　**右京　景子**
1男　②女　1明 2大 ③昭 4平 5令　53.9.10生

特記事項

保険薬局の所在地及び名称

職務上の事由　1職務上　2下船後3月以内　3通勤災害

保険医療機関の所在地及び名称　京都府○○○○4−8　嵐山診療所

保険医氏名　1 寺野　正　　6　　2 渡月 桂子　　7　　3　　8　　4　　9　　5　　10

都道府県 26　点数表番号 1　医療機関コード 0 7 ○○○○○○

受付回数　保険 4回　公費① 回　公費② 回

医師番号	処方月日	調剤月日	処方 医薬品名・規格・用量・剤形・用法	単位薬剤料	調剤数量	薬剤調製料 調剤管理料	薬剤料	加算料	公費分点数
1	6・9	6・9	[内服]	7点	3	24 4	21点	薬休 調休 39	点
2	6・13	6・13	ロキソニン錠60mg　3T		3	24 4	21		
	・	・	カルボシステイン錠250mg「トーワ」 3T						
	・	・	メジコン錠　5mg　3C						
	・	・	分3　毎食後						
1	6・9	6・9	[内服]	11	3	24 4	33	薬休 調休 39	
	・	・	メイアクトMS錠100mg　2T						
	・	・	分2　朝・夕食後						
2	6・13	6・13	[内服]	4	3	24 4	12		
	・	・	クラリスロマイシン錠200mg　2T						
	・	・	分2　朝・夕食後						
1	6・21	6・21	[内服]	11	7	24 4	77		
1	6・30	6・30	ミネブロ錠2.5mg　1T		7	24 4	77		
	・	・	アトルバスタチン錠10mg「サワイ」1T						
	・	・	分1　朝食後						
1	6・21	6・21	[内服]	5	14	24 28	70		
	・	・	フェキソフェナジン塩酸塩錠60mg「ケミファ」2T						
	・	・	分2　朝・夕食後						
1	6・21	6・21	[外用]	13	1	10 0	13		
	・	・	フルメトロン点眼液 0.02%　5ml						
	・	・	1日2〜4回点眼						
1	6・30	6・30	[屯服]	2	1	21 0	2		
	・	・	カロナール錠300　1T						
	・	・	頭痛時　1回1錠（1日2回まで）3回分						

摘要

6/9（日）AM11:00　緊急受付

※高額療養費　　円
※公費負担点数　　点
※公費負担点数　　点

保険	請　求　点 1310	※	決　定　点	一部負担額　円	調剤基本料 基A 地支A 308	時間外等加算 点 休 108	薬学管理料 点 薬C 1　薬B 3　医情A 1 239
				減額　割（円）免除・支払猶予			
公費①	点	※	点	円	点	点	点
公費②	点	※	点	円	点	点	点

58

〈調剤録〉

1（6／9）（日）

	薬剤料	調剤数量	薬剤料計	薬剤調製料	調剤管理料	加算料	小計	薬学管理料	調剤基本料	合計点数
①	7	3	21	24	4	薬休 調休39	88	薬 C 59	基 A 45 地支 A 32	435
②	11	3	33	24	4	薬休 調休39	100	医情 A 3	休108	
								その他の特掲技術料	患者負担金	1,310 円
									請求金額	円

2（6／13）

	薬剤料	調剤数量	薬剤料計	薬剤調製料	調剤管理料	加算料	小計	薬学管理料	調剤基本料	合計点数
①	7	3	21	24	4		49	薬 B 59	基 A 45 地支 A 32	225
②	4	3	12	24	4		40			
								その他の特掲技術料	患者負担金	680 円
									請求金額	円

3（6／21）

	薬剤料	調剤数量	薬剤料計	薬剤調製料	調剤管理料	加算料	小計	薬学管理料	調剤基本料	合計点数
①	11	7	77	24	4		105	薬 B 59	基 A 45 地支 A 32	386
②	5	14	70	24	28		122			
③	13	1	13	10	0		23	その他の特掲技術料	患者負担金	1,160 円
									請求金額	円

4（6／30）

	薬剤料	調剤数量	薬剤料計	薬剤調製料	調剤管理料	加算料	小計	薬学管理料	調剤基本料	合計点数
①	11	7	77	24	4		105	薬 B 59	基 A 45 地支 A 32	264
②	2	1	2	21	0		23			
								その他の特掲技術料	患者負担金	790 円
									請求金額	円

解説

POINT

- 4回分の処方箋の計算をしてみましょう。
- 1回目は休日の受付となっています。また、複数の医師からの処方箋が発生しています。
- レセプトの医師番号も忘れずに記入しましょう。

●6／9（日）

●薬剤料、薬剤調製料・調剤管理料

処方箋に記載されている Rp ①②はそれぞれ内服薬ですが、服用時点が異なるため2剤として算定します。

【Rp ①…内服】

❶単位薬剤料　ロキソニン錠 60mg

$¥10.10 × 3T ＝ ¥30.30$

カルボシステイン錠250mg「トーワ」

$¥6.70 × 3T ＝ ¥20.10$

メジコン錠 15mg

$¥5.70 × 3T ＝ ¥17.10$

合計金額　¥67.50
金額→点数
$¥67.50 ÷ 10 ＝ 6.75$
（五捨五超入）⇒ **7点**

❷調剤数量　**3日分**

❸薬剤料　❶×❷ → 7点×3日分 ＝ **21点**

❹薬剤調製料　早見表より、内服薬 1 剤につき　⇒ **24点**　┐
調剤管理料　早見表より、内服薬 3 日分を確認 ⇒ **4点**　┘ ─ **28点**　｜早見表

❺加算料　休日加算（薬剤調製料・調剤管理料の所定点数×1.4）

→ 28点×1.4 ＝ 薬休 調休 **39点**

【Rp ②…内服】

❶単位薬剤料　メイアクト MS 錠 100mg

$¥56.60 × 2T ＝ ¥113.20$　金額を点数にする

$¥113.20 ÷ 10 ＝ 11.32$（五捨五超入）⇒ **11点**

❷調剤数量　**3日分**

❸薬剤料　❶×❷ → 11 点×3日分 ＝ **33点**

❹薬剤調製料　早見表より、内服薬 1 剤につき　⇒ **24点**　┐
調剤管理料　早見表より、内服薬 3 日分を確認 ⇒ **4点**　┘ ─ **28点**　｜早見表

❺加算料　休日加算（薬剤調製料・調剤管理料の所定点数×1.4）

→ 28点×1.4 ＝ 薬休 調休 **39点**

●薬学管理料

算定条件（3ヵ月以内に再来局なし、おくすり手帳による情報提供なし）を確認します。服薬管理指導料2 → 薬C **59点** ◁早見表

医療情報取得加算1→ 医情A **3点**

●調剤基本料

60

算定条件を確認します。

受付回数：1月3,500回・集中率80%、妥結率50%超
＝「調剤基本料1」→「基A」45点 ◁早見表

加算：地域支援体制加算1（届）「地支A」→32点 ◁早見表

合わせて、**77点**（45点＋32点）◁早見表

77点×1.4＝休**108点**

●患者負担金

調剤録の合計点数に負担割合（P.10参照）をかけて、患者負担金を計算します。435点×3割＝1,305(四捨五入)⇒**1,310円**

6／13

●薬剤料、薬剤調製料・調剤管理料

処方箋に記載されているRp①②とはそれぞれ内服薬ですが、服用時点が異なるため2剤として算定します。

【Rp①…内服】

❶単位薬剤料　ロキソニン錠60㎎
　　　　　　　￥10.10×3T＝￥30.30
　　　　　　　カルボシステイン錠250㎎「トーワ」
　　　　　　　￥6.70×3T＝￥20.10
　　　　　　　メジコン錠15㎎
　　　　　　　￥5.70×3T＝￥17.10

合計金額　￥67.50
金額を点数にする
￥67.50÷10＝6.75
（五捨五超入）
⇒**7点**

❷調剤数量　**3日分**

❸薬剤料　　❶×❷→7点×3日分＝**21点**

❹薬剤調製料　早見表より、内服薬1剤につき ⇒**24点**┐
　調剤管理料　早見表より、内服薬3日分を確認 ⇒ **4点**┘ **28点** 早見表

❺加算料　　なし

【Rp②…内服】

❶単位薬剤料　クラリスロマイシン錠200㎎「NP」
　　　　　　　￥19.20×2T＝￥38.40　金額を点数にする
　　　　　　　￥38.40÷10＝3.84（五捨五超入）⇒**4点**

❷調剤数量　**3日分**

❸薬剤料　　❶×❷→4点×3日分＝**12点**

❹薬剤調製料　早見表より、内服薬1剤につき ⇒**24点**┐
　調剤管理料　早見表より、内服薬3日分を確認 ⇒ **4点**┘ **28点** 早見表

❺加算料　　　なし
●薬学管理料
算定条件（6/9 に来局あり、おくすり手帳持参なし）を確認します。

服薬管理指導料2 → 薬B 59点 ◁ 早見表
●調剤基本料
算定条件を確認します。

受付回数：1月3,500回・集中率80%、妥結率50%超
＝「調剤基本料1」→ 基A 45点 ◁ 早見表

加算：地域支援体制加算1（届）「 地支A 」→ 32点

合わせて、77点（45点＋32点）
●患者負担金
調剤録の合計点数に負担割合（P.10 参照）をかけて、患者負担金を
計算します。225点×3割＝675(四捨五入)⇒ 680円

6／21
●薬剤料、薬剤調製料・調剤管理料
処方箋に記載されている Rp ①②はそれぞれ内服薬ですが、服用時点
が異なるため2剤として算定します。

【Rp ①…内服】

❶単位薬剤料　　ミネブロ錠 2.5mg

　　　　　　　　¥91.60 × 1T = ¥91.60　　　合計金額　¥107.40
　　　　　　　　　　　　　　　　　　　　　　金額を点数にする
　　　　　　　　アトルバスタチン錠 10mg「サワイ」　¥107.40 ÷ 10 =
　　　　　　　　¥15.80 × 1T = ¥15.80　　　10.74（五捨五超入）
　　　　　　　　　　　　　　　　　　　　　⇒ 11点

❷調剤数量　　　7日分

❸薬剤料　　　　❶×❷ → 11点×7日分 = 77点

❹薬剤調製料　　早見表より、内服薬1剤につき ⇒ 24点 ┐早見表
　調剤管理料　　早見表より、内服薬7日分を確認 ⇒ 　4点 ┘28点

❺加算料　　　なし

【Rp ②…内服】

❶単位薬剤料　　フェキソフェナジン塩酸塩錠 60mg「ケミファ」

　　　　　　　　¥23.10 × 2T = ¥46.20　　金額を点数にする
　　　　　　　　¥46.20 ÷ 10 = 4.62（五捨五超入）⇒ 5点

❷調剤数量　　　14日分

❸薬剤料　　　　❶×❷ →５点× 14 日分 = **70 点**　　┐　早見表
❹薬剤調製料　　早見表より、内服薬１剤につき　⇒**24点**─┐
　調剤管理料　　早見表より、内服薬 14 日分を確認 ⇒**28点**─┘**52点**
❺加算料　　　　なし
[Rp ③…外用]
　❶単位薬剤料　　フルメトロン点眼液 0.02%
　　　　　　　　　¥26.30 × 5ml = 131.50　金額を点数にする
　　　　　　　　　¥131.50 ÷ 10 = ¥13.15⇒ **13 点**
　❷調剤数量　　　１調剤分
　❸薬剤料　　　　13 点× １調剤= **13 点**
　❹薬剤調製料　　早見表から、外用薬を確認⇒ **10 点**
　　調剤管理料　　**0 点**
　❺加算料　　　　なし
●**薬学管理料**
　算定条件（３ヵ月以内に再来局、おくすり手帳持参なし）を確認します。
　服薬管理指導料２ → 薬 B 59 点 ← 早見表
●**調剤基本料**
　算定条件を確認します。
　受付回数：１月 3,500 回・集中率 80% 、妥結率 50% 超
　=「調剤基本料１」→ 基 A 45 点 ← 早見表
　加算：地域支援体制加算１（届）「地支 A 」→ **32 点** ← 早見表
　合わせて、**77 点**（45 点＋ 32 点）
●**患者負担金**
　調剤録の合計点数に負担割合（P.10 参照）をかけて、患者負担金を
　計算します。386 点× ３割= 1,158(四捨五入) ⇒ **1,160 円**
6／30
●**薬剤料、薬剤調製料・調剤管理料**
　Rp ②は「○回分」と記載されているので屯服薬です。
【Rp ①…内服】

63

❶単位薬剤料　ミネブロ錠 2.5mg

$¥91.60 × 1T = ¥91.60$

アトルバスタチン錠 10mg「サワイ」

$¥15.80 × 1T = ¥15.80$

合計金額　¥107.40
金額を点数にする
$¥107.40 ÷ 10 =$
10.74（五捨五超入）
⇒11点

❷調剤数量　**7日分**

❸薬剤料　❶×❷ → 11点 × 7日分 = **77点**

❹薬剤調製料　早見表より、内服薬 1 剤につき　⇒ **24点**　｜早見表｜

調剤管理料　早見表より、内服薬 7 日分を確認 ⇒　**4点**　└**28点**

❺加算料　なし

【Rp ②…屯服】

❶単位薬剤料　カロナール錠 300

$¥7.00 × 3T = ¥21.00$　金額を点数にする

$¥21.00 ÷ 10 = 2.10$（五捨五超入）⇒ **2点**

❷調剤数量　**1 調剤分（全量）**

❸薬剤料　❶×❷ → 2点 × 1調剤分 = **2点**

❹薬剤調製料　早見表より、屯服薬の薬剤調製料 ⇒ **21点**

調剤管理料　**0点**　｜早見表｜

❺加算料　なし

●薬学管理料

算定条件（3 ヵ月以内に再来局、おくすり手帳持参なし）を確認します。

服薬管理指導料 2 →　｜薬 B｜**59点** ◁｜早見表｜

●調剤基本料

算定条件を確認します。

受付回数：1月 3,500 回・集中率 80% 、妥結率 50% 超

＝「調剤基本料 1」→　｜基 A｜**45点** ◁｜早見表｜

加算：地域支援体制加算 1（届）「｜地支 A｜」→ **32点** ◁｜早見表｜

合わせて、**77点**（45 点＋32 点）

●患者負担金

調剤録の合計点数に負担割合（P.10 参照）をかけて、患者負担金を計算します。264 点×3割＝792（四捨五入）⇒ **790 円**

次の処方箋をもとにして、調剤レセプトを作成しなさい。

【算定条件】①処方箋の受付回数：1月2,100回（集中率40%）、妥結率50%超
　　　　　　　後発医薬品体制加算2
　　　　　　②服薬管理指導1を実施（3ヵ月以内に再来局、おくすり手帳に記載持参あり）
　　　　　　③開局時間：月〜土　9時〜19時　④休業日：日曜・祝日

処　方　箋

（この処方箋は、どの保険薬局でも有効です。）

公費負担者番号		保険者番号	3 9 1 3 4 5 6 4
公費負担医療 の受給者番号		被保険者証・被保険 者手帳の記号・番号	123・567　（枝番）

患者	氏名	横綱　力	保険医療機関の 所在地及び名称	東京都○○○ 1-10-12 両国クリニック
	生年月日	明・大・昭・平・令　24年1月9日　男・女	電話番号 保険医氏名	墨田　学　　　　㊞
	区分	被保険者　　被扶養者	都道府県番号 13　点数表番号 1　医療機関コード 0 7○○○○	

交付年月日	令和 6 年 8 月 7 日	処方箋の 使用期間	令和　年　月　日	特に記載のある場合を除き、交付の日を含めて4日以内に保険薬局に提出すること。

処方	変更不可 （医療上必要）	患者希望	個々の処方薬について、医療上の必要性があるため、後発医薬品（ジェネリック医薬品）への変更に差し支えがあると判断した場合には、「変更不可」欄に「レ」又は「×」を記載し、「保険医署名」欄に署名又は記名・押印すること。また、患者の希望を踏まえ、先発医薬品を処方した場合には、「患者希望」欄に「レ」又は「×」を記載すること。
			Rp）①サイレース錠1mg　0.5T 　　　　1日1回　就寝前　14日分 　　　②アトルバスタチン錠10mg「サワイ」　1T 　　　　プロブレス錠8mg　1T 　　　　プロピベリン塩酸塩錠20mg「YD」　1T 　　　　1日1回　朝食後　14日分 　　　③シベンゾリンコハク酸塩錠100mg「サワイ」　3T 　　　　1日3回　毎食後　14日分 　　　④ケトプロフェンテープ20mg「パテル」　14枚 　　　　1日1回右手首に貼付（14日分） 　　　リフィル可　□　（　　　回）

備考	保険医署名	「変更不可」欄に「レ」又は「×」を記載した場合は、署名又は記名・押印すること。
	Rp）①サイレース錠1mgを1／2カット自家製剤（向精神薬） 　　　③シベンゾリンコハク塩酸塩錠100mg「サワイ」（不整脈用剤）のハイリスク薬について詳細な説明と指導（特定薬剤管理指導加算1）を十分行う	
	保険薬局が調剤時に残薬を確認した場合の対応（特に指示がある場合は「レ」又は「×」を記載すること。） 　　□保険医療機関へ疑義照会した上で調剤　　　　　　□保険医療機関へ情報提供	
	調剤実施回数（調剤回数に応じて、□に「レ」又は「×」を記載するとともに、調剤日及び次回調剤予定日を記載すること。） □1回目調剤日（　年　月　日）　□2回目調剤日（　年　月　日）　□3回目調剤日（　年　月　日） 次回調剤予定日（　年　月　日）　　次回調剤予定日（　年　月　日）	

調剤済年月日	令和　年　月　日	公費負担者番号	
保険薬局の所在地 及　び　名　称 保険薬剤師氏名	㊞	公費負担医療の 受給者番号	

備考　1．「処方」欄には、薬名、分量、用法及び用量を記載すること。
　　　2．この用紙は、A列5番を標準とすること。
　　　3．療養の給付及び公費負担医療に関する費用の請求に関する命令（昭和51年厚生省令第36号）第1条の公費負担医療については、「保険医療機関」とあるのは「公費負担医療の担当医療機関」と、「保険医氏名」とあるのは「公費負担医療の担当医氏名」と読み替えるものとすること。

処　方　箋

（この処方箋は、どの保険薬局でも有効です。）

公費負担者番号							保険者番号	3	9	1	3	4	5	6	4
公費負担医療 の受給者番号							被保険者証・被保険 者手帳の記号・番号		123・567				（枝番）		

患者	氏　名	横綱　力	保険医療機関の 所在地及び名称	東京都○○○ 1-10-12 両国クリニック
	生年月日	明大昭平令 24年1月9日 男・女	電話番号 保険医氏名	塩田　清子　㊞
	区　分	被保険者　被扶養者	都道府県番号 13 点数表番号 1 医療機関コード 07○○○○○	

交付年月日	令和 6 年 8 月 21 日	処方箋の 使用期間	令和　年　月　日	特に記載のある場合を除き、交付の日を含めて４日以内に保険薬局に提出すること。

処方	変更不可 （医療上必要）	患者希望	個々の処方薬について、医療上の必要性があるため、後発医薬品（ジェネリック医薬品）への変更に差し支えがあると判断した場合には、「変更不可」欄に「レ」又は「×」を記載し、「保険医署名」欄に署名又は記名・押印すること。また、患者の希望を踏まえ、先発医薬品を処方した場合には、「患者希望」欄に「レ」又は「×」を記載すること。

Rp）①サイレース錠1mg　0.5T
　　　　1日1回　就寝前　14日分

　　②アトルバスタチン錠10mg「サワイ」　1 T
　　　プロブレス錠8mg　1 T
　　　プロピベリン塩酸錠20mg「YD」　1 T
　　　　1日1回　朝食後　14日分

　　③シベンゾリンコハク酸塩錠100mg「サワイ」　3 T
　　　　1日3回　毎食後　14日分

　　④ベシケア OD 錠5mg　1T
　　　　1日1回　夕食後　14日分

リフィル可　□　（　　回）

備考	保険医署名	「変更不可」欄に「レ」又は「×」を記載した場合は、署名又は記名・押印すること。	

Rp）①サイレース錠1mgを1／2カット自家製剤（向精神薬）

保険薬局が調剤時に残薬を確認した場合の対応（特に指示がある場合は「レ」又は「×」を記載すること。）
□保険医療機関へ疑義照会した上で調剤　　　□保険医療機関へ情報提供

調剤実施回数（調剤回数に応じて、□に「レ」又は「×」を記載するとともに、調剤日及び次回調剤予定日を記載すること。）
□1回目調剤日（　年　月　日）　　□2回目調剤日（　年　月　日）　　□3回目調剤日（　年　月　日）
次回調剤予定日（　年　月　日）　　次回調剤予定日（　年　月　日）

調剤済年月日	令和　年　月　日	公費負担者番号							
保険薬局の所在地 及　び　名　称 保険薬剤師氏名	㊞	公費負担医療の 受　給　者　番　号							

備考　1．「処方」欄には、薬名、分量、用法及び用量を記載すること。
　　　2．この用紙は、A列5番を標準とすること。
　　　3．療養の給付及び公費負担医療に関する費用の請求に関する命令（昭和51年厚生省令第36号）第1条の公費負担医療については、「保険医療機関」とあるのは「公費負担医療の担当医療機関」と、「保険医氏名」とあるのは「公費負担医療の担当医氏名」と読み替えるものとすること。

処 方 箋

(この処方箋は、どの保険薬局でも有効です。)

公費負担者番号						保険者番号	3	9	1	3	4	5	6	4
公費負担医療 の受給者番号						被保険者証・被保険 者手帳の記号・番号	123・567　　（枝番）							

患者	氏 名	横綱　力	保険医療機関の 所在地及び名称	東京都○○○ 1-10-12 両国クリニック
	生年月日	明 大 昭 平 令 24年1月9日　男・女	電話番号 保険医氏名	塩田　清子　　㊞
	区 分	被保険者　　（被扶養者）	都道府県番号 13　点数表番号 1　医療機関コード 07○○○○○	

交付年月日	令和 6 年 8 月 28 日	処方箋の 使用期間	令和　年　月　日	特に記載のある場合を除き、交付の日を含めて4日以内に保険薬局に提出すること。

処 方	変更不可 (医療上必要)	患者希望	個々の処方薬について、医療上の必要性があるため、後発医薬品（ジェネリック医薬品）への変更に差し支えがあると判断した場合には、「変更不可」欄に「レ」又は「×」を記載し、「保険医署名」欄に署名又は記名・押印すること。また、患者の希望を踏まえ、先発医薬品を処方した場合には、「患者希望」欄に「レ」又は「×」を記載すること。

Rp) ①サイレース錠1mg　0.5T
　　　　1日1回　就寝前　14日分

　　②アトルバスタチン錠10mg「サワイ」　1T
　　　プロプレス錠8mg　1T
　　　プロピベリン塩酸塩錠20mg「YD」　1T
　　　　1日1回　朝食後　14日分

　　③シベンゾリンコハク酸塩錠100mg「サワイ」　3T
　　　　1日3回　毎食後　14日分

　　④ベシケアOD錠5mg　1T
　　　　分1　夕食後　14日分

　　⑤リンデロンV軟膏0.12%　5g　2本
　　　　1日数回患部に塗布

リフィル可 □ （　　回）

備 考	保険医署名	「変更不可」欄に「レ」又は「×」を記載した場合は、署名又は記名・押印すること。

Rp) ①サイレース錠1mgを1／2カット自家製剤（向精神薬）

保険薬局が調剤時に残薬を確認した場合の対応(特に指示がある場合は「レ」又は「×」を記載すること。)	
□保険医療機関へ疑義照会した上で調剤	□保険医療機関へ情報提供

調剤実施回数（調剤回数に応じて、□に「レ」又は「×」を記載するとともに、調剤日及び次回調剤予定日を記載すること。）
□1回目調剤日（　年　月　日）　　□2回目調剤日（　年　月　日）　　□3回目調剤日（　年　月　日）
次回調剤予定日（　年　月　日）　　　次回調剤予定日（　年　月　日）

調剤済年月日	令和　年　月　日	公費負担者番号	
保険薬局の所在地 及 び 名 称 保険薬剤師氏名	㊞	公費負担医療の 受 給 者 番 号	

備考　1．「処方」欄には、薬名、分量、用法及び用量を記載すること。
　　　2．この用紙は、A列5番を標準とすること。
　　　3．療養の給付及び公費負担医療に関する費用の請求に関する命令（昭和51年厚生省令第36号）第1条の公費負担医療については、「保険医療機関」とあるのは「公費負担医療の担当医療機関」と、「保険医氏名」とあるのは「公費負担医療の担当医氏名」と読み替えるものとすること。

令和 6 年 8 月分　13　都道府県番号　薬局コード

4 調剤	1社・国　3後期	①単独	2本外	⑥高外一
	2公費　4退職	2 2併	4六外	0 高外7
		3 3併	6家外	

保険者番号　3 9 1 3 4 5 6 4　給付割合 10 ⑨ 8 7 ( )

被保険者証・被保険者手帳等の記号・番号　123・567　（枝番）

| 公費負担者番号① | | 公費負担医療の受給者番号① | |
| 公費負担者番号② | | 公費負担医療の受給者番号② | |

氏名　**横綱　力**

①男　2女　1明 2大 ③昭 4平 5令　24.1.9 生

特記事項　42区キ

職務上の事由　1職務上　2下船後3月以内　3通勤災害

保険医療機関の所在地及び名称　東京都○○○1-10-12　両国クリニック

保険薬局の所在地及び名称

保険医氏名
1 墨田　学　6
2 塩田　清子　7
3　8
4　9
5　10

都道府県番号 1 3　点数表番号 1　医療機関コード 0 7 ○○○○○

受付回数　保険 3 回　公費① 回　公費② 回

医師番号	処方月日	調剤月日	処方（医薬品名・規格・用量・剤形・用法）	単位薬剤料	調剤数量	薬剤調製料 調剤管理料	薬剤料	加算料	公費分点数
1	8・7	8・7	［内服］	1点	14	24/28	14点	回自 分自 16	点
2	8・21	8・21	サイレース錠1mg　0.5T		14	24/28	14	回自 分自 16	
2	8・28	8・28	分1　就寝前		14	24/28	14	回自 分自 16	
1	8・7	8・7	［内服］	9	14	24/28	126		
2	8・21	8・21	アトルバスタチン錠10mg「サワイ」　1T		14	24/28	126		
2	8・28	8・28	プロブレス錠8mg　1T		14	24/28	126		
			プロピベリン塩酸塩錠20mg「YD」　1T						
			分1　朝食後						
1	8・7	8・7	［内服］	5	14	24/28	70		
2	8・21	8・21	シベンゾリンコハク酸塩錠100mg「サワイ」　3T		14	24/28	70		
2	8・28	8・28	分3　毎食後		14	24/28	70		
1	8・7	8・7	［外用］	17	1	10/0	17		
			ケトプロフェンテープ20mg「パテル」（7cm×10cm）14枚						
			1日1回右手首に貼付（14日分）						
2	8・21	8・21	［外用］	9	14	0/0	126		
2	8・28	8・28	ベシケアOD錠5mg　1T		14	0/0	126		
			分1　夕食後						
2	8・28	8・28	［外用］	19	1	10/0	19		
			リンデロンV軟膏0.12%　10g						
			1日数回患部に塗布						

摘要
・自家製剤（サイレース錠1mg　0.5T）を行う
・安全管理が必要な医薬品（シベンゾリンコハク酸塩錠）について詳細説明と指導を行う

※高額療養費 円
※公費負担点数 点
※公費負担点数 点

保険	請求点 1818	※決定点	一部負担金額 円	調剤基本料 基A・後B 219	時間外等加算 点	薬学管理料 薬A3 特管Aイ1 145
			減額 割（円） 免除・支払猶予			
公費①	点	※ 点	円	点	点	点
公費②	点	※ 点	円	点	点	点

〈調剤録〉
1（8／7）

	薬剤料	調剤数量	薬剤料計	薬剤調製料	調剤管理料	加算料	小計	薬学管理料	調剤基本料	合計点数
①	1	14	14	24	28	向8 分自8	82	薬A 45 特管アイ 10	基A 45 後B 28	537
②	9	14	126	24	28		178			
③	5	14	70	24	28		122	その他の 特掲技術料	患者負担金	540 円
④	17	1	17	10	0		27		請求金額	円

2（8／21）

	薬剤料	調剤数量	薬剤料計	薬剤調製料	調剤管理料	加算料	小計	薬学管理料	調剤基本料	合計点数
①	1	14	14	24	28	向8 分自8	82	薬A 45	基A 45 後B 28	626
②	9	14	126	24	28		178			
③	5	14	70	24	28		122	その他の 特掲技術料	患者負担金	630 円
④	9	14	126	0	0		126		請求金額	円

3（8／28）

	薬剤料	調剤数量	薬剤料計	薬剤調製料	調剤管理料	加算料	小計	薬学管理料	調剤基本料	合計点数
①	1	14	14	24	28	向8 分自8	82	薬A 45	基A 45 後B 28	655
②	9	14	126	24	28		178			
③	5	14	70	24	28		122	その他の 特掲技術料	患者負担金	660 円
④	9	14	126	0	0		126		請求金額	円
⑤	19	1	19	10	0		29			

解説

POINT

- 複数の医師からの処方箋が発生しています。
- レセプトの医師番号も忘れずに記入しましょう。
- 1mg の薬剤を 1／2 にする自家製剤加算が発生しています。
- 内服薬の**自家製剤加算**を算定しましょう。
- ※なお、自家製剤しなくても同じ薬が既存している場合は加算はできません。薬剤点は、最低 1 点は算定できます。
- ハイリスク薬（シベンゾリンコハク塩酸塩錠）について、初回処方で詳細な説明と指導を実施しています。 特管Ａイ が算定できます。
- 内服薬が3剤以上あります。薬剤調製料、調剤管理料の算定に注意しましょう。

●薬剤料、薬剤調製料・調剤管理料

処方箋に記載されている Rp ①②③は、それぞれ内服薬ですが、服用時点が異なるため、3剤として算定します。Rp ④は外用薬です。Rp ①は自家製剤です。

【Rp ①…内服】

❶単位薬剤料 　向 サイレース錠 1mg

¥8.40 × 0.5T ＝¥4.20　金額を点数にする

¥4.20 ÷ 10 ＝ 0.42 ⇒ **1点**

❷調剤数量 　**14 日分**

❸薬剤料 　❶×❷ → 1点× 14 日分 ＝ **14 点**

❹薬剤調製料 　早見表より、内服薬 1 剤につき 　⇒**24 点** ┐

　調剤管理料 　早見表より、内服薬 14 日分を確認 ⇒**28 点** ┘ **52 点**　早見表

❺加算料 　麻薬等加算　向精神薬を確認 ⇒ 向 **8点** ◁早見表

　自家製剤加算　内服薬を確認 ⇒ 分自 **8点** ◁早見表

（7 日分で 20 点につき 14 日分は 40 点、さらに錠剤を分割しているので20 ／ 100 相当とする→8点）

【Rp ②…内服】

❶単位薬剤料 　アトルバスタチン錠10mg「サワイ」┐

¥15.80 × 1 T ＝¥15.80

ブロプレス錠８mg

¥48.90×1T＝¥48.90

プロピベリン塩酸塩錠20mg「YD」

¥27.20 × 1 T ＝¥27.20

合計金額　¥91.90
金額を点数にする
¥91.90 ÷ 10 ＝
9.19（五捨五超入）
⇒**9点**

❷調剤数量 　**14 日分**

❸薬剤料 　❶×❷→ 9 点× 14 日分 ＝ **126 点**

❹薬剤調製料 　早見表より、内服薬 1 剤につき 　⇒**24 点** ┐

　調剤管理料 　早見表より、内服薬 14 日分を確認 ⇒**28 点** ┘ **52 点**　早見表

❺加算料 　なし

【Rp ③…内服】

❶単位薬剤料 　シベンゾリンコハク酸塩錠 100mg「サワイ」

¥17.20 ×3T ＝¥51.60

70

金額→点数　￥51.60 ÷ 10 ＝ 5.16（五捨五超入）

点数 **5 点**

❷調剤数量　**14 日分**

❸薬剤料　　❶×❷→ 5 点× 14 日分 ＝ **70 点**

❹薬剤調製料　早見表より、内服薬 1 剤につき　⇒**24 点** ┐早見表

　調剤管理料　早見表より、内服薬 14 日分を確認 ⇒**28 点** ┘**52 点**

❺加算料　　なし

【Rp ④…外用薬】

❶単位薬剤料　ケトプロフェンテープ 20mg「パテル」（7cm× 10cm）

　　　　　　￥12.30 × 14 枚＝￥172.20

　　　　　　金額を点数にする

　　　　　　￥172.20÷ 10 ＝ 17.22（五捨五超入）⇒**17 点**

❷調剤数量　**1 調剤分**

❸薬剤料　　❶×❷ → 17 点×1 調剤 ＝ **17 点**

❹薬剤調製料　早見表より、外用薬の薬剤調製料 ⇒ **10 点**

　調剤管理料　**0 点**　　　　　　　　　　　　早見表

❺加算料　　なし

●薬学管理料

算定条件（3 ヵ月以内に再来局、おくすり手帳に記載・持参）を確認します。

服薬管理指導料 1 → 早見表 薬 A **45 点** ┐

特定薬剤管理指導 1 を実施（8/7　シベンゾリンコハク塩 ├**55 点**
酸塩錠）、1 回 → 特管 A イ **10 点** ┘　早見表

●調剤基本料

算定条件を確認します。

受付回数：1月 2,100 回・集中率 40% 、妥結率 50% 超

＝「調剤基本料 1」→ 基 A **45 点** ◁早見表

後発医薬品調剤体制加算 2「 後 B 」→ **28 点**

●患者負担金

調剤録の合計点数に負担割合（P.10 参照）をかけて、患者負担金を計算します。後期高齢者 75 歳一般なので、負担割合は 1 割。537 点× 1 割＝ 537（四捨五入)⇒**540 円**

●薬剤料、薬剤調製料・調剤管理料

【Rp ①…内服】

❶単位薬剤料　　向 サイレース錠 1mg
　　　　　　　　¥8.40 × 0.5T = ¥4.20　金額を点数にする
　　　　　　　　¥4.20 ÷ 10 = 0.42 ⇒ **1点**

❷調剤数量　　**14日分**

❸薬剤料　　　❶×❷ → 1点 × 14日分 = **14点**

❹薬剤調製料　早見表より、 内服薬 1剤につき 　⇒**24点**　　早見表
　調剤管理料　早見表より、 内服薬 14日分を確認 ⇒**28点**　　└ **52点**

❺加算料　　　麻薬等加算　 向精神薬を確認 ⇒ 向 **8点** ◁ 早見表
　　　　　　　自家製剤加算　 内服薬を確認 ⇒ 分自 **8点** ◁ 早見表
　　　　　　　（7日分で 20点につき 14日分は 40点、さらに錠
　　　　　　　剤を分割しているので 20／100 相当とする→ 8点）

【Rp ②…内服】

❶単位薬剤料　アトルバスタチン錠10mg「サワイ」
　　　　　　　¥15.80 × 1T = ¥15.80　　　合計金額　¥91.90
　　　　　　　ブロプレス錠8mg　　　　　　金額を点数にする
　　　　　　　¥48.90×1T=¥48.90　　　 ¥91.90 ÷ 10 =
　　　　　　　プロピベリン塩酸塩錠20mg「YD」　9.19（五捨五超入）
　　　　　　　¥27.20 × 1T = ¥27.20　　　 ⇒**9点**

❷調剤数量　　**14日分**

❸薬剤料　　　❶×❷→ 9点 × 14日分 = **126点**

❹薬剤調製料　早見表より、 内服薬 1剤につき 　⇒**24点**　　早見表
　調剤管理料　早見表より、 内服薬 14日分を確認 ⇒**28点**　　└ **52点**

❺加算料　　　なし

【Rp ③…内服】

❶単位薬剤料　シベンゾリンコハク酸塩錠 100mg「サワイ」
　　　　　　　¥17.20 × 3T = ¥51.60　金額を点数にする
　　　　　　　¥51.60 ÷ 10 = 5.16（五捨五超入）⇒ **5点**

❷調剤数量　　**14日分**

❸薬剤料　　　❶×❷→ 5点 × 14日分 = **70点**

❹薬剤調製料　早見表より、内服薬 1 剤につき　⇒ **24 点** ┐
　調剤管理料　早見表より、内服薬 14 日分を確認 ⇒ **28 点** ┘ **52 点** [早見表]

❺加算料　　　なし

【Rp ④…内服】

❶単位薬剤料　ベシケア OD 錠 5mg

　　　　　　¥94.60 × 1T ＝¥94.60　金額を点数にする

　　　　　　¥94.60 ÷ 10 = 9.46（五捨五超入）⇒ **9 点**

❷調剤数量　**14 日分**

❸薬剤料　　❶×❷ → 9 点× 14 調剤 ＝**126 点**

❹薬剤調製料　早見表より、内服薬の薬剤調製料 3 剤まで ⇒ **0 点**

　調剤管理料　早見表より、内服薬の調剤管理料 3 剤まで ⇒ **0 点**

❺加算料　　　なし

●薬学管理料

算定条件（3 ヵ月以内に再来局、おくすり手帳に記載・持参）を確認します。服薬管理指導料 1 → 薬 A　45 点

●調剤基本料

算定条件を確認します。

受付回数：1月 2,100 回・集中率 40% 、妥結率 50% 超

＝「調剤基本料 1」→ 基 A　**45 点** ◁ 早見表

後発医薬品調剤体制加算 2「後 B」→ **28 点**

●患者負担金

調剤録の合計点数に負担割合（P.10 参照）をかけて、患者負担金を計算します。後期高齢者 75 歳一般なので、負担割合は 1 割。626 点× 1 割＝ 626(四捨五入) ⇒ **630 円**

8 ／ 28

●薬剤料、薬剤調製料・調剤管理料加算

前回（8/21）の処方内容に Rp ⑤の外用薬が加わっています。

外用薬は 1 調剤、つまり全量で計算するので、5 g が 2 本ある場合は 10 g で計算します。

【Rp ①…内服】

❶単位薬剤料　向 サイレース錠 1mg

　　　　　　¥8.40 × 0.5T ＝¥4.20　金額→点数

　　　　　　¥4.20 ÷ 10 = 0.42　　**点数 1 点**

❷調剤数量　　**14日分**

❸薬剤料　　　❶×❷ → 1点× 14日分 = **14点**

❹薬剤調製料　早見表より、内服薬1剤につき　　⇒ **24点** ┐
　調剤管理料　早見表より、内服薬14日分を確認 ⇒ **28点** ┘ **52点**　〔早見表〕

❺加算料　　　麻薬等加算　向精神薬を確認 ⇒ **向 8点** ◁ 〔早見表〕

　　　　　　　自家製剤加算　内服薬を確認 ⇒ **分自 8点** ◁ 〔早見表〕

　　　　　　　（7日分で20点につき14日分は40点、さらに錠
　　　　　　　剤を分割しているので20／100相当とする→8点）

【Rp ②…内服】

❶単位薬剤料　アトルバスタチン錠10mg「サワイ」

　　　　　　　¥15.80 × 1 T = ¥15.80

　　　　　　　ブロプレス錠8㎎

　　　　　　　¥48.90×1T=¥48.90

　　　　　　　プロピベリン塩酸塩錠20㎎「YD」

　　　　　　　¥27.20 × 1 T = ¥27.20

　　　　　　　合計金額　¥91.90
　　　　　　　金額を点数にする
　　　　　　　¥91.90 ÷ 10 =
　　　　　　　9.19（五捨五超入）
　　　　　　　⇒ **9点**

❷調剤数量　　**14日分**

❸薬剤料　　　❶×❷→ 9点× 14日分 = **126点**

❹薬剤調製料　早見表より、内服薬1剤につき　　⇒ **24点** ┐
　調剤管理料　早見表より、内服薬14日分を確認 ⇒ **28点** ┘ **52点**　〔早見表〕

❺加算料　　　なし

【Rp ③…内服】

❶単位薬剤料　シベンゾリンコハク酸塩錠 100mg「サワイ」

　　　　　　　¥17.20 × 3T = ¥51.60

　　　　　　　金額→点数　¥51.60 ÷ 10 = 5.16（五捨五超入）

　　　　　　　点数 **5点**

❷調剤数量　　**14日分**

❸薬剤料　　　❶×❷→ 5点× 14日分 = **70点**

❹薬剤調製料　早見表より、内服薬1剤につき　　⇒ **24点** ┐
　調剤管理料　早見表より、内服薬14日分を確認 ⇒ **28点** ┘ **52点**　〔早見表〕

❺加算料　　　なし

【Rp ④…内服】

❶単位薬剤料　ベシケア OD 錠 5㎎

¥94.60 × 1T ＝¥94.60　金額を点数にする

¥94.60 ÷ 10 ＝ 9.46（五捨五超入）⇒ **9 点**

❷調剤数量 **14 日分**

❸薬剤料 ❶×❷ → 9 点× 14 調剤＝**126 点**

❹薬剤調製料 早見表より、内服薬の薬剤調製料 3 剤まで ⇒ **0 点**

調剤管理料 早見表より、内服薬の調剤管理料 3 剤まで ⇒ **0 点**

❺加算料 なし

【Rp ⑤…外用】

❶単位薬剤料 リンデロン V 軟膏 0.12%

¥18.60 × 10g ＝¥186.0　金額を点数にする

¥186.0 ÷ 10 ＝ 18.6（五捨五超入）⇒ **19 点**

❷調剤数量 **1 調剤分**

❸薬剤料 ❶×❷ → 19 点×1 調剤 ＝ **19 点**

❹薬剤調製料 早見表より、外用薬の薬剤調製料 ⇒ **10 点**

調剤管理料 **0 点**

早見表

❺加算料 なし

● **薬学管理料**

算定条件（3 ヵ月以内に再来局、おくすり手帳に記載・持参）を確認します。服薬管理指導料 1 → 薬A **45 点** 早見表

● **調剤基本料**

算定条件を確認します。

受付回数：1月 2,100 回・集中率 40% 、妥結率 50% 超

＝「調剤基本料 1」→ 基A **45 点** 早見表

後発医薬品調剤体制加算 2「 後B 」→ **28 点**

● **患者負担金**

調剤録の合計点数に負担割合（P.10 参照）をかけて、患者負担金を計算します。後期高齢者 75 歳一般なので、負担割合は 1 割。

655 点× 1 割＝ 655（四捨五入）⇒ **660 円**

次の処方箋をもとにして、調剤レセプトを作成しなさい。

【算定条件】①処方箋の受付回数：1月 3,800 回（集中率 73%）、妥結率 50% 超
②服薬管理指導 1 を実施（3ヵ月以内に再来局、おくすり手帳に記載・持参あり）
③開局時間：月～土　9 時～19 時　④休業日　日曜・祝日

処　方　箋

（この処方箋は、どの保険薬局でも有効です。）

公費負担者番号		保険者番号	0 6 1 3 4 5 6 6
公費負担医療の受給者番号		被保険者証・被保険者手帳の記号・番号	234・567　（枝番）

患者	氏　名	日本　橋三	保険医療機関の所在地及び名称	東京都○○ 1-2-3 大手町病院
	生年月日	明大昭平令 55年 6月 3日 男・女	電話番号	
			保険医氏名	四谷　五郎　㊞
	区　分	被保険者　被扶養者	都道府県番号 13 点数表番号 1 医療機関コード 07○○○○○	

交付年月日	令和 6 年 10 月 4 日	処方箋の使用期間	令和　年　月　日	特に記載のある場合を除き、交付の日を含めて 4 日以内に保険薬局に提出すること。

処 方	変更不可（医療上必要） 患者希望	個々の処方薬について、医療上の必要性があるため、後発医薬品（ジェネリック医薬品）への変更に差し支えがあると判断した場合には、「変更不可」欄に「レ」又は「×」を記載し、「保険医署名」欄に署名又は記名・押印すること。また、患者の希望を踏まえ、先発医薬品を処方した場合には、「患者希望」欄に「レ」又は「×」を記載すること。
		Rp）①メイアクト MS 錠 100mg　3 T ガストローム顆粒 66.7%　1.5g 分 3　毎食後　7 日分 ②トラネキサム酸 250mg「YD」　3 T 分 3　毎食後　5 日分 ③アンテベート軟膏 0.05%　10g ヒルドイドソフト軟膏　10g 1 日 1 回塗布 リフィル可 □　（　　　回）

備 考	保険医署名	「変更不可」欄に「レ」又は「×」を記載した場合は、署名又は記名・押印すること。
	Rp）③は計量混合	
	保険薬局が調剤時に残薬を確認した場合の対応（特に指示がある場合は「レ」又は「×」を記載すること。） □保険医療機関へ疑義照会した上で調剤　　□保険医療機関へ情報提供	

調剤実施回数（調剤回数に応じて、□に「レ」又は「×」を記載するとともに、調剤日及び次回調剤予定日を記載すること。）
□1回目調剤日（　年　月　日）　□2回目調剤日（　年　月　日）　□3回目調剤日（　年　月　日）
次回調剤予定日（　年　月　日）　　　　次回調剤予定日（　年　月　日）

調剤済年月日	令和　年　月　日	公費負担者番号	
保険薬局の所在地及び名称 保険薬剤師氏名	㊞	公費負担医療の受給者番号	

備考　1．「処方」欄には、薬名、分量、用法及び用量を記載すること。
　　　2．この用紙は、A列5番を標準とすること。
　　　3．療養の給付及び公費負担医療に関する費用の請求に関する命令（昭和51年厚生省令第36号）第1条の公費負担医療については、「保険医療機関」とあるのは「公費負担医療の担当医療機関」と、「保険医氏名」とあるのは「公費負担医療の担当医氏名」と読み替えるものとすること。

処　方　箋

(この処方箋は、どの保険薬局でも有効です。)

公費負担者番号		保険者番号	0 6 1 3 4 5 6 6
公費負担医療 の受給者番号		被保険者証・被保険 者手帳の記号・番号	234・567　（枝番）

患者	氏　名	日本　橋三	保険医療機関の 所在地及び名称	東京都○○ 1-2-3 大手町病院
	生年月日	明・大・昭・平・令　55年6月3日　男・女	電　話　番　号 保険医氏名　新宿　一夫　㊞	
	区　分	被保険者　被扶養者	都道府県番号 13　点数表番号 1　医療機関コード 07○○○○○	

交付年月日	令和 6 年 10 月 12 日	処方箋の 使用期間	令和　年　月　日	特に記載のある場合を除き、交付の日を含めて4日以内に保険薬局に提出すること。

処方	変更不可 (医療上必要)	患者希望	個々の処方薬について、医療上の必要性があるため、後発医薬品（ジェネリック医薬品）への変更に差し支えがあると判断した場合には、「変更不可」欄に「レ」又は「×」を記載し、「保険医署名」欄に署名又は記名・押印すること。また、患者の希望を踏まえ、先発医薬品を処方した場合には、「患者希望」欄に「レ」又は「×」を記載すること。

Rp) ①メトホルミン塩酸塩錠 250mgMT「ニプロ」3T
　　　　分3　毎食後　14日分

Rp) ②ジャディアンス錠 10mg　1T
　　　　分1　朝食後　14日分

Rp) ③エリキュース錠 2.5mg　2T
　　　　分2　朝・夕食後　14日分

Rp) ④ブロチゾラム錠 0.25mg「サワイ」　1T
　　　　分1　就寝前　14日分

リフィル可 □　（　　　回）

備考	保険医署名	「変更不可」欄に「レ」又は「×」を記載した場合は、署名又は記名・押印すること。	

Rp) ①②③は一包化
　④ブロチゾラム錠 0.25mg「サワイ」は向精神薬

保険薬局が調剤時に残薬を確認した場合の対応（特に指示がある場合は「レ」又は「×」を記載すること。）
□保険医療機関へ疑義照会した上で調剤　　□保険医療機関へ情報提供

調剤実施回数（調剤回数に応じて、□に「レ」又は「×」を記載するとともに、調剤日及び次回調剤予定日を記載すること。）
□1回目調剤日（　年　月　日）　□2回目調剤日（　年　月　日）　□3回目調剤日（　年　月　日）
次回調剤予定日（　年　月　日）　　次回調剤予定日（　年　月　日）

調剤済年月日	令和　年　月　日	公費負担者番号	
保険薬局の所在地 及　び　名　称 保険薬剤師氏名	㊞	公費負担医療の 受給者番号	

備考 1．「処方」欄には、薬名、分量、用法及び用量を記載すること。
　　 2．この用紙は、A列5番を標準とすること。
　　 3．療養の給付及び公費負担医療に関する費用の請求に関する命令（昭和51年厚生省令第36号）第1条の公費負担医療については、「保険医療機関」とあるのは「公費負担医療の担当医療機関」と、「保険医氏名」とあるのは「公費負担医療の担当医氏名」と読み替えるものとすること。

○ **調剤報酬明細書**

令和 6 年 10 月分　都道府県番号 薬局コード **13**

| 4 調剤 | ①社・国 2公費 | 3後期 4退職 | ①23 | 単独 2併 3併 | ②46 | 本外 六外 家外 | 8 0 | 高外一 高外7 |

保険者番号 **0 6 1 3 4 5 6 6**　給付割合 10 9 8 ⑦( )

被保険者証・被保険者手帳等の記号・番号 **234・567** （枝番）

| 公費負担者番号① | | 公費負担医療の受給者番号① | |
| 公費負担者番号② | | 公費負担医療の受給者番号② | |

氏名 **日本　橋三**　①男 2女　1明 2大③昭 4平 5令 55・6・3 生

特記事項

保険薬局の所在地及び名称

職務上の事由　1職務上　2下船後3月以内　3通勤災害

保険医療機関の所在地及び名称　**東京都○○1-2-3　大手町病院**

都道府県番号 **1 3**　点数表番号 **1**　医療機関コード **0 7 ○○○○○○**

保険医氏名
1 四谷 五郎　6
2 新宿 一夫　7
3　8
4　9
5　10

受付回数　保険 **2** 回　公費① 回　公費② 回

医師番号	処方月日	調剤月日	処方 医薬品名・規格・用量・剤形・用法	単位薬剤料	調剤数量	薬剤調製料 調剤管理料	薬剤料	加算料	公費分点数
1	10・4	10・4	[内服] メイアクトMS錠100mg　3T ガストローム顆粒66.7%　1.5g　分3　毎食後	19点	7	24 4	133点		点
1	10・4	10・4	[内服] トラネキサム酸250mg「YD」　3T　分3　毎食後	3	5	0 0	15		
1	10・4	10・4	[外用] アンテベート軟膏0.05%　10g ヒルドイドソフト軟膏　10g　1日1回塗布	37	1	10 0	37	計80	
2	10・12	10・12	[内服] メトホルミン塩酸塩錠250mgMT「ニプロ」　3T　分3　毎食後	3	14	24 28	42	支B68	
2	10・12	10・12	[内服] ジャディアンス錠10mg　1T　分1　朝食後	19	14	24 28	266	支B	
2	10・12	10・12	[内服] エリキュース錠2.5mg　2T　分2　朝・夕食後	23	14	24 28	322	支B	
2	10・12	10・12	[内服] ブロチゾラム錠0.25mg「サワイ」　1T　分1　就寝前	1	14	0 0	14	阿8	

摘要

※高額療養費　　円
※公費負担点数　　点
※公費負担点数　　点

	請求点	※決定点	一部負担金額 円	調剤基本料 点	時間外等加算 点	薬学管理料 点
保険	1359		減額 割(円) 免除・支払猶予	基A 90		薬A 2　90
公費①	点	※ 点	円	点	点	点
公費②	点	※ 点	円	点	点	点

78

〈調剤録〉
1（10／4）

	薬剤料	調剤数量	薬剤料計	薬剤調製料	調剤管理料	加算料	小計	薬学管理料	調剤基本料	合計点数
①	19	7	133	24	4		161	薬A 45	基A 45	393
②	3	5	15	0	0		15			
③	37	1	37	10	0	計80	127	その他の	患者負担金	1,180 円
								特掲技術料	請求金額	円

2（10／12）

	薬剤料	調剤数量	薬剤料計	薬剤調製料	調剤管理料	加算料	小計	薬学管理料	調剤基本料	合計点数
①	3	14	42	24	28	支B 68	162	薬A 45	基A 45	966
②	19	14	266	24	28	支B	318			
③	23	14	322	24	28	支B	374	その他の	患者負担金	2,900 円
④	1	14	14	0	0	向8	22	特掲技術料	請求金額	円

解説

POINT

- 服用時点が同じ内服薬＝10/4のRp①と②は「1剤」となります。したがって、薬剤調製料と調剤管理料は①または②のどちらか日数の長い方を算定します。
- Rp③は剤形が「軟膏」で、2種類以上のものを計量混合調剤しています。
- 10/12のRp①②③は朝食後に服用する薬を一包化しています。
  ・1日～14日目まで全体の一包化の計算は、7日（または端数を増す）ごとに算定します。
  ・一包化調剤した場合は、**外来服薬支援料2**で算定します。「加算欄」に 支B として点数を記入し、他の薬剤には 支B の記号のみ記載します。
- Rp④は向精神薬の薬です。
- 計量混合調剤や一包化の算定方法を確実にマスターしましょう。

10／4

●薬剤料、薬剤調製料・調剤管理料

処方箋に記載されているRp①②は内服薬です。服用時点が同じなので①②で1剤として算定します。調剤料は①②のうち長い日数で算定します。

Rp① 7日　Rp② 5日

Rp③は軟膏の計量混合調剤をしています。

【Rp①…内服】

79

❶単位薬剤料	メイアクトMS錠 100㎎	合計金額￥188.10
	￥56.60×3C＝￥169.80	金額を点数にする
	ガストローム顆粒66.7%	￥188.10÷10＝
	￥12.20 × 1.5g ＝￥18.30	18.81
		⇒ **19点**

❷調剤数量　**7日分**

❸薬剤料　❶×❷ → 19点×7日分 = **133点**

❹薬剤調製料　早見表より、内服薬1剤につき　⇒ **24点**　┐早見表

　調剤管理料　早見表より、内服薬7日分を確認 ⇒ **4点**　┘**28点**

❺加算料　なし

【Rp ②…内服】

❶単位薬剤料　トラネキサム酸250㎎「YD」￥10.10×3T＝￥30.30

　　　　　　　金額を点数にする　￥30.30÷10＝3.03⇒**3点**

❷調剤数量　**5日分**

❸薬剤料　❶×❷ → 3点×5日分 = **15点**

❹薬剤調製料　**0点**

　調剤管理料　**0点**

服用時点が同一のRp①とRp②は1剤扱いになります。日数の長いRp①のみで薬剤調製料と調剤管理料を算定します。Rp②では0点と記入します。

❺加算料　なし

［PR ③…外用］

❶単位薬剤料	アンテベート軟膏0.05%　10g	合計金額￥374.00
	￥18.90 × 10g ＝￥189.0	金額を点数にする
	ヒルドイドソフト軟膏	￥374.00÷10
	￥18.50 × 10g ＝￥185.0	＝ 37.4
		⇒ **37点**

❷調剤数量　1調剤分

❸薬剤料　37点×1調剤＝ **37点**

❹薬剤調製料　**10点**

　調剤管理料　**0点**

❺加算料　計量混合調剤加算　早見表から軟膏を確認 |早見表 計 **80点**

●**薬学管理料**

算定条件（3ヵ月以内に再来局、おくすり手帳に記載・持参）を確認

80

します。服薬管理指導料1 → 薬A 45点 ⊲早見表

●調剤基本料
算定条件を確認します。

受付回数：1月3,800回・集中率73%、妥結率50%超

＝「調剤基本料1」→ 基A 45点 ⊲早見表

●患者負担金
調剤録の合計点数に負担割合（P.10参照）をかけて、患者負担金を計算します。393点×3割＝1,179(四捨五入)⇒ **1,180円**

10／12

●薬剤料、薬剤調製料・調剤管理料
処方箋に記載されている Rp ①②③④は内服薬です。薬剤調整料は1剤（服用時点が同じ)につきの算定です。ただし3剤が限度のため内服薬が4剤以上あるときは、投与日数が長いものや加算のあるものから3剤選びます。調剤管理料を算定するときは、選んだ3剤の中で最も長い日数で計算します。

Rp ① 14日分　　② 14日分　　③ 14日分　　　④ 14日分

Rp ①②③を一包化しています。

【Rp ①…内服】

❶単位薬剤料　メトホルミン塩酸塩錠250mgMT「ニプロ」

　　　　　　　¥10.10×3T=¥30.30

　　　　　　　金額を点数にする　¥30.30÷10＝3.03⇒ **3点**

❷調剤数量　**14日分**

❸薬剤料　　❶×❷ → 3点×14日分 ＝ **42点**

❹薬剤調製料　早見表より、内服薬1剤につき ⇒**24点** ┐ 早見表

　調剤管理料　早見表より、内服薬14日分を確認 ⇒**28点** ┘**52点**

❺加算料　外来服薬支援料2（一包化支援）14日分を確認

　　　　　⇒ 支B 68点

【Rp ②…内服】 早見表

❶単位薬剤料　ジャディアンス錠10mg ¥188.90×1T=¥188.90

　　　　　　　金額を点数にする　188.90÷10＝18.89⇒ **19点**

❷調剤数量　**14日分**

❸薬剤料　　❶×❷ → 19点×14日分 ＝ **266点**

❹薬剤調製料　早見表より、内服薬 1 剤につき　⇒ **24 点**┐
　調剤管理料　早見表より、内服薬 14 日分を確認 ⇒ **28 点**┘ **52 点**

❺加算料　　外来服薬支援料 2　5 日分（Rp ①で計上済み）**支 B**
　　　　　　の記号のみ書く

【Rp ③…内服】

❶単位薬剤料　エリキュース錠 2.5㎎ ￥117.5 × 2 T ＝￥235.00
　　　　　　金額を点数にする　￥235.00 ÷ 10 ＝23.50 ⇒**23 点**

❷調剤数量　**14 日分**

❸薬剤料　　①×② → 23 点× 14 日分 ＝ **322 点**　┌早見表┐

❹薬剤調製料　早見表より、内服薬 1 剤につき　⇒ **24 点**┐
　調剤管理料　早見表より、内服薬 14 日分を確認 ⇒ **28 点**┘ **52 点**

❺加算料　　外来服薬支援料 2（Rp ①で計上済み）**支 B** の記号のみ書く

【Rp ④…内服】

❶単位薬剤料　**向** ブロチゾラム錠 0.25㎎「サワイ」
　　　　　　￥10.10 × 1 T ＝￥10.10　金額を点数にする
　　　　　　10.10 ÷ 10 ＝ 1.010 ⇒**1 点**

❷調剤数量　**14 日分**

❸薬剤料　　❶×❷ → 1 点× 14 日分 ＝ **14 点**

❹薬剤調製料　**0 点**
　調剤管理料　**0 点**
　　　　　　内服薬の薬剤調製料と調剤管理料の算定は 3 剤まで

❺加算料　　麻薬等加算　向精神薬を確認 ⇒ **向** **8 点**
　　　　　　　　　　　　　　　　　　　　┌早見表┐

● **薬学管理料**

算定条件（3 ヵ月以内に再来局、おくすり手帳に記載・持参）を確認
します。服薬管理指導料 1 → **薬 A** **45 点**

● **調剤基本料**

算定条件を確認します。
受付回数：1 月 3,800 回・集中率 73% 、妥結率 50% 超
＝「調剤基本料 1」→ **基 A** **45 点** ＜ 早見表

● **患者負担金**

調剤録の合計点数に負担割合（P.10 参照）をかけて、患者負担金を
計算します。966 点× 3 割＝ 2,898(四捨五入) ⇒ **2,900 円**

【調剤報酬明細書】

○ 調剤報酬明細書

令和　　年　　月分

都道府県番号　薬局コード

		4 調剤	1 社・国 3 後期 2 公費 4 退職	単 独 1 2 3	2 4 6 2 併 3 併	本外六外家外	8 高外一 0 高外7

保険者番号

給付割合　10 9 8 7 ( )

被保険者証・被保険者手帳等の記号・番号　　（枝番）

公費負担者番号①
公費負担医療の受給者番号①
公費負担者番号②
公費負担医療の受給者番号②

氏名　1男　2女　1明 2大 3昭 4平 5令　　．．　生

特記事項

保険薬局の所在地及び名称

職務上の事由　1職務上　2下船後3月以内　3通勤災害

保険医療機関の所在地及び名称
都道府県号　点数表番号　医療機関コード

保険医氏名	1	6
	2	7
	3	8
	4	9
	5	10

受付回数	保険	回
	公費①	回
	公費②	回

医師番号	処方月日	調剤月日	処方 医薬品名・規格・用量・剤形・用法	単位薬剤料	調剤数量	調剤報酬点数 薬剤調製料 調剤管理料	薬剤料	加算料	公費分点数
	・	・		点		点	点	点	点
	・	・							
	・	・							
	・	・							
	・	・							
	・	・							
	・	・							
	・	・							
	・	・							
	・	・							
	・	・							

摘要

※高額療養費　円
※公費負担点数　点
※公費負担点数　点

保険	請　求　点	※　決　定　点	一部負担金額　円 減額　割(円) 免除・支払猶予	調剤基本料 点	時間外等加算 点	薬学管理料 点
公費①	点	※　点	円	点	点	点
公費②	点	※　点	円	点	点	点

【調剤録】

薬剤料	調剤数量	薬剤料計	薬剤調製料	調剤管理料	加算料	小計	薬学管理料	調剤基本料	合計点数
							その他の 特掲技術料	患者負担金	円
								請求金額	円

薬剤料	調剤数量	薬剤料計	薬剤調製料	調剤管理料	加算料	小計	薬学管理料	調剤基本料	合計点数
							その他の 特掲技術料	患者負担金	円
								請求金額	円

薬剤料	調剤数量	薬剤料計	薬剤調製料	調剤管理料	加算料	小計	薬学管理料	調剤基本料	合計点数
							その他の 特掲技術料	患者負担金	円
								請求金額	円

調剤報酬明細書と調剤録の使い方

P.83・84 に、別冊の練習問題を解くための「調剤報酬明細書」と「調剤録」を掲載しています。このページをコピーして、ケース1～11 の問題に挑戦してみてください。
レセプト作成は何度も練習をして、慣れておくことが大切です。誤ったところは解説を確認して、繰り返し解くようにしましょう。